2nd
Ed

수련의를 위한

생식의학 가이드북

Guidebook of F
for Resident and

지병철 지음

Guide

수련의를 위한
생식의학 가이드북

첫째판 1쇄 발행 | 2018년 9월 7일
둘째판 1쇄 인쇄 | 2022년 11월 11일
둘째판 1쇄 발행 | 2022년 11월 21일

지 은 이 지병철
발 행 인 장주연
출 판 기 획 최준호
책 임 편 집 이다영
편집디자인 조원배
표지디자인 김재욱
일 러 스 트 김경열
발 행 처 군자출판사(주)
등록 제4-139호(1991. 6. 24)
본사(10881) **파주출판단지** 경기도 파주시 회동길 338(서패동 474-1)
전화(031) 943-1888 팩스(031) 955-9545
홈페이지 | www.koonja.co.kr

ISBN 979-11-5955-943-3
정가 35,000원

수련의를 위한

생식의학 가이드북

2nd Ed

Guidebook of Reproductive Medicine
for Resident and Fellow

저자약력

지병철

1967년생으로 1992년 서울의대를 졸업하였으며 1993년부터 서울대병원에서 산부인과 전공의 수련을 하였고, 1997년 산부인과 전문의를 취득하였다. 1997년부터 3년간 서울대병원에서 난임/생식내분비학/유전학 세부전공으로 전임의 과정을 거쳤다. 2001년 서울의대 박사를 취득하였으며(지도교수: 문신용), 2003년부터 현재까지 분당서울대학교병원 산부인과 교수로 재직 중이다. 2022년까지 10명의 석박사생을 배출하였으며, 각종 학회에서 45차례 강연하였고, 펍메드에 등재된 논문은 192편이다. 2018년부터 대한생식의학회 영문학술지 Clinical and Experimental Reproductive Medicine (CERM) 주편집인을 하고 있다.

2판 서문

의학의 모든 분야가 그렇겠지만 생식의학 파트도 나날이 발전이 이루어져 1판을 출시한 직후부터 개정의 필요성을 항상 느껴왔다. 이번 2판에서는 그간 생식의학 분야에서 이루어진 변화를 적절히 반영하고 특히 급속도로 변모하는 난임 분야에서도 변경된 사항을 반영하였다. 또한 1판에서 다루지 못했던 반복유산 분야도 Speroff 교과서 9판의 내용을 일부 반영하여 새롭게 추가하였다. 반복유산을 다루다 보니 유전학에 대한 부연 설명도 필요하다고 판단되어 유전학도 새로운 챕터로 추가하였는데 여기에는 매우 기본적인 개념만 들어 있으므로 최근 개발된 유전자검사, 병인성 변이, 보인자검사, NGS 등에 대해서는 다른 교과서로 심도 있게 공부하는 것을 추천한다. 더불어 맨 마지막 챕터로 셀프평가 문항집을 마련하여 자가 학습이 되게 하였다. 해당 내분비 분야 교과서를 찾아보면서 문제를 익힌다면 생식의학 분야를 공부하는 데에도 큰 도움이 될 것이다.

전공의 및 전임의 수련 기간 동안 많은 공부를 해야 하는 것은 자명하다. 수련 기간 동안 공부한 것이 향후 의사로서의 진료 원칙을 확고히 하고 진료 행태를 결정한다는 점에서 수련 기간 동안 제대로 공부하는 것은 매우 중요하다고 본다. 물론 수련을 마친 후에도 최신 지식을 습득하려는 노력을 게을리 해서는 안 되겠다.

수가체계에서 100% 본인부담은 'D-code'로, 비급여는 'S-code'로 표기하였다. 1판과 마찬가지로 참고문헌은 따로 정리하지 않고 글 중간에 (저널명 년도;권수;시작페이지) 형태로 삽입하였다. 모쪼록 본 가이드북이 생식의학을 공부하는데 유용한 길라잡이가 되었으면 하는 바람이다.

2022년 10월

지 병 철

목차

제 1 장

월경이상

1 이상자궁출혈

1) 초기 접근

이상자궁출혈 환자가 오면 가장 먼저 자궁경부미란, 자궁경부용종, 자궁내막용종, 자궁내막에 접하는 자궁근종, 점막하자궁근종 등의 기질적 요인이 있는지 살펴야 한다. 환자가 내진을 불편해하더라도 이상자궁출혈이 있으면 반드시 자궁경부를 점검해야 한다. 간혹 점막하자궁근종 또는 자궁경부에서 기원한 근종이 자궁경부 밖으로 나와(prolapsed myoma) 출혈을 동반하는 경우가 있는데 초음파로는 발견이 안 될 수도 있다.

약물 복용력도 살펴야 한다. 간혹 기질적 이상이 없더라도 아스피린, 와파린, 플라빅스 같은 항응고제 복용이나 근육에 스테로이드 주사를 받은 경우에 이상자궁출혈을 호소하는 경우가 있다.

폐경 전 여성이 복합경구피임제나 프로게스틴 제제를 복용할 때, levonorgestrel-IUS(미레나®)를 삽입한 경우, 폐경 후 여성이 여성호르몬 치료를 받을 때도 부작용으로 이상자궁출혈을 호소하는 경우가 있다.

이상자궁출혈을 호소하는 환자에서 만일 다량의 출혈이 있어 당장 내진이나 질초음파검사가 힘든 경우에는 복부초음파검사로 자궁과 난소를 대략적으로 검사하고 tranexamic acid(트란자민®) 500 mg bid 또는 medroxyprogesterone acetate (MPA)(프로베라®) 5-10 mg qd로 몇 일간 처방하여 일단 지혈을 도모한 다음 내진이나 질초음파를 하는 것도 좋은 방법이다.

자궁경부세포진검사(PAP 검사)는 ASCUS/AGUS 이상, HPV 양성, CIN, 자궁경부암에서 급여이며, 이외 자궁경부 출혈이나 자궁경부용종이 있는 경우에도 급여가 된다.

혈액검사로 hemoglobin, platelet, coagulation panel, liver panel, renal panel 등을 체크한다. 간 질환자, 신장 질환자에서 간혹 이상자궁출혈이 동반된다.

만일 초기 진찰에서 특별한 이상이 없는 경우 호르몬 이상으로 인한 자궁출혈을 배제하기 위하여 혈중 TSH/prolactin 검사를 하는 경우도 있다. 통상 갑상선호르몬 검사는 스크리닝 목적으로 TSH만 내도 충분하다고 하나 이상이 나올 경우 T3/free T4를 또 내야 하는 번거로움이 있고, TSH/T3/free T4가 부정출혈이나 월경장애가 있는 여성에서는 급여가 되므로 처음부터 TSH/T3/free T4를 전부 내도 무방하다.

혈액검사에서 빈혈이 발견되면 경구철분제(예, 훼로바®, 알부맥스®, 볼그레®, 훼로맥스®)를 투여하며 만일 신속한 교정이 필요하면 주사철분제(예, venoferrum®, ferinject®)를 투여한다. 액상 볼그레®는 정제보다는 Hb 상승 속도가 느리다고 알려졌다.

훼로바®는 철분 함량 80 mg으로 자주 변비를 유발한다. 이때는 bid 투여를 하지 말고 또는 철분 함량이 40 mg인 알부맥스®나 볼그레®로 변경해 본다. 알부맥스®의 급여 기준은 Hb 10 g/dL 이하 + serum ferritin <12 ng/mL이지만 Hb 기준만 가지고 급여처방했을 때 삭감된 적은 없다.

Venoferrum®의 급여 기준은 원래 Hb 8 g/dL 이하 + serum ferritin <12 ng/mL이었으나 2020년 5월부터 Hb 10 g/dL 이하(단, 임신부는 11 g/dL 이하) + serum ferritin <30 ng/mL 으로서 기준이 다소 완화되었다. 주사철분제는 대개 1-2주마다 투여하며 이때는 경구철분제를 복용치 않도록 교육한다.

Platelet, coagulation panel이 비정상이면 혈액종양내과에 의뢰한다.

2) 추가 검사 및 처치

초기 진찰과 초음파검사에서 자궁내막이 두꺼워 보이나 딱히 병변이 보이지 않는 경우, 다발성근종 등으로 인하여 자궁내막이 잘 보이지 않는 경우에는 자궁강을 좀 더 세밀히 확인하기 위하여 식염수주입자궁초음파(saline infusion sonohysterography, SIS), 진단자궁경검사(diagnostic hysteroscopy)를 시행할 수 있고 필요 시 자궁내막조직검사를 시행한다.

특별한 이상이 보이지 않는 경우라도 원인을 찾기 위하여 또는 자궁강내 병변이 명확하더라도 수술 가능성을 타진하기 위하여 식염수주입자궁초음파 또는 진단자궁경을 시행할 수 있다.

출혈 환자는 간혹 혈덩어리가 용종으로 오인되는 수도 있으므로 식염수주입자궁초음파 또는 진단자궁경을 미리 해보면 상당수에서 오진을 피할 수 있고 불필요한 수술을 줄일 수 있다.

식염수주입자궁초음파는 자궁강내로 식염수를 주입하여 자궁강내 병변이 있는지 보는 검사이다. 식염수를 자궁강내로 주입하는 기구로는 소아폴리(8 Fr)와 인공수정용 카테타가 있다.

소아폴리는 먼저 자궁내로 넣은 다음 질경을 빼고 여기에 식염수를 채운 10 cc 또는 20 cc 시린지를 연결한다. 소아폴리를 자궁경부를 통하여 삽입하는 것만으로도 통증을 호소하므로 출산 경험이 있는 여성이라면 국소마취, 출산 경험이 없는 여성이라면 진정마취 하에서 시행한다. 그러나 마취 여부는 환자와 충분히 상의 후 정하도록 한다. 소아폴리는 풍선 때문에 자궁강을 살피는데 방해가 될 수 있고 통증도 심한 편이라 인공수정용 카테타를 선호하는 임상의도 있다.

인공수정용 카테타는 식염수를 채운 10 cc 시린지에 먼저 연결하고 카테타를 자궁굴곡에 맞게 약간 구부린 다음 자궁내로 넣고 질경을 뺀다(**그림 01**). 베이비질경은 10 cc 시린지를 그대로 둔 채로는 빠지지 않으므로 정규 크기의 질경을 사용해야 한다.

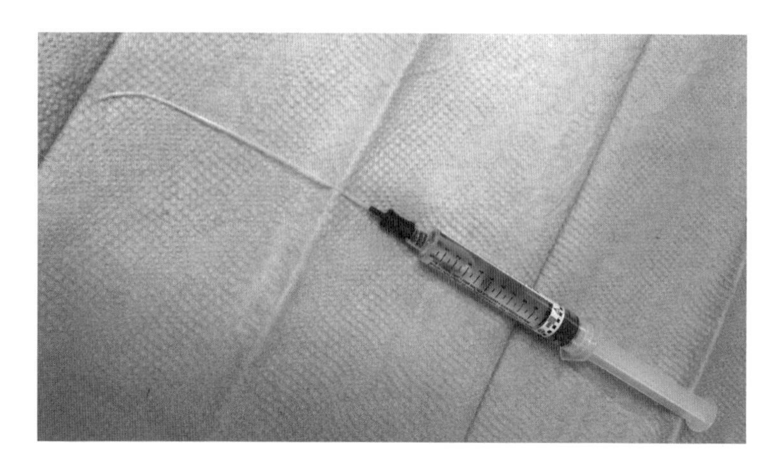

그림 01. 식염수를 채운 10 cc 시린지에 인공수정용 카테타를 연결한 모습

인공수정용 카테타는 매우 가늘어서 자궁경부 진입 시 통증이 없으므로 출산 경험이 없는 여성이라도 아무런 마취 없이 외래에서도 간단히 시술할 수 있다. 그러나 식염수로 자궁이 팽창하면서 통증을 느낄 수는 있다. 이때는 식염수를 천천히 주입하도록 한다.

질경을 빼고 질초음파 프로브를 넣어 식염수를 주입하면서 동시에 자궁강내 이상이 있는지를 살핀다(**그림 02**). 소아폴리의 경우 식염수가 흘러나오지 않도록 약간 당겨주면서 식염수를 주입한다. 인공수정용 카테타의 경우 식염수가 자궁경부를 통하여 흘러나오면 검사가 불완전해질 수 있으므로 질초음파 프로브를 조금 세게 밀면서 보는 것이 좋다. 검사를 한 후 식염수를 시린지 안으로 다시 빼 주는데 이때 나온 식염수를 버리지 않고 cytology를 내 볼 수도 있다.

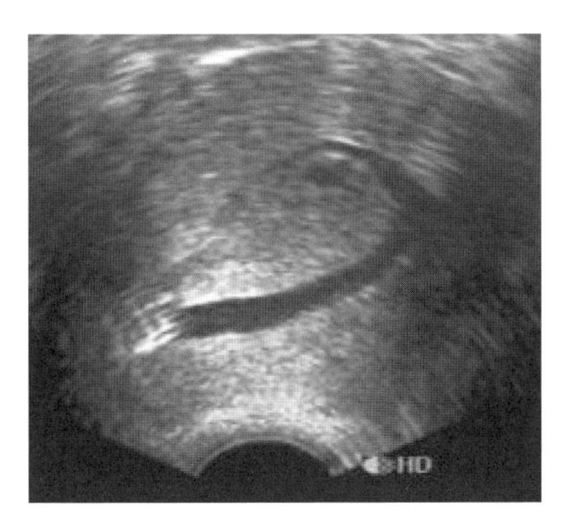

그림 02. 식염수주입자궁초음파로 본 자궁내막용종

진단자궁경은 3.0-3.5 mm 굴곡형 진단용 자궁경을 이용하여 자궁강의 병변을 직접 눈으로 확인하는 검사이다. 다량의 식염수가 자궁강내로 들어가 통증이 유발될 수 있는데 대개 출산 경험이 있는 여성이라면 마취없이 가능하나 출산 경험이 없는 여성이나 제왕절개분만 여성은 국소마취 또는 진정마취 하에서 시행한다.

질경을 넣고 자궁경부를 소독하고 진단자궁경을 외자궁경관 입구에 약간 걸친 후 식염수 주입을 시작하며 모니터를 보면서 굴곡진 자궁경관을 따라 부드럽게 진행시킨다. 진단자궁경 삽입 전에 꼭 사운딩을 할 필요는 없으며 tenaculum을 잡을 필요도 없다.

자궁경에 달린 레버로 위아래 방향 조정이 가능하며 좌우를 볼 때는 자궁경을 좌우로 회전시킨다. 즉, 위아래/좌우를 적절히 조정하면서 진행시킨다. 레버를 움직일 때 자궁경이 꼭 12시-6시 방향으로 움직이는 건 아니므로 진입 전에 미리 연습하여 방향을 확인하고 들어간다.

만일 자궁경관이 협소하여 진행이 잘 안될 때에는 사운딩 후 헤가로 확장시킨다. 헤가 확장을 할 때에는 처음에 사운딩을 해보고 자궁길이 방향에 따라 정확하게 헤가를 삽입하여야 한다. 간혹 잘못된 길로 들어가 근층에 pseudo-track을 형성하는 경우가 있는데 이때 pseudo-track을 자궁경으로 들

여다보면 종종 자궁내협착으로 오진하는 수가 있다.

자궁 사운딩이 잘 안 되는 경우는 거의 모든 경우에 자궁이 급격하게 전방굴곡(acute AVF) 되어 있기 때문이다. 따라서 사운드를 좀 더 예각으로 구부려서 시도해 보도록 한다. 그래도 안 되면 tenaculum을 자궁경부 전방부에 잡고 당기면서 진입을 시도해본다.

진단자궁경으로 자궁내막용종, 점막하자궁근종 등 자궁강내 병변이 있는지 또는 정상내막인지를 직접 살필 수 있다. 진단자궁경 시 기록을 위한 기본 사진은 4장으로서 자궁저부, 양측 난관 입구, 후진하여 중간 부위에서 자궁저부를 바라본 사진이다.

출혈 환자에서는 출혈로 인하여 시야가 좋지 않을 수도 있는데 이때는 사전에 트란자민®, 프로게스틴 제제 등으로 적절히 지혈을 시킨 후 진단자궁경을 하는 것이 유리하다.

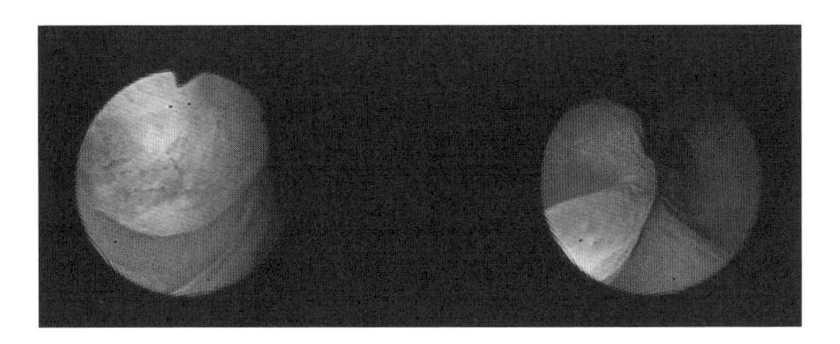

그림 03. 진단자궁경으로 본 자궁내막용종

통상적인 자궁내막용종은 표면이 매끈하며 흰색, 분홍색, 선홍색이다(그림 03). 자궁내막에 접하는 자궁근종은 진단자궁경으로 자궁 안으로 들어와 있는 근종의 정도를 파악하고 동시에 초음파검사를 병행하면 근종의 전체적인 윤곽을 파악할 수 있어 이후 자궁경수술을 계획하는데 큰 도움이 된다. 점막하자궁근종은 위치 별로 세 가지 타입으로 나눈다.

- type 0: 자궁강 내부에 거의 들어와 있는 타입, 근층과는 stalk으로 연결됨, stalk의 너비는 다양할 수 있음. pedunculated type으로도 부름.
- type 1: 근층과 자궁강에 걸쳐 있으면서 자궁강내로 좀 더 들어와 있는 타입. intramural portion <50%.
- type 2: 근층과 자궁강에 걸쳐 있으면서 근층 쪽으로 좀 더 들어가 있는 타입, intramural extension >50%.

세 가지 타입을 초음파로도 쉽게 구분되는 경우도 있으나 애매한 경우 식염수자궁초음파나 진단자궁경을 해보면 좀 더 확실히 타입을 구분할 수 있다.

너무 큰 점막하자궁근종을 진단자궁경으로 보면 간혹 자궁강이 정상이라고 오진하는 수가 있으므로 주의를 요한다.

자궁경으로는 직접 자궁강내 병변의 크기를 잴 수는 없는데 자궁경을 빼고 바로 초음파검사를 해보면 마치 식염수주입초음파처럼 자궁내에 식염수가 남아있어 병변의 크기를 측정하는 것이 가능하다.

진단자궁경은 성경험이 없는 여성에서 질내 병변, 자궁경부 병변, 자궁내막 병변을 확인하는데도 유용하다. 성경험이 없는 여성에서 진단자궁경은 질경은 사용하지 않고 처녀막을 통과하여 질내로 부드럽게 삽입시킨 후 자궁경부 - 외자궁경관입구 - 자궁강 순서로 진입시킨다. 이때 굴곡형 진단자궁경이 질내에서 마구 움직이므로 한손으로 잡아주면서 진입시키는 것이 좋다. 때로는 진단자궁경으로 자궁경부 자체나 외자궁경관 입구를 찾기 어려운 경우도 있으며 외자궁경관 입구가 보이지만 각도가 안 맞아 외자궁경관입구로 진입이 어려울 수도 있다. 이때는 롱핀포셉 등으로 자궁경부를 움직여 각도를 맞춰본다. 그래도 안되면 소아용 endotracheal tube에 자궁경을 넣은 채로 진입시켜 endotracheal tube를 적당히 움직여서 적절한 각을 찾아본다. Tenaculum을 조심히 넣어 자궁경부를 잡고 각을 만들 수도 있지만 tenaculum을 잡은 자리에서 출혈이 있으면 곤란하므로 가급적 사용하지 않도록 한다.

이상자궁출혈이 있는 경우 자궁내막조직검사를 하여 자궁내막증식증이나 자궁내막암 여부를 확인하는 것은 매우 중요하다. 큐렛이나 포셉으로 자궁내막을 긁어내도 되지만 4 mm 또는 5 mm silastic catheter를 조직수거용 용기에 연결하고 이를 다시 suction device에 연결하여 흡인하는 방식도 유용하다. 큐렛, 포셉, 카테타는 일단 자궁강내로 넣어 자궁저부에 기구가 닿는 것을 느낀 후 부드럽게 아래쪽으로 당기면서 자궁내막을 긁거나 흡인하며 좌우로 돌려서 여러 방향이 포함되도록 한다.

매우 가는 자궁내막흡인용 카테타로 EM sampler (pipell®, rampipella®)가 있는데 외래에서 마취 없이 간단히 시술할 수 있다고는 하나 이 또한 통증을 유발할 수 있으므로 주의를 요한다. 또한 EM sampler는 현재 출혈이 있는 경우 사용하면 혈액만 나오게 되어 불완전한 검사가 될 수 있다. 대개 EM sampler는 출혈은 없으나 두꺼워진 자궁내막이 정상임을 증명하기 위하여 많이 시행한다.

EM sampler는 outer sheath와 내부에 stylet으로 구성되며 합체 후 자궁저부까지 밀어 넣고 outer sheath를 빼는 것과 동시에 stylet을 잡아 빼면 음압으로 인하여 outer sheath 안에 매우 가느다란 국숫발 같은 자궁내막조직이 딸려 나온다. 거즈 위에 outer sheath를 대고 stylet을 밀어주면 자궁내막조직이 밖으로 나오게 된다. 한번 해서 안 나오면 1-2회 반복한다.

흔히 말하는 기능성자궁출혈은 자궁내막조직검사에서 disordered proliferative endometrium with stromal crumbling으로 나오며 이외 proliferative endometrium, secretory endometrium 으로도 나온다.

Insufficient endometrial tissue나 endocervical tissue only는 흡인 시 자궁경관만 긁은 경우이며 이는 자궁경관이 약간 긴 환자에서 실제로는 기구가 자궁경관까지만 들어갔는데 자궁저부까지 다 들어갔다고 오해하기 때문에 발생한다. 드물게는 환자가 매우 아파하여 자궁저부까지 다 들어가지 못하고 자궁경관만 긁은 경우이다. 따라서 자궁내막조직검사를 할 때 적절한 마취는 매우 중요하다.

크기가 큰 자궁내막용종이 있거나 딱딱한 점막하자궁근종이 존재하는데 자궁내막을 흡인하면 비교적 부드러운 자궁내막만 나오게 되어 자궁내막조직검사 결과는 정상인데 병변은 그대로 있는 경우가 간혹 있다. 따라서 자궁내막조직검사가 자궁강내 병변 상태를 다 반영하지는 못한다고 항상 생각해야 한다.

3) 질환 별 처치

이상자궁출혈의 기질적 원인이 파악되면 각각의 진단에 맞게 처치한다. 자궁경부미란은 자궁경부응고술을 시행한다. 자궁경부용종은 외래에서 간단히 electrosurgical device로 제거 가능하지만 간혹 제거 후 출혈을 호소하므로 지혈에 신경을 써야 한다. 간혹 자궁경부용종의 뿌리가 자궁경관 내에 깊숙이 있는 경우가 있는데 외자궁경관 입구 쪽에 돌출된 자궁경부용종만을 간단히 제거하면 용종이 또 자라나 반복 시술이 필요하게 된다. 이때는 차라리 자궁경수술을 하여 뿌리까지 정확히 제거해주는 것이 좋다.

자궁내막용종은 부정출혈로 올 경우 크기가 작은 경우(보통 1 cm 이하)에는 꼭 수술적으로 제거할 필요는 없고 프로게스틴 제제, 경구피임제 등의 약물치료를 먼저 해보아도 된다. 무증상이면서 악성이 의심되지 않는 경우는 관찰만 해도 된다.

자궁내막용종의 3대 증상은 부정출혈, 월경 이상, 및 분비물 증가이다.

월경 이상은 월경과다로 나타나기도 하고 월경 전 몇 일간 또는 월경이 끝난 후 몇 일간 월경이 소량으로 길게 나온다고 하는 경우가 많다.

폐경 후 여성이면 자궁내막용종은 부정출혈 보다는 분비물 증가를 상당수 호소한다.

자궁내막용종의 제거는 두가지 방식이 있다.

① 자궁내막조직검사와 같은 방식으로 포셉이나 5 mm silastic catheter를 적절히 사용하여 자궁내막용종을 제거하는 방법이다. 진정마취 하에서

대부분 가능한데 시간이 오래 걸릴 것 같거나 통증이 심할 것으로 예상되는 경우, 65세 이상의 고령에서는 수술장에서 MAC 마취 또는 전신마취 하에 시행한다. 이때 식염수주입자궁초음파 또는 진단자궁경을 시술 전후로 해보아 용종이 적절히 제거되었는지를 확인한다(**그림 04**). 크기가 작은 자궁내막용종은 이 같은 방법으로 대부분 제거된다. 간혹 일부 용종이 남아 있는 경우도 있으나 증상은 대부분 호전된다.

그림 04. 자궁내막용종의 진단자궁경 사진(좌)와 흡인생검 후 진단자궁경 사진(우)

② 자궁경수술로써 수술장에서 자궁내막용종을 직접 보면서 완전히 제거하는 방법이다. 크기가 크거나(통상 1.5 cm 이상) 크기가 작지만 포셉이나 자궁내막흡인생검으로도 제거되지 않으면 자궁경수술을 고려한다. MAC 마취도 가능하나 전신마취가 상대적으로 편하다.

간혹 크기가 큰 자궁내막용종에서 자궁내막증식증이나 자궁내막암으로 나오는 경우가 있으므로 주의를 요한다. 식염수주입초음파나 진단/수술자궁경으로 볼 때 단일 종괴의 경계가 불규칙하거나 다발성 종괴 형태로 보이면 일단 자궁내막암을 의심하여야 한다.

자궁내막암이 의심되면 식염수주입초음파나 진단/수술자궁경을 하지 않고 바로 포셉이나 흡인으로 자궁내막조직검사를 시행하는 임상의도 있다. 이는 자궁내막암세포가 복강내로 넘어가는 것을 방지하기 위함인데 자궁내막암 진단 전에 상기 검사를 하는 것이 자궁내막암의 병기를 상향시킨다는 우려에 대한 객관적인 근거는 부족하다.

자궁내막암 환자에서 진단내시경을 하였던 군과 하지 않았던 군에서 positive peritoneal cytology 빈도가 비슷하였다는 보고가 있고(Gynecol Obstet Fertil 2005;33:247), 초기 자궁내막암 환자에서 내시경으로 진단되었던 경우와 생검만으로 진단되었던 군 사이에 장기적인 예후는 비슷하였다는 보고가 있다(Int J Gynecol Cancer 2008;18:813).

자궁내막증식증은 단순형, 복잡형, 비정형의 세가지 타입이 있다. 단순형이나 복잡형의 표준 치료는 MPA(프로베라®) 20 mg/d로 2주를 투여하고 2주를 쉰다. 이 같은 방식으로 3회 반복한다.

간혹 약을 먹는데도 출혈이 지속되는 경우가 있다. 이때는 2주를 쉬지 말고 연속 복용시키는 것이 좋다. 그래도 출혈이 지속되면 트란자민®을 추가한다. 중간에 휴약기를 가지든 연속 복용하든 투약은 총 6주를 하면 된다. 부작용 등으로 약을 줄여야 하는 경우에는 하루 10 mg 복용이라면 12주를, 하루 5 mg 복용이라면 24주를 투약한다.

2018년 9월부터 levonorgestrel-IUS, 즉 미레나®가 자궁내막증식증 치료에 인정비급여[D]로 사용 가능하게 되었다. 보통 사용 기간은 6개월 내지 2년이다.

투약이 완료되면 자궁내막조직검사를 다시 하여 자궁내막증식증이 없음을 확인하여야 하나 만일 자궁내막이 매우 얇은 경우에는 생략할 수도 있다. 미레나®를 넣은 경우에는 우선 자궁내막 두께를 면밀히 추적하고 불완전 치료 또는 재발이 의심되는 경우 미레나®를 빼고 자궁내막조직검사를 하고 그 미레나®를 다시 넣어준다.

비정형 자궁내막증식증으로 나온 경우는 자궁적출의 대상이 된다. 자궁적출을 하는 경우 약 절반에서 자궁내막암이 나온다는 의견이 있으므로 부인암 전문의에게 의뢰하여 자궁적출을 하는 것이 좋다.

점막하자궁근종의 치료는 자궁경수술이 대표적이지만 수술을 꺼려하는 경우나 크기가 작은 경우에는 복합경구피임제, 프로게스틴 제제 같은 약물치료로도 증상은 상당히 호전된다. 복합경구피임제에 의한 자궁근종의 발생위험도는 아직 불분명하며 비록 복합경구피임제 사용으로 자궁근종이 커진다는 증거는 없다고는 하나(Berek&Novak 부인과학 교과서 16판, pp226) 자궁근종은 에스트로겐과 프로게스테론 의존성 종양이라는 점을 명심해야 한다. 점막하자궁근종의 세가지 타입 별 처치는 다음과 같다.

- type 0: 자궁경수술이 원칙이다. '자궁경수술' 편에서 따로 다룬다.
- type 1: 자궁경수술로 가능하지만 때로 크기가 큰 경우는 복강경술로 제거하는 것이 더 나을 수도 있다.
- type 2: 복강경술이 선호되지만 술자의 경험에 의거하여 자궁경수술이 가능할 수도 있다.

점막하자궁근종이나 자궁경부근종이 자궁경부 밖으로 삐져나오는 소위 prolapsed myoma는 질경으로 근종이 쉽게 관찰되며 대개 출혈을 동반한다. 이상자궁출혈을 호소하는 환자에서 간혹 질경검사를 하지 않고 초음파검사만 시행하여 이상이 없다고 오진하는 수가 있어 주의를 요한다. 또한 상당히 큰 근종이 자궁경부 밖으로 돌출되어 있는데 초음파검사로 자궁하절 근종으로 오진하여 복강경수술로 들어갔다가 큰 낭패를 보는 수가 있으므로 주의를 요한다. 따라서 이상자궁출혈을 호소하는 초진 환자에서는 반드시 자궁경부까지 살펴야 한다. Prolapsed myoma는 뿌리까지 정확히 보고 제거하기 위하여 자궁경수술이 흔히 이용된다. Prolapsed myoma를 자궁경부 밖으로 나온 부분만 단순절제하면 뿌리 부분에서 재발하는 경우가 많다.

특별한 이상이 발견되지 않는데 자궁내막이 두꺼운 경우에는 프로게스틴 제제나 복합경구피임제를 투여하여 지혈을 도모하고 자궁내막을 얇게 만드는 시도를 해볼 수 있다. 만일 프로게스틴 제제를 투여함에도 불구하고 출혈이 지속되면 에스트로겐을 추가해 본다. 에스트로겐 추가는 자궁내막은 얇아졌는데 출혈이 지속되는 경우에 좋다. 에스트로겐 + dienogest 복합제인 클래라®도 좋은 방법이다. 출혈량이 많다면 트란자민® 500 mg bid를 몇 일간 병용한다.

간혹 제왕절개 반흔이 부정출혈의 원인이 될 수도 있어 수술을 권하는 그룹도 있다. 대부분의 제왕절개 반흔은 질초음파로 보이지 않는 경우가 많지만 간혹 내부에 액체고임이 있으면서 벌어져 있는 반흔이 관찰되는 수가 있다. 이를 isthmocele이라 부르며 무증상인 경우도 있지만 부정출혈을 호소하는 경우 반흔 부위를 절제하고 다시 봉합해주는 isthmocelectomy를 시행하기도 한다. 그러자 필자의 경험으로는 약물치료로도 상당히 호전되는 경우가 많다.

간기능장애나 신기능장애 환자, 혈액응고장애 환자에서 월경혈이 많거나 대량의 부정자궁출혈로 오는 수가 있다. 자주 빈혈을 동반하는데 검사를 해보아도 대개 자궁 자체에는 병변이 없다. 이들에서 치료적 무월경을 만드는 방법은 프로게스틴 제제, 복합경구피임제, GnRH agonist, 미레나® 삽입 등이 있다. 프로게스틴 제제는 상당히 고용량을 지속적으로 사용하여야 하며, 복합경구피임제는 플라시보가 없는 제제(예, 야스민®)로 휴약기 없이 연속 복용하는 것이 좋다. GnRH agonist는 4주 간격으로 투여하며 증상 정도를 보아서 5-6주 간격으로 늘려도 된다. 미레나® 삽입은 월경혈을 줄이기는 하지만 완전한 무월경을 유도하지는 못하는 수가 많다.

2

월경과다

월경과다의 정의는 월경 주기 당 월경혈이 60-80 cc 이상으로 되어 있기는 하나 임상에서는 정량이 곤란하므로 이것으로 월경과다를 진단하는 것은 비현실적이다. 월경과다의 진단은 환자가 월경혈이 많음을 호소하면 일단 가능하며 추가로 빈혈을 확인하면 보강 진단이 가능하다.

Pictorial blood assessment chart (PBAC)에 의거하여 점수를 매기면 월경혈의 정도를 좀 더 객관적으로 진단 가능하다(그림 05).

〈생리양 평가지〉

아래 설명을 참고하여 생리대의 젖은 정도에 따라 생리대를 몇 개나 사용하였는지를 매일매일 기록해 봅니다.

생리일수	#1	#2	#3	#4	#5	#6	#7	#8	#9
약간 묻은 생리대가 몇 개?									
반정도 묻은 생리대가 몇 개?									
완전히 젖은 생리대가 몇 개?									
덩어리가 나오거나 쏟아지는 경우에는 횟수를 기록하세요									
1 cm 크기 작은 덩어리									
3 cm 크기 큰 덩어리									
울컥 쏟아질 때									

생리 때 생리통의 정도를 적어봅니다.

가장 극심한 통증을 10점, 하나도 안 아플 때를 0점이라고 했을 때 본인은 (　　　　) 점

그림 05. 월경량 점수 계산을 위한 pictorial blood assessment chart

즉 월경일별로 1/3 정도 젖은 생리대, 1/2 정도 젖은 생리대, 거의 다 젖은 생리대의 개수를 기록케 하고 덩어리가 나오거나 쏟아지는 경우는 횟수를 기록케 한다. 이후 생리대 젖은 정도는 각각 1점, 5점, 20점, 그리고 덩어리혈은 각각 1점, 5점, 5점을 주고 개수 또는 횟수와 곱하고 합산하여 총점을 계산한다. 대형패드를 사용하는 경우는 두 배로 계산한다. 탐폰을 사용하는 경우는 1점, 5점, 10점으로 매긴다. 월경통도 동시에 점수로 기입케 하면 월경통의 정도와 월경혈 정도를 한 번에 파악할 수 있다. 월경과다의 기준은 과거 130이 사용되었으나 최근 160으로 제시된 바 있다(J Minim Invasive Gynecol 2014;21:662). 한국인에서의 기준 점수는 아직 보고가 없다. 월경과다가 있는 경우에도 간혹 자궁내막증식증이 나올 수 있으므로 자궁내막검사를 해보기도 한다. 자궁내막검사를 할 때 자궁내막조직을 많이 채취하여 일종의 자궁청소를 해주면 치료적 효과도 있다.

월경과다의 초기 치료로는 경구 트란자민®을 500 mg bid로 처방하여 월경혈이 많을 때만 몇 일간 복용하도록 한다. 효과가 있는 환자는 이 방법으로 월경혈이 절반 정도로 줄어든다. 프로게스틴 제제, 복합경구피임제, 에스트로겐 + dienogest 복합제인 클래라® 또한 월경혈을 줄이는데 좋다. 그러나 매일 먹어야 하는 불편감이 있다. 장기적으로는 미레나® 삽입이 유리할 수 있다. 미레나®는 levonorgestrel을 함유하는 T자형 자궁내장치로서 월경과다와 월경통 감소에 효과적이어서 피임기구이지만 급여로 인정된다. 미레나®의 급여 기준은 월경과다증, 월경통(1-2일간 일상생활이 곤란할 정도), 에스트로겐 투여 시 경구 프로게스틴 제제를 사용하지 못하는 경우이다. 따라서 증상이 있는 자궁선근증, 자궁내막증, 자궁근종 등에서 증상 호전 목적으로 흔히 사용된다.

미레나® 사용 시 자궁선근증의 크기를 줄인다는 얘기가 있으나 일률적이지는 않다. 크기가 줄어드는 환자도 있고 더 커지는 경우도 있으므로 환자에게 미레나®가 자궁선근증의 크기를 줄인다는 얘기는 미리 하지 않는 것이 좋다. 폐경 여성에서 에스트로겐만 투여하고 경구 프로게스틴 대신 미레나®를 사용하는 것도 좋은 자궁내막 보호 방법으로 알려져 있다. 그러나 폐경 여성에서 급여 기준인 '에스트로겐 투여 시 경구 프로게스틴 제제를 사용하지 못하는 경우'는 극히 드물며, 폐경 여성에서 피임기구를 자궁 안에 넣는 것에 대해 부정적인 견해도 있고, 에스트로겐 투여를 몇 년을 할지를 모르는 상태에서 5년짜리 미레나®를 넣는 것은 다소 비현실적이다.

최근에 미레나®는 자궁내막증식증에도 이용되는 추세이며 표준 치료인 경구 MPA와 효과가 동등하거나 더 좋다는 보고가 나오는 실정이다. 이 의견을 반영하여 미레나®는 2018년 9월부터 자궁내막증식증 치료에 인정비급여[D]로 사용 가능하게 되었다. 초기 자궁내막암(FIGO stage IA, grade 1)에서도 사용한다는 얘기는 있으나 이는 이득 대 위험도를 부인암전문의와 잘 상의하여 정한다. 출산 경험이 많은 여성이라면 마취 없이도 가능하지만 대개는 국소마취를 기본적으로 하는 것이 좋다. 출산 경험이 없는 여성이나 제왕절개분만 여성은 진정마취 하에서 시행하는 것이 좋다. 대개 월경 중에 삽입하는 것을 권장하는데 이는 임신 가능성을 배제하고 자궁경부가 부드럽다는 이유 때문이다. 그러나 임신 가능성만 배제된다면 사실 아무 때나 넣어도 되며 필자의 경험으로는 월경 중에 질 조작을 하는 것을 환자들이 매우 싫어한다. 미레나® 삽입 과정은 다음과 같다.

- 자궁경부를 소독한 후 tenaculum으로 잡고 사운딩으로 자궁길이와 방향을 숙지한 다음 헤가 4번 정도까지 자궁경관을 확장한다.
- 사운딩으로 측정한 자궁길이에 해당하는 만큼 미레나® 가이드에 붙어 있는 '측정환'을 움직여 조정한다.
- 먼저 레버를 위로 밀어 미레나 arm이 가이드 안으로 들어가게 한 후 자궁 안으로 밀어 넣는다. 이때 다 밀어 넣는 것이 아니라 외자궁경부에 '측정환'이 1-1.5 cm 떨어져 있을 정도까지만 밀어 넣는다.
- 이 상태에서 레버를 '표시선'까지(즉, 약간만) 후퇴시키고 잠깐 기다려 미레나® arm을 나오게 한 다음 '측정환'이 외자궁경부에 완전히 닿을 정도까지 밀어 넣는다. 이후 가이드를 매우 천천히 뺀다. 이렇게 하면 미레나® arm이 자궁의 옆벽에 잘 걸쳐져서 자연배출을 줄일 수 있다고 한다.

가이드를 힘차게 빼면 간혹 미레나®가 딸려 나오는 수가 있어 주의를 요한다.

- 마지막으로 실(thread)을 외자궁경부에서 5 mm 정도 남게 잘라준다. 간혹 실이 덜 잘리면서 가위에 끼워져 미레나®가 딸려 나오는 수가 있으므로 반드시 실을 잘랐는지 확인하고 가위를 빼야한다. 실을 너무 길게 남기는 경우 부부관계 시 불편해하는 경우가 있다.

미레나®의 3대 부작용은 부정출혈, 분비물증가, 요통이다. 드물게 두통, 유방통, 우울감, 난소낭종 형성, 피부트러블 등이 있다. 또한 자연배출되는 경우가 있으므로 사전에 환자에게 설명해야 한다. 부정출혈이 있을 때는 대개 2-3개월이 지나면 없어진다고 안심시키며, 지속되는 경우에는 트란자민® 500 mg bid 1-2주, 에스트로겐 4-6 mg 2-3주를 처방한다. 간혹 naproxen 500 mg bid 5일도 도움이 될 수 있다. 약제 투여로도 부정출혈이 해결이 안 되면 미레나®가 제 위치에 있는지를 면밀히 살피고 만일 약간 내려와 있는 subluxation 상태라고 생각되면 제 위치로 복원시키는 시술을 할 수 있다. 미레나®는 약간 내려와 있더라도 그 효능에는 문제가 없지만 부정출혈의 원인이 될 수 있다.

진정마취 하에 먼저 진단자궁경을 보고 어느 정도 내려와 있는지를 확인하고 만일 내려와 있다면 미레나®를 완전히 뺀 다음 제일 가느다란 링포셉으로 미레나® 로드 끝 부분을 잡고 자궁저부까지 밀어 넣어준다. 다시 진단자궁경을 보고 제대로 위치해 있는지를 확인한다.

간혹 미레나® 삽입 후 상당 기간이 지난 후 이전 월경처럼 다시 양이 많아지는 환자가 있다. 이 경우 맨 먼저 미레나®가 자연배출 되었는지를 살핀다. 정확한 감별을 위하여 질경으로 자궁경부를 살펴 미레나 실이 제대로 있는지와 질초음파로 자궁내 미레나® 위치를 살핀다. 만일 미레나®가 없다면 KUB 사진을 찍어 골반강 내에 미레나®가 확실히 없음을 확인하는 것도 좋은 방법이다.

미레나® 삽입 후 분비물은 주로 약간 노란색의 serous fluid이며 양이 상당히 많다. Levofloxacin 같은 항생제 치료가 약간 도움이 될 수도 있지만 종국에는 미레나®를 제거해야 증상이 없어진다. 요통, 두통, 유방통, 피부트러블 등이 지속되면 미레나® 제거를 고려한다. 미레나® 사용 후 난소낭종이 드물지 않게 관찰된다. 대개는 자연적으로 없어지며 없어졌다가 또 생기기도 하므로 관찰하는 것이 좋다. 미레나®는 내막에 접하는 자궁근종, 크기가 작은 점막하자궁근종이 있을 때도 사용 가능하지만 근종 크기가 큰 경우에는 자연배출이 되기 쉬우므로 이 때는 미레나® 보다는 수술적 치료를 권한다. 국내 보고에 의하면 미레나®의 자연배출 빈도는 약 10%이며 누적 자연배출율은 1년에 7.9%, 2년에 9.1%, 3년에 9.6%이다(Int J Gynaecol Obstet 2014;126:165). 자궁선근증이나 내막을 미는 자궁근종이 있는 경우가 고위험군이며 1년 자연배출율은 각각 9.1%, 14.5%이다(정상 자궁을 가진 여성은 3.6%). 월경과다나 월경통이 있는 경우도 고위험군이며 1년 자연배출율은 각각 11.0%, 8.1%이다.

따라서 미레나®를 넣기 전에 이런 정보를 환자에게 충분히 설명해야 한다. 미레나®는 원래 사용 기간이 5년이지만 단지 피임 목적으로만 사용한다면 10년까지도 사용 가능하다. 만일 월경과다인 환자가 월경혈 감소를 목적으로 미레나®를 사용할 때 원래는 5년이 지나면 교체하여야 하지만 폐경이 2-3년 남은 환자에게 꼭 새로운 미레나®로 교체하여야 하는가가 고민이 된다. 미레나®는 5년이 지나더라도 약간의 levonorgestrel은 분비되므로 이 경우 5년에서 추가로 1-2년 더 사용하더라도 월경혈 감소 효과는 대부분에서 유지된다고 한다. 한 보고에 의하면 혈중 levonorgestrel 농도는 1년째 192 pg/mL, 5년째 114 pg/mL, 6년째 102 pg/mL, 7년째 94 pg/mL 이었다(Fertil Steril 2018;110;e46). 따라서 5년이 지나더라도 일단 유지하고 월경혈이 다시 증가할 때 교체하는 것도 좋은 방편이다.

미레나®를 교체할 때는 기존 미레나®를 제거하고 바로 즉시 새로운 미레나®를 삽입할 수도 있으나 이 경우 두 가지 시술수가가 동시에 발생하게 되어 둘 중 하나는 50% 삭감된다. 따라서 기존 미레나®를 제거하고 며칠 후 새로운 미레나®를 삽입하여 수가를 따로 발생시키는 것도 좋은 방편이다. Etonogestrel-피하이식형 피임기구로 임플라논®을 팔에 삽입하는 것도 월경혈을 줄이는 데 좋다. 그러나 임플라논®은 타 제제에 비하여 부정출혈의 빈도가 다소 높다는 단점이 있다. 삽입 후 부정출혈이 있을 때는 mefenamic acid 500 mg tid 5일, doxycycline 100 mg bid 5일을 처방한다.

3 무월경

1) 초기 접근

대부분의 여성은 3-5주 간격으로 월경을 하는데 월경을 잘 하다가 없어지는 경우, 즉 이차성 무월경의 대부분의 원인은 '무배란' 또는 '배란장애'이다. 이차성 무월경의 정의는 기존의 3주기 이상 또는 6개월 이상 월경이 없는 경우이지만 환자들은 월경이 한두 번만 없어도 걱정을 하므로 굳이 이 정의를 고수할 필요는 없다고 본다. 이차성 무월경의 4대 다빈도 원인은 만성무배란증(다낭성난소증후군 포함), 시상하부성, 고프로락틴혈증, 조기난소부전이다. 이외 자궁내막이 얇아지거나 자궁내유착이 심하여 무월경이 초래되는 경우도 있다.

초기 접근은 상기 질환들을 염두에 두면서 시작해야 한다. 먼저 초경 연령과 초경 이후 월경 상황, 그리고 언제부터 월경이 없어졌는지 문진 한다. 자궁소파술 병력, 항암치료 병력과 더불어 내과적 질환이 있는지를 살피고 약물복용력(특히 신경정신과계, 소화기계)을 살핀다. 유루증과 폐경 증상은 꼭 물어보지 않아도 된다. 고프로락틴혈증은 대개 혈액검사로만 나타나는 수가 많으며 유루증까지 호소하는 것은 드물다. 조기 난소부전인 경우 대개는 폐경 증상을 호소하지 않는다.

이차성 무월경 환자에서 잊어버리기 쉬운 것이 임신 가능성이다. 마지막 성교일을 꼭 물어보고 조금이라도 임신 가능성이 있으면 요임신테스트를 먼저 진행한다.

체중변동은 만성무배란증, 시상하부성, 갑상선 이상, 쿠싱증후군 등을 유추하는 중요한 단서가 될 수 있다. 일반적으로 체중이 급격히 감소하면 시상하부성 무월경이 될 수 있고, 체중이 급격히 증가하면 만성무배란증이 될 수 있다. 비만하거나 다낭성난소증후군(polycystic ovary syndrome, PCOS), 갑상선기능항진증, 쿠싱증후군이 의심되면 혈압, 체중, BMI, waist/hip ratio을 측정한다. 한국인 BMI 기준은 저체중 <18.5, 정상 18.5-22.9, 과체중 23.0-24.9, 비만 25.0-29.9, 고도비만 ≥30이다. Waist/hip ratio >0.85 또는 waist >88 cm(한국여성 기준 ≥85 cm)인 경우 남성형 비만(android obesity)으로 간주하며 심혈관계 질환의 고위험군이다.

특히 PCOS가 의심되는 경우는 안면부의 여드름과 전신적으로 다모증 상황을 살핀다. PCOS 환자는 음모가 풍성하며 배꼽 아래로도 털이 있는 경우가 많다. Modified Ferriman-Gallwey (mFG) score를 이용하여 다모증을 좀 더 객관적으로 기술하는 것이 가능하다. 즉 신체 9군데 부위에서 다모증 정도를 0-4점 사이로 매기고 합산하여 다모증 점수를 매긴다. 경증(<8점), 중등도(8-15점), 중증(>15)으로 나누기도 한다. 2018년에 발표된 international evidence-based guideline for the assessment and management of PCOS에서는 다모증 기준을 기존 6-8점 이상(95th percentile)에서 4-6점 이상(85th-90th percentile)으로 낮추었다(Hum Reprod 2018;33:1602). 한국인을 대상으로 한 보고에 따르면 mFG score 6 이상이 다모증 진단에 적합하다고 하였다(Hum Reprod 2011;26:214).

문진과 신체검진 이후 골반초음파로 자궁내막과 난소 상태를 살피는 것은 매우 유용하다. 일단 자궁내막이 정상적이거나 황체가 관찰된다면 다음 월경을 조금 더 기다려 볼 여지도 있다. 자궁내막이 정상적이라면 별다른 검사 없이 프로게스틴 소퇴성 출혈을 바로 유도해볼 수도 있다. 통상 프로게스틴 소퇴성 출혈은 MPA 5-10 mg으로 5-7일간 투여하거나 프로게스테론 50-100 mg을 근주한다. 프로게스틴 소퇴성 출혈이 있다는 것은 다음과 같이 해석될 수 있다.

① 월경이 없었던 이유는 황체호르몬 부족 때문이었고 황체 미발달일 가능성이 많으며 따라서 배란이 제대로 안되어서 월경이 없었음을 뜻한다.
② 에스트로겐은 잘 작동하고 있으며 이에 반응하여 잘 준비된 자궁이 있다는 뜻이다.
③ 월경유출로에는 이상이 없다는 뜻이다.

프로게스틴 소퇴성 출혈은 대개 MPA 완료 또는 프로게스테론 주사 후 3-4일만에 나오며 소량출혈도 양성으로 간주한다. MPA를 먹는 도중 소퇴성 출혈이 보이면 더 먹지 않도록 교육한다. 프로게스틴 소퇴성 출혈이 있으면 단순무배란으로 설명하고 관찰을 권해볼 수 있다. 1년에 8회 미만으로 월경을 하는 경우를 희소월경(oligomenorrhea)으로 부르는데 이것은 별 문제가 없는 여성도 1년에 한두 번 정도의 월경은 하지 않을 수도 있다는 말이다.

골반초음파로 동시에 난소를 살핀다. 드물게 난소의 난포낭종(follicular cyst) 때문에 estrogen이 상승하여 무월경이 올 수도 있으며 황체낭종(luteal cyst)이 지속되어 다음 월경을 하지 않는 경우도 있다.

다낭성난소는 2-9 mm 정도의 소낭포가 양측 난소 평균치로 12개 이상인 경우로 정의하며 일측 난소에만 12개 이상 관찰되어도 다낭성난소로 칭한다. 2018년에 발표된 international evidence-based guideline for the assessment and management of PCOS에서는 2-9 mm 소낭포의 개수를 기존 12개 이상에서 20개 이상으로 상향시켰다(단, 8 MHz 이상의 high-resolution 초음파를 사용할 것)(Hum Reprod 2018;33:1602). 소낭포 개수 측정이 어려울 수 있으므로 대안으로 난소부피를 0.5 x D1 x D2 x D3로 계산하여 >10 cc 이거나 난소표면적을 0.78 x D1 x D2로 계산하여 >5.5 cm^2 인 경우 다낭성난소로 간주하기도 한다. 최근에는 혈중 AMH를 측정하여 4.5-5.0 ng/mL 이상인 경우 다낭성난소증후군으로 진단하려는 시도가 있다. AMH의 주생산지는 preantral follicle, early antral follicle인데 PCOS 에서는 early antral follicle 수가 많고 과립막세포 자체에서의 AMH 생산능도 증가되어 있어 혈중 AMH가 매우 높다.

자궁내막이 얇은 경우 프로게스틴 소퇴성 출혈이 없을 수도 있으므로 생략하고 다음 검사로 넘어가기도 한다. 한편 자궁내막이 너무 두꺼운 경우 프로게스틴 소퇴성 출혈 유도보다는 자궁내막조직검사를 권해본다. PCOS를 포함한 만성무배란증에서는 자궁내막 병변이 호발하는데 국내 보고에서 PCOS 여성 117명 중 자궁내막증식증은 23%, 자궁내막암은 1.7%에서 발견되었다(Fertil Steril 2011;96;S131).

문진과 신체검진, 골반초음파로 진단이 애매한 상황이거나 원인을 정확히 알고 싶을 때에는 혈액 내 호르몬 측정을 해보는 것이 매우 유용하다. TFT/prolactin과 더불어 성선자극호르몬과 성호르몬 상태 확인을 위하여 LH/FSH/estradiol을 내보는 것이 만성무배란증, 시상하부성, 프로락틴 상승, 난소부전을 감별하는데 좋다.

혈중 prolactin은 공복으로 아무 활동도 하지 않은 오전 중에 측정하는 것이 원칙이나 일단 랜덤하게 측정해보고 상승한 경우 재검하며 재검 시에는 반드시 공복으로 오전 중에 채혈하도록 한다. Prolactin 상승 시, 특히 60-100 ng/mL 이상일 때는 sellar MRI를 찍어 뇌하수체선종이 있는지 감별한다. Hyperprolactinemia 라는 진단명으로 sellar MRI는 [S]이다. Sella cone down view는 뇌하수체미세선종(microadenoma)이나 suprasellar lesion을 발견하지 못하는 단점이 있어 잘 사용하지 않는다.

혈중 LH/FSH는 모두 5 mIU/mL 미만이면 일단 hypogonadotropic으로 해석한다. 때로 LH/FSH가 3-4 mIU/mL이면서 estradiol 치는 정상인 경우가 있는데 이때는 hypogonadotropic으로 해석하지 말아야 한다. Hypogonadotropic condition이면 뇌하수체 병변을 찾기 위하여 sellar MRI를 추

가로 시행할 수 있다[S]. 혈중 FSH는 20 mIU/mL 이상이면 hypergonadotropic으로 해석하지만 혈중 LH는 LH surge 때나 PCOS에서 상승할 수 있으므로 40 mIU/mL 이상일 때 hypergonadotropic으로 해석한다.

이차성 무월경 환자의 대부분 원인은 무배란이므로 혈중 progesterone을 굳이 낼 필요는 없다. 혈중 hCG는 필요 시에만 내도록 한다. 특히 PCOS가 의심되는 경우는 혈중 testosterone를 측정해야 한다. 혈중 free testosterone을 내거나 SHBG/testosterone을 같이 측정하여 free androgen index를 계산하는 경우도 있으나 대개 혈중 testosterone 측정만으로 충분하다. 여성에서 혈중 testosterone 치는 과거 0.8 ng/mL을 상한선으로 잡기도 했으나 최근에는 0.53 ng/mL으로 잡는다. Free androgen index는 [T (ng/mL) x (환산계수 3.467 nmol/L)] / SHBG (nmol/L)] x 100 으로 하며 >5.36 이면 상승이다.

2) PCOS

PCOS는 만성무배란증의 대표적 질환으로 2003년 Rotterdam consensus에서 제시한 진단 기준은

① 만성무배란(희소배란, 무배란 포함),
② 임상적 남성호르몬과다증(hyperandrogenism) 또는 혈중 testosterone 상승(hyperandrogenemia),
③ 다낭성난소의 3가지 중 2가지 이상이 있는 경우이다.

이와 더불어 다른 metabolic, systemic disease를 배제하여야 하는데 이에는 갑상선 이상, 고프로락틴혈증, late onset congenital adrenal hyperplasia, androgen-secreting tumors, 쿠싱증후군 등이 있으며 이를 위하여 TFT, prolactin, 17OH-progesterone, testosterone 측정이 필요하다. 쿠싱증후군의 진단은 overnight dexamethasone suppression test가 필요한데 의심이 될 경우

에는 아예 내분비내과로 의뢰하는 것이 편하다.

만일 만성무배란과 다낭성난소 두 가지 기준이 있다고 PCOS로 진단한다면 다모증 평가나 혈중 testosterone 측정은 하지 않아도 되는 상황이 발생한다. 그러나 위 3가지 항목을 모두 적절히 평가하여 어떤 조합으로 PCOS를 진단하게 되었는지를 기술하는 것이 원칙이므로 다모증/여드름 등의 임상적 남성호르몬과다증을 살피고 그런 징후가 있다면 testosterone 분비 종양 등을 감별하기 위하여 혈중 testosterone을 측정하며, 그런 징후가 없다면 hyperandrogenemia 여부를 판단하기 위하여 혈중 testosterone을 측정한다. 따라서 어떤 경우든 PCOS 진단을 위해서는 혈중 testosterone은 측정하는 것이 좋다.

PCOS는 인슐린 저항성(insulin resistance)과 연관이 있다고 알려져 있는데 진성 2형 당뇨로 발전하기 전에 정상 혈당을 유지하기 위하여 인슐린이 상승해 있는 경우가 많다. 인슐린 저항성을 측정하는 다양한 방법이 있으나 통상 공복에 glucose/insulin 비를 내보거나 75 g 당부하검사가 간편하므로 애용된다.

Glucose/insulin 비는 검사 수치 그대로 비를 구하여 <4.5인 경우 인슐린 저항성이 있다고 판단한다. 예를 들어, glucose 102 mg/dL, insulin 23.0 mU/L이면 glucose/insulin 비 = 102/23.0 = 4.43이다. Glucose, insulin 치로 homeostasis model assessment (HOMA)-IR를 계산할 수 있는데(glucose x insulin) / 405로 산정하여 >3.2-3.9인 경우 인슐린 저항성이 있다고 판단한다. 위의 예에서 HOMA-IR = (102 x 23.0) / 405 = 5.79이다. 75 g 당부하검사는 2시간 후 측정한 glucose 치가 140-199 mg/dL이면 glucose intolerance로 진단한다. 200 mg/dL 이상이면 2형 당뇨이다. PCOS 여부와 상관없이 비만한 경우에는 lipid panel, liver panel, 간초음파를 추가할 수 있다. 비만하거나 PCOS를 가진 여성은 대사증후군(metabolic syndrome)에도 관심을 가져야 한다. 대사증후군은 다음 5가지 중 3가지 이상을 가진 경우로 정의하며 한국인 기준은 다음과 같다(표 01).

표 01. 한국인 여성에서 대사증후군 진단을 위한 항목별 기준치

허리둘레	≥85 cm	남성 ≥90 cm
혈압	≥130/≥85	
혈당	≥100 mg/dL	
중성지방	≥150 mg/dL	
HDL	〈50 mg/dL	남성 〈40 mg/dL

PCOS의 관리는 환자의 주증상을 무월경, 이상자궁출혈, 다모증/여드름, 난임으로 나누어 개별적으로 접근하는 것이 좋다.

장기적인 관점에서 비만, 심혈관계 질환, 2형 당뇨가 문제가 되므로 필요 시 비만크리닉, 순환기내과, 내분비내과와 협진한다. 비만한 환자는 모든 경우에 체중감소를 권하나 비만크리닉을 다니더라도 사실 체중감소는 쉽지 않다.

① 무월경: 수기적인 프로게스틴 소퇴성 출혈을 유도한다. 경구제제인 MPA가 간편하며 5-10 mg으로 7-14일간 투여한다. 달력 날짜로 매달 1일부터 복용케 하면 좋다. 이외 경구피임제, insulin sensitizer인 메트포민도 이용된다.

PCOS 환자의 소퇴성 출혈 유도에서 MPA와 경구피임제 중 어떤 것이 좋은가에 대해서는 의견이 분분하다. 별다른 문제가 없다면 주기적인 MPA 투여로 충분하나 다모증/여드름이 있거나, 혈중 LH, testosterone이 상승한 경우, 기능성자궁출혈이 동반되어 월경이 매우 불규칙한 경우에는 경구피임제가 더 나을 수 있다.

경구피임제의 에스트로겐 성분은 성호르몬결합단백(SHBG)을 증가시켜 free testosterone을 낮추며 프로게스틴 성분은 LH를 억제하여 난소 안드로겐 합성을 감소하고 더불어 5α-reductase 활동을 억제하여 testosterone이 더 강력한 dihydrotestosterone (DHT)으로 전환하는 것을 방해한다. 원래 2형 당뇨 치료에 메트포민(글루코파지®, 다이아벡스®) 용량은 1,500-2,500 mg/d이다. PCOS 에서는 850 mg bid로 3-6개월 사용하

는데 처음에 500 mg/d로 4주 투여해보고 부작용이 없으면 4주마다 단계적으로 500 mg bid, 850 mg bid로 증량한다. 위장관계 부작용이 있을 수 있으며(오심, 구토, 설사, 식욕부진, 불쾌한 금속 맛), 간기능 이상, 신기능 이상 환자에서는 금기이므로 liver panel, renal panel을 사전에 체크하는 것을 권한다. CT 촬영 시에는 요오드 조영제로 인한 기능적 신부전에 의해 lactic acidosis가 촉진될 수 있으므로 48시간 전부터 메트포민을 중단해야 하며 검사 후 48시간이 지나서 신기능이 정상이면 재개하도록 한다. 금식이 필요한 수술 시에도 48시간 전부터 메트포민을 중단해야 하며, 수술 후 48시간이 지나서 신기능이 정상이면 재개하도록 한다. PCOS 환자에서 메트포민 복용 시 약 60%에서 자연월경이 재개되며 플라시보에 비하여 배란율과 임신율이 2-3배 증가한다고 알려졌다. 국내 보고로 메트포민 1,500 mg/d 3개월 복용 시 46% 환자에서 자연적인 월경이 나온다고 한다(Clin Exp Reprod Med 2013;40:100).

반응이 없거나 메트포민 부작용이 있을 경우 피오글리타존(악토스®)을 고려해 본다. 로시글리타존(아반디아®)은 심혈관계 부작용으로 인하여 더 이상 사용하지 않는다. 경구피임제나 메트포민 모두 혈중 안드로겐을 저하시키는 작용이 있지만 메트포민은 인슐린 저항성을 개선하고 혈중 인슐린을 떨어뜨리며 대사적 관점에서도 이득이 있어 주로 비만한 환자에게 선호된다.

난임 환자에서는 무배란증(N970), PCOS (E282) 진단명 하에 메트포민이 급여이며 피오글리타존(악토스®)은 D-code이다. 그러나 난임 환자가 아닌 무배란증, PCOS에서는 두 가지 제제 모두 D-code이다. 메트포민은 FDA 분류 B이며 피오글리타존은 FDA 분류 C이다.

② 이상자궁출혈: 첫 장의 이상자궁출혈 편 참조.

③ 다모증/여드름: 우선적으로 경구피임제를 투여한다. 모든 경구피임제가 가능하나 일부 약제는 오히려 여드름을 악화시키기도 한다. 다이안느35(ethinyl estradiol 35 µg + cyproterone acetate 2 mg)는 경구피임제에서 2009년에 여드름/다모증 전문치료제로 변경되었으나 혈전증 등의

위험으로 2019년 판매중단되었다. 현재 여드름으로 허가받은 경구피임제는 야즈, 에이리스, 쎄스콘노아가 있다. 참고로 야즈는 월경전불쾌장애 및 월경통에도 허가를 받았다. 다모증/여드름의 치료 목적으로 사용하는 경구피임제는 최소 3-6개월 투여하고 호전 여부를 판단한다. 때로는 경구피임제만으로 치료가 불완전할 수 있으므로 이때는 피부과, 성형외과와 협진한다.

참고로 혈중 안드로겐을 떨어뜨리는 전략으로는 경구피임제, 항안드로겐제제(스피로노락톤 50-100 mg bid, 피나스테라이드 5 mg qd), 메트포민, 체중감량, laparoscopic ovarian drilling이 있다.

④ 난임: 난임이 동반된 경우 첫 번째 치료는 배란유도이다. 이는 중반부의 난임 편에서 다룬다.

3) 시상하부성 무월경

급격한 체중감소는 시상하부성 무월경을 초래할 수 있다. 이때는 체중증량을 권하는데 초기 체중보다 2 kg 정도를 더 늘려야 월경이 돌아온다. 즉 50 kg 이던 여성이 40 kg가 되어 월경이 없어졌다면 52 kg 정도는 되어야 월경이 재개된다. 그래도 20%에서는 월경이 재개되지 않는데 이는 정신적 요인이나 식이영양 문제가 있을 수 있다. 먼저 체중증량을 권해보고 잘 안되면 에스트로겐-프로게스틴을 주기요법으로 투여하여 월경을 유도한다. 골다공증이 있는지도 검사해본다. 저체중 여성은 임신하더라도 저체중아 등 임신 합병증이 많으므로 BMI 18.5 이상일 때 임신하도록 권한다.

과도한 스트레스나 과도한 운동도 시상하부성 무월경의 원인으로 작용하므로 적절히 상담하며 필요 시 정신과와 협진한다. 신경성식욕부진은 여러 과와 협진이 필요하며 중증이면 입원치료가 필요하다. 원인적 교정이 쉽지 않으므로 우선 에스트로겐-프로게스틴을 주기요법으로 투여하여 월경을 유도해본다.

4) 고프로락틴혈증

고프로락틴혈증의 흔한 원인은 약물이다. 항정신질환제(antipsychotics), 항우울제, 소화기계 약물(모틸리움®, cimetidine)은 대부분 dopamine antagonist로서 평소 dopamine에 의한 프로락틴의 억제 작용을 풀리게 하여 프로락틴이 상승한다. 따라서 처방받은 과에 이들 약물을 중단하거나 또는 변경 가능한지를 먼저 문의한다. 소화기계 약물들은 대부분 중단 또는 변경 가능하지만 정신과약물은 그러지 못하는 수도 있다.

매우 다양한 시상하부-뇌하수체 병변들이 dopamine 분비를 방해하여 고프로락틴혈증을 유발할 수 있다. 갑상선기능저하증, 간경변, 신부전일 때도 고프로락틴혈증이 동반될 수 있다. 기타 유두 자극, 흉부전면을 수술받았거나 피부부위 병변(화상, 헤르페스)도 원인으로 가능하다.

뇌하수체선종 등 뇌하수체 병변 판단은 sella MRI가 좋다. 뇌하수체선종 여부에 상관없이 증상이 있는 고프로락틴혈증에는 약물치료가 우선인데 뇌하수체선종 여부에 따라서는 미세선종(≤1 cm)은 관찰 또는 약물치료, 거대선종은 약물치료 또는 수술이다. 거대선종이면서 두통, 시야장애 등의 신경계 증상이 동반되면 수술을 고려하여 신경외과에 우선적으로 의뢰해보는 것이 좋다. 약물치료에 무반응인 경우도 수술적 치료의 적응증이다.

딱히 증상이 없으면서 프로락틴 치가 너무 높지 않거나 미세선종인 경우는 단순히 관찰만 해도 된다. 명백히 고프로락틴혈증을 유발하는 정신과약제를 복용 중인데 이를 중단하지 못하고 관찰만 하는 상황이 있을 수 있고, 신부전에서 동반되는 고프로락틴혈증인데 프로락틴을 정상화시키면 대량의 부정출혈이 유발되어 고프로락틴혈증을 관찰만 하는 상황도 있다. 이때 고프로락틴혈증이 장기간 지속되면 에스트로겐 부족을 야기할 수 있고 골밀도를 저하시킬 수 있다는 것을 유념해야 한다. 때론 에스트로겐 보충도 고려해볼 수 있다.

약물치료는 프로락틴 분비 억제 인자인 dopamine agonist가 주로 이용되며 브로모크립틴(bromocriptine)이 일차 약제이기는 하나 부작용이 너무 많아 처음부터 카버골린(cabergoline)을 사용하기도 한다. 혈중 prolactin 치 감소 효과 및 뇌하수체선종 크기 감소 효과는 둘 사이에 비슷하다고 알려졌다.

브로모크립틴 부작용으로는 오심, 구토, 두통, 피로, 변비, 현기증, 저혈압 등이 있으며 간질환이 있는 경우 신중히 사용해야 한다. 분만 후 심근경색이 드물게 나타나므로 유산 또는 사산 시 유즙분비 억제 목적으로 투여할 경우 신중히 사용해야 한다. 브로모크립틴 부작용을 방지하고자 첫 주에는 반 알(1.25 mg)을 저녁에만 먹고, 둘째 주에는 반 알을 아침과 저녁에 각각 먹는 방법도 소개되어 있다(만일 그래도 프로락틴 수치가 떨어지지 않을 경우 아침에 반 알 + 저녁에 한 알 → 한 알을 아침과 저녁에 각각 복용). 그러나 브로모크립틴 반 알을 복용하려면 한 알(2.5 mg) 제형을 반으로 쪼개야 한다. 질투여법도 소개되어 있으나 거부감이 있을 수 있다.

카버골린은 selective dopamine receptor agonist (long-acting) 로서 0.5 mg을 주1회 복용한다(반응이 적을 경우 1주 2회 복용도 가능하다). 부작용은 거의 없으며 매일 먹는 부담이 없어 매우 편하다. 수유 예방 시에는 1 mg을 산후 첫째 날 1회 복용하며, 수유 도중 중단하고자 하는 경우에는 0.25 mg을 12시간마다 2일간 복용한다.

간부전증, 항정신질환제 복용자, 심장판막질환, 임신중독증, 산욕성 정신질환 및 그 병력 환자에서는 금기이다.

파킨슨병 치료 시에 고용량 카버골린을 장기간 사용했을 때 심장판막질환이 증가한다고 보고되었다. 또한 뇌하수체선종 환자에서 카버골린을 사용했을 때 무증상성 삼첨판역류(tricuspid regurgitation)가 증가했다고 보고되었다. 따라서 카버골린 장기 복용자는 주기적으로 심장검사를 고려한다. 현재 파킨슨병 치료로 카버골린은 사용하지 않는다.

뇌하수체선종 없이 prolactin 수치만 상승한 경우에는 약물 치료 후 prolactin 치가 정상화되고 월경이 정상화 되면 약물을 중단해볼 수도 있다. 그러나 자주 재발하므로 면밀한 관찰이 필요하다. 거대선종인 경우 2-3년을 먹기도 하며 선종이 없어지면 중단을 시도하기도 한다.

약물치료 시 자연배란이 재개되어 임신을 하는 수가 있으므로 만일 임신을 원치 않는다면 피임을 적절히 권해야 한다. 임신 확인 시에는 바로 약제를 중단토록 하며 이 경우 초기 임신에 약제가 노출되지만 태아에는 별반 영향이 없는 것으로 알려졌다.

임신 중에는 에스트로겐에 의하여 선종의 크기가 증가할 수도 있다(미세선종의 경우 5% 미만, 거대선종의 경우 15-30%). 따라서 주기적으로 증상 변화를 살펴야 하며 필요 시 신경외과로 의뢰한다. 단 임신 중에는 원래 prolactin이 상승하므로 prolactin 치를 루틴으로 모니터링하는 것은 권하지 않는다. 증상 발현 시에는 약물치료를 재개하기도 하며 거대선종의 경우 임신 중 커질 것을 우려하여 약물치료를 지속하기도 한다. 브로모크립틴과 카버골린 모두 FDA 분류 B이다.

출산 후에는 대개 선종의 크기 증가 우려 없이 수유는 가능하다. 간혹 출산 후 선종이 자연 위축되는 경우가 있으므로 혈중 prolactin 치를 측정해 보고 약물치료 여부를 결정한다.

5) 조기 난소부전

40세 이전에 월경이 소실되면서 혈중 FSH가 40 mIU/mL 이상이면 조기 난소부전으로 진단한다. 혈중 FSH가 20-40 mIU/mL 사이인 경우에는 아직 완전한 난소부전이 아니므로 primary ovarian insufficiency (POI)로 간주하기도 한다. POI에서는 혈중 AMH를 측정하는 것이 남은 난소 기능을 평가하는데 도움이 된다. 원인을 알기 위하여 핵형분석을 하는 것이 좋은데 특히 젊은 조기난소부전 환자에서는 향후 임신 예후 등을 알기 위하여 핵형분석을 꼭 하는 것이 좋다. 기왕에 자녀가 있는데 조기난소부전으로 진단된 경우 핵형분석으로 얻는 이득은 사실 거의 없다. 이외 fragile X 유전자(FMR1) premutation 검사를 하는 경우도 있다. FMR1 유전자는 CGG repeat 수가 200 초과이면 확실한 돌연변이(full mutation)로 정신지체의 원인이 되지만 이보다 적은 CGG repeat 55-200이면 'premutation'으로 부르고 일부에서 조기난소부전과 연관이 있다고 알려졌다. FMR1 유전자 검사 오더는 PCR과 서던 두 가지가 있는데 요새는 PCR을 사용한다.

Autoimmune polyglandular syndrome 같은 자가면역질환이 원인일 수도 있으므로 내분비내과에 의뢰하여 자가면역 스크리닝을 하는 것도 좋다(예, antinuclear Ab, anti-ds DNA, rheumatoid factor, C3, C4, RPR[VDRL], FTA-ABS, LDH, TFT, ACTH, cortisol, IGF-1). 드문 원인으로 갈락토스혈증이 있으나 이는 대부분 소아기 때의 질환이다.

조기난소부전에서는 에스트로겐-프로게스틴 주기요법으로 호르몬 치료를 하는 것이 좋으며 정상 여성의 폐경 연령과 비슷하게 52세까지 지속한다. 임신을 원하는 경우에는 난자를 기증받아야 한다.

6) 일차성 무월경

일차성 무월경은 15세까지 초경이 없거나 이차성징이 없으면서 13세까지 초경이 없는 경우로 정의하나 초경 연령이 빨라지고 있는 점을 감안하면 정의는 장차 바뀔 수도 있다. 한국인의 평균초경 연령은 1988년 13.5세, 1998년 12.7세, 2005년 12.2세, 2010년 11.9세, 2014년 11.7세로 조사되었다.

일차성 무월경의 다빈도 원인은 선천성 자궁-질 이상(자궁무형성증, MRK증후군, 안드로겐불감증후군, 자궁은 있으나 월경유출로가 막히는 선천성 질기형 등), 난소부전(터너증후군 등), 시상하부성이 있다.

초진 시 음부 부위를 잘 관찰하고 자궁의 유무와 더불어 월경유출로가 정상인지를 파악한다. 음부 부위는 pubic hair, clitoris, hymen 등을 관찰한다. 자궁의 유무는 항문초음파로 쉽게 확인할 수 있으나 환자가 불편해 하는 수가 많고 항문초음파를 본다 하더라도 자궁 유무가 애매할 수도 있으므로 환자와 잘 상의하여 MRI로 대체할 수 있다.

일차성 무월경으로 오는 환자가 대개 10대임을 감안하면 질의 길이를 사운딩으로 측정하는 것은 환자가 거부하여 어려운 경우가 많다. MRI를 촬영하면 자궁의 유무, 자궁미발달, 자궁내막의 유무, 난소 유무, 질 길이나 질부위기형, hematometra, hematocolpos까지 같이 평가할 수 있는 장점이 있다. MRI는 안드로겐불감증후군에서 잠복고환의 위치를 찾는데도 요긴하며 기타 복강 안에 고환이 있는 경우에도 그 위치를 파악하는데 큰 도움이 된다.

자궁 또는 자궁경부 또는 질 선천기형이 타 진단방법에서 확인된 경우 좀더 상세한 기형을 찾아내고자 시행하는 MRI는 급여이다(제9장 Box 참조).

Imperforate hymen은 대개 hymen을 관찰하는 것만으로도 진단이 가능하다. 매달 주기적 통증이 있다는 것은 자궁이 있으나 월경유출로가 막히는 imperforate hymen, transverse vaginal septum 같은 선천성 질기형이 있음을 시사하는 소견이다. CT/MRI로 hematometra, hematocolpos 여부를 판단할 수 있으며 특히 막힌 부위를 파악할 수 있으므로 향후 수술적 교정을 계획하는데 큰 도움이 된다.

이차성징의 발달 정도는 유방과 음모의 발달을 평가하는 Tanner stage가 흔히 사용된다. 1단계는 미발달, 5단계는 성인형이며 중간을 3단계로 나누어 2, 3, 4단계로 평가하는데 다소 주관적이며 애매한 경우가 많아 2-3단계, 3-4단계, 4-5단계 등으로 적는 수도 있다.

혈중 LH/FSH/estradiol을 측정하여 난소부전과 시상하부성을 감별한다. 난소부전인 경우 감별진단을 위하여 말초혈액을 이용한 염색체검사를 낸다. 터너증후군은 전형적인 45,X 외에 다양한 모자이크 형태가 있다.

자궁무형성증인 경우에도 감별진단을 위하여 말초혈액을 이용한 염색체 검사를 내며 46,XX이면 MRK증후군, 46,XY이면 안드로겐불감증후군이다.

자궁-질 기형 중 일부에서 염색체 이상이 동반되는데 대개는 비대칭성(asymmetrical) 자궁-질 기형에서 나타난다. MRK증후군에서는 일측 신장무형성, 중복요관 등 비뇨기계 기형이 동반되는 수가 많으므로 IVP, CT 등을 고려한다.

같은 자궁무형성증이지만 MRK증후군과 안드로겐불감증후군은 완전히 다른 병인을 갖는다.

MRK증후군은 정상 여성이지만 단순히 뮐러관이 발달하지 않아(müllerian agenesis) 난관, 자궁, 질 상부가 없는 기형이다.

안드로겐불감증후군은 46,XY 핵형을 가지며 고환이 발달하여 남성호르몬과 AMH를 분비한다. 그러나 남성호르몬 수용체 돌연변이로 인하여 남성호르몬이 작용하지 못하여 울피안관이 미발달하므로 남성 내부생식기가 형성되지 않으며 AMH의 작용으로 뮐러관이 퇴화하여 여성 내부생식기가 형성되지 않는다. 고환은 음낭이 없으므로 잠복고환 형태로 서혜부에 존재한다.

두 증후군 모두 뮐러관이 발달하지 않아 난관, 자궁, 질 상부가 없으며, 외음부는 여성의 형태이면서 urogenital sinus에서 기원한 4 cm 정도의 짧은 질을 갖는 것은 공통 사항이며, 안드로겐불감증후군에서는 46,XY, 잠복고환, 음모/액모 미발달, 혈중 testosterone이 남성 수치를 보인다는 것이 특이한 점이다.

MRK증후군과 안드로겐불감증후군에서는 정상적인 성관계를 위하여 성인이 된 이후 신질형성(creation of neovagina)이 필요하다. 안드로겐불감증후군에서는 신질형성과 더불어 잠복고환 제거 및 여성호르몬 치료가 필요하다.

신질형성에는 몰드를 이용한 active dilatation 또는 특수기구를 이용한 passive dilatation을 시도하는 비수술적 방법과 blind vagina에서 방광과 직장 사이를 지나 골반강 방향으로 복막에 도달할 때까지 blind dissection을 하는 수술적 방법(신질성형술)로 나뉘는데 비수술적 방법을 우선 시도하고 안 되면 수술적 방법을 고려한다.

신질성형술에서는 dissection을 한 질부위에 덧대는 조직이 무엇인가에 따라 다양한 수술법이 존재한다. 과거 허벅지 부위의 피부를 절제하여 둥그런 몰드에 감아 이를 질 내에 넣고 봉합해 주는 방법인 McIndoe 수술법(split-thickness skin graft)이 사용되었으나 피부조직인 관계로 정상적인 질점막처럼 부드럽게 만들어주지는 못하는 단점이 있다. 방광/직장 손상, graft 감염, rectovaginal/vesicovaginal fistula 등이 드문 부작용이다. 피부조직 대신 subcutaneous abdominal flaps, fasciocutaneous thigh flaps, labial skin flaps을 이용하기도 하는데 이는 성형외과 영역이다.

이외 blind vagina를 dissection하고 passive traction 기구를 삽입하여 복부에 고정하는 Vecchietti method도 소개되어 있다.

최근에는 피부조직 대신 복막조직을 이용하는 Davydov's method가 국내에서도 시도되고 있다. 복부 접근으로 더글라스와 부위의 복막을 절제하여 복막절편을 만들고 이를 dissection한 질 안으로 밀어넣고 봉합해 주기도 하며 또는 복막에 절개만 가하고 그대로 끄집어내어 dissection한 질부위와 연결해주기도 한다.

자궁이 없고 질이 맹관이며 염색체가 46,XY 라서 안드로겐불감증후군으로 생각했는데 만일 유방발달이 미숙하고 성선이 복강내에 있고 혈중 testosterone과 estrogen이 낮고 고혈압이 동반된다면 17α-hydroxylase 결핍을 고려하여야 한다. 참고로 안드로겐불감증후군에서는 혈중 testosterone은 정상 남성 수치를 보이며 혈중 estrogen은 어느 정도 측정되고 유방은 정상 발육한다. 안드로겐불감증후군에서 성선은 잠복고환 형태로 서혜부에 있는 것이 보통이지만 드물게 복강내에 있을 수도 있다.

46,XY 남성에서 17α-hydroxylase 결핍이 되면 testosterone 합성이 안 되어 울피안관이 미발달하고 AMH의 작용은 일어나 뮐러관은 퇴화하므로 내외부생식기는 안드로겐불감증후군과 같게 되지만 혈중 testosterone과 estrogen이 합성이 안 되어 낮게 측정되며 유방도 미발달을 보인다. 이에 더불어 부신호르몬도 영향을 받는데 혈중 17-OHP, cortisol, DHEA-S, renin, aldosterone 치는 낮게 측정되나 ACTH 및 11-deoxycorticosterone, corticosterone 같은 mineralocorticoid 치는 오히려 증가하고 저칼륨혈증과 고혈압을 보인다. 증가한 mineralocorticoid가 어느 정도는 glucocorticoid 작용을 하므로 cortisol 결핍 증상은 나타나지 않는다고 한다. 복강내고환 제거, 여

성호르몬 치료 및 신질형성이 필요하며 이에 더불어 부족한 cortisol 보충이 필요하다.

Testosterone 합성에 17,20 desmolase, 17ß-HSD도 관여하므로 이들도 결핍 시 상기와 같은 임상증상을 보이지만 부신 호르몬은 정상이라서 고혈압이 없는 것이 특징이다.

난소 및 부신에서 호르몬 생성도는 **그림 06**과 같다. 녹색의 효소는 smooth endoplasmic reticulum에 존재한다(흰색은 미토콘드리아).

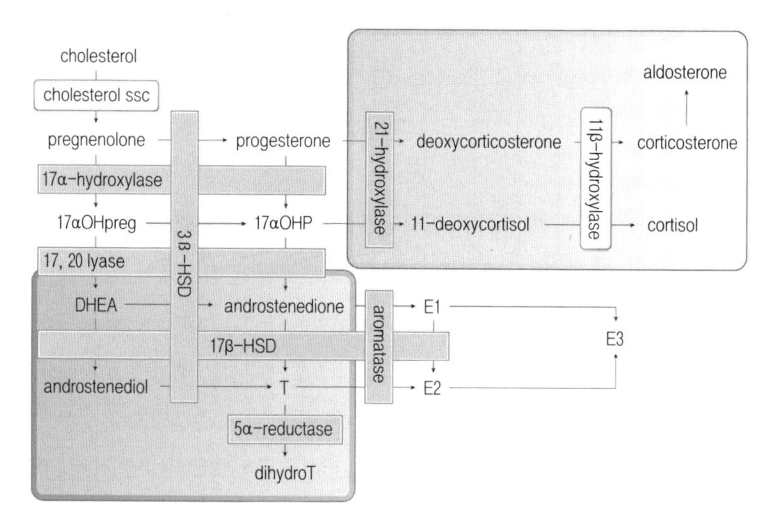

그림 06. 스테로이드 생성도

터너증후군에서는 먼저 소아과에 의뢰하여 적절한 신체 발달 정도와 골연령 등을 평가하고 성장호르몬 치료를 할지를 정해야 한다. 성장호르몬 치료가 완료되면 초기에는 저용량 에스트로겐 단독으로 투여하고 이후 에스트로겐-프로게스틴을 주기요법으로 투여한다. 터너증후군에서 모자이크 형태로 Y 염색체가 존재하면 성선제거술을 시행한다.

Imperforate hymen은 hymen을 'X'자로 절개하여 쉽게 치료 가능하다. 요도 손상을 우려하여 '+'자 절개는 피한다. Transverse vaginal septum은

electrosurgical device나 자궁내시경을 이용하여 절개하고 남은 질 조직도 마저 제거해 준다. 자궁내시경을 이용한 절제는 특히 성경험이 없는 여성에서 유용하다. Transverse vaginal septum 제거 시 정상 질 부위와 혼돈되는 수가 있고 또한 방광 부위 손상을 피하기 위하여 복부초음파 또는 질초음파를 보면서 신중히 진행하는 것이 좋다. 수술 후 절제 부위가 협착되는 수가 있으므로 면밀한 관찰이 필요하며 출산 시 제왕절개가 필요한 경우도 있다.

4

타목시펜 사용자

타목시펜은 유방세포에는 estrogen antagonist로 작용하여 유방암을 억제하지만 자궁에는 estrogen agonist로 작용한다. 유방암 환자에서 타목시펜 사용 시 사궁내막증식증 및 자궁내막암의 빈도가 2-3배 증가한다. 그런데 자궁내막증식증 및 자궁내막암의 빈도 증가는 거의 폐경 후 여성에서 관찰된다고 한다. 따라서 폐경 전 여성이라면 좀 더 안심해도 된다.

기왕에 자궁내막용종이나 자궁근종, 선근증이 있는 경우 타목시펜 복용으로 이들의 크기가 증가할 수 있으며 자궁내막증도 악화할 수 있다. 자궁근종, 선근증이 자라는 경우 GnRH agonist를 사용해 볼 수 있으며(유방암 환자이므로 급여 가능) 때로는 자궁적출술이 필요할 수도 있다. 일반적으로 타목시펜 사용자에서는 자궁내막에 대한 면밀한 관찰이 요구된다.

- 자궁내막 두께가 두껍다고 판단되는 경우 자궁내막조직검사를 시행한다.
- 자궁내막이 두껍지는 않지만 내막이 reticular하게 마치 스폰지 모양으로 변하는 소위 '타목시펜-관련 내막 변화'를 보이는 경우가 흔히 있다. 자궁내막조직검사를 하면 대개는 정상으로 나온다. 애매한 경우는 진단내시경을 시행하여 내막에 이상이 없음을 확인해 보는 것이 좋다. 스

페로프 교과서 9판(p561)에는 내막이 polypoid 하게 보이거나 식염수 주입초음파에서 내막 두께 5.5 mm 이상을 기준으로 잡을 때 민감도가 100%라고 하였다.

- 기왕의 자궁내막용종이 있는 경우 크기가 증가할 수 있고 악성 변화가 가능하므로 가급적 제거를 권한다.
- 자궁내막조직검사를 시행하여 자궁내막암 또는 비정형증식증이 나온 경우 자궁적출술의 대상이 된다. 스페로프 교과서 9판(p561)에는 비정형 증식증이 지속되는 경우 미레나가 효과적이라고 되어 있으나 미레나®가 유방암에서 금기인 점을 고려하여야 한다.
- 자궁내막조직검사를 시행하여 비정형이 아닌 증식증이 나올 경우 원래는 프로게스틴 치료를 해야 하지만 유방암의 발생 기전에 프로게스틴도 관여한다고 하므로 프로게스틴을 사용하기가 곤란하다. 이때 자궁적출술을 권하는 임상의도 있으나 자궁적출술의 적응증이 되는지는 아직 불분명하다. 단순형일 경우 관찰만 하는 경우도 있다.

폐경 전 유방암 환자에서는 상기한 내막증식증이 아니더라도 타목시펜 복용 중 월경이 소실될 수 있는데 장기 사용하는 타목시펜이 estrogen 작용으로 혈중 FSH를 약간 저하시키지만 그래도 혈중 FSH를 내보고 폐경 여부를 판단할 수 있다. 애매한 경우는 혈중 AMH를 측정한다.

제 2 장

자궁기형

자궁기형의 분류로 5가지 정도의 분류법이 나와 있으나 어느 것도 완벽한 것은 없으며 대개는 미국생식의학회(ASRM)에서 나온 분류가 애용된다.

Class I: Hypoplasia & agenesis (vaginal, cervical, fundal, tubal)
(예, imperforate hymen, transverse vaginal septum)
Class II: Unicornuate uterus (communicating, non-communicating, no cavity, no horn)
Class III: Uterine didelphys
Class IV: Bicornuate uterus (complete, partial)
Class V: Septate uterus (complete, partial)
Class VI: Arcuate uterus
Class VII: DES-related T-shaped uterus

혹자는 arcuate uterus를 bicornuate uterus의 경미한 형태로 분류하기도 하지만 arcuate uterus 자체는 임상적인 의미가 거의 없으며, DES-related T-shaped uterus는 DES가 매우 오래전 사용 금지됨에 따라 더 이상 볼 수 없는 분류이다.

자궁기형 중 흔한 것은 격막자궁(septate uterus)과 쌍각자궁(bicornuate uterus)이다.

Septate uterus는 대부분 임상의들이 중격자궁으로 부르며 대한의학회의 정식 명칭은 '사이막자궁'이지만 septum의 우리말 표현은 '격막'이 적합하여 필자는 '격막자궁'으로 표현하겠다. Septum을 사이막이라고 부른다면 vaginal septum도 질사이막으로 불러야 하는데 이는 어색하다. 격막자궁과 쌍각자궁 둘 모두 초음파검사에서 자궁강이 두 개로 관찰되며 자궁경부는 하나이다. 두 자궁강 사이가 매우 가까워 질초음파로 놓치는 경우도 있으므로 주의를 요한다. 자궁난관조영술을 해보면 자궁강이 두 개인 것이 더욱 확실히 보이는데 초음파검사에서 자궁강이 확실히 두 개로 보이면 자궁난관조영술을 추가로 할 필요는 없다. 대신 MRI를 촬영하는 것이 감별에 도움이 된다. 두 진단 사이의 감별은 자궁저부를 관찰하는 것인데 이는 이차원 또는 삼차원 초음파검사로도 어느 정도 감별이 된다. 즉, 자궁저부가 둥그렇게 되어 있으면 자궁이 하나인 격막자궁이고 V자 모양으로 중간 부분이 패여 있으면 쌍각자궁이다. MRI를 해보면 자궁저부의 모양이 좀 더 확실해진다. 과거 자궁저부의 모양을 확인하고자 진단복강경을 하였지만 질초음파나 MRI로 충분하므로 더 이상 하지 않는 추세이다.

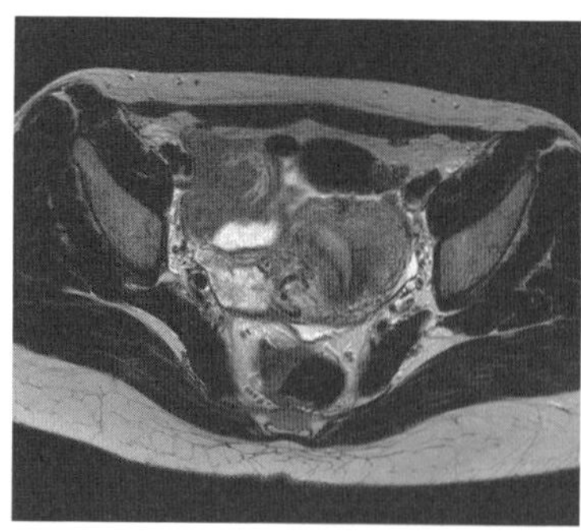
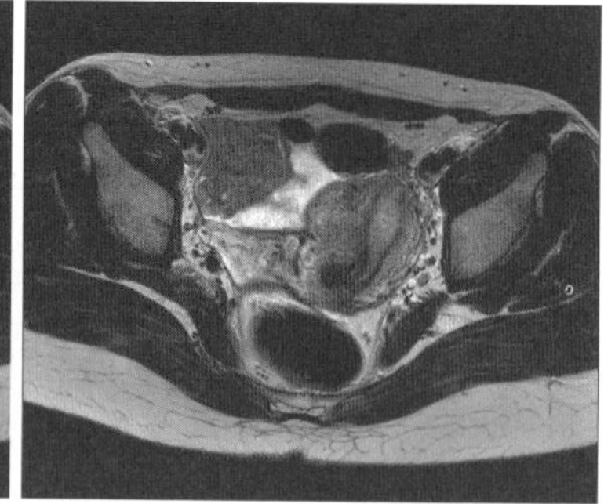

그림 07. 전형적인 격막자궁의 MRI 사진

그림 07에서 우측 반자궁(right hemiuterus)과 좌측 반자궁(left hemiuterus)이 확연히 보이며 자궁저부는 둥글게 보이므로 하나의 자궁임을 알 수 있어 격막자궁으로 진단할 수 있다. 사진에는 없지만 좀 더 아래쪽의 자궁경관에 두 개의 길이 나 있으므로 격막이 거의 자궁경관까지 내려와 있는 완전격막자궁으로 진단이 가능하다.

격막자궁은 유산(65%-70%), 조산(-20%)의 고위험군이 되므로 자주 유산을 경험한 여성뿐만 아니라 임신을 처음 하려는 여성에서 발견되면 격막절제술을 우선적으로 해주는 것이 좋다. 과거에는 개복 또는 복강경을 이용하여 자궁저부를 'V'자 형태로 절제하는 격막절제술을 했지만 요즘에는 자궁내시경을 이용한 격막절제술(hysteroscopic septoplasty)을 하므로 비교적 수술이 간편해졌다(제3장 자궁경수술 참조). 격막절제술 후에는 유산율 15%, 조산 5%, 만삭분만율 80% 정도로 산과적 결과가 상당히 좋아진다고 한다(Fertil Steril 2000;73;1, Semin Reprod Med 2000;18;341).

그러나 2018년 ESHRE에서는 반복유산의 진단 및 치료에 대한 가이드라인을 발표하면서(Hum Reprod Open 2018;2:hoy004) 격막자궁에서 hysteroscopic septum resection이 이로운 지는 추후 surgical trial 에서 정해야 한다고 명시하였다(제10장 반복유산 8. 가이드라인 참조). 실제로 이에 관한 다기관 RCT 결과가 2021년에 발표되었는데 hysteroscopic septum resection 군 40명과 expectant management 군 40명 간에 생아출생율은 31% 대 35%로 차이가 없었다(Hum Reprod 2021;36:1260).

쌍각자궁은 일단 자연임신을 먼저 시도해 보지만 유산(30%-35%), 조산(-20%)의 고위험군이 되므로 수술적 교정이 필요한 경우도 있다. 특히 임신 중에는 IIOC가 잘 동반되어(-40%) 임신 시 cervical cerclage가 필요한 경우가 많다. 수술적 교정은 Strassman reunification 수술법으로 두 개의 자궁 저부의 가로축을 따라 절개를 하고 자궁강을 노출시킨 다음 좌우 flap을 봉합선이 세로가 되게 봉합하여 자궁을 하나로 통일시켜주는 수술법이다.

중복자궁(didelphys)은 자궁이 두 개 있는 것이기는 하지만 사실 단각자궁이 두 개 있는 형태로 보면 된다. 자궁저부의 모양만으로는 쌍각자궁과 비슷하나 자궁경부도 두 개가 있으므로 감별이 된다. 중복자궁에서는 세로 질격막(longitudinal vaginal septum)이 흔히 동반되는데 간혹 세로질격막이 한쪽으로 치우친 소위 'minor hemivagina'를 발견하지 못하면 자궁경부는 한 개가 있는 것처럼 오인하여 쌍각자궁으로 오진하는 수가 있으므로 주의를 요한다. 이 경우 MRI를 해보는 것이 자궁경부가 두 개가 있음을 확인하는데 매우 도움이 된다.

중복자궁은 일단 자연임신을 먼저 시도해 보지만 유산(35%-40%), 조산(-30%)의 고위험군이 되므로 수술적 교정이 필요한 경우도 있다. 수술적 교정은 쌍각자궁과 마찬가지로 Strassman reunification 수술법이다. 통상 두 개의 자궁경부는 그대로 둔다. 동반된 세로질격막은 electrosurgical device 나 자궁경으로 절제할 수도 있지만 부부관계에 별 영향이 없다면 그냥 두어도 무방하다. 단 그대로 두면 크기가 작은 소위 'minor hemivagina' 쪽에 있는 자궁경부는 세포진검사를 하지 못한다는 단점이 있다. 또한 두 개의 hemiuterus 중 dominant hemiuterus가 minor hemivagina에 연결된 경우에는 임신을 위하여 세로질격막을 제거해주는 것이 좋다.

중복자궁(didelphys)의 드문 형태로 일측 hemivagina가 막혀 있고 일측 무신장(renal agenesis)을 동반하면 Herlyn-Werner-Wunderlich syndrome이라 부른다. 반대측 hemiuterus와 hemivagina가 건전하다면 월경은 하며 임신도 잘 되지만 막힌 hemivagina로 인하여 혈종이 생기고 통증이 유발되므로 transverse vaginal septum과 같은 방식으로 제거해준다(J Korean Med Sci 2007;22:766).

단각자궁(unicornuate uterus)에서는 communicating, no cavity, no horn 형태는 증상을 일으키지 않으므로 모르고 넘어가는 수가 많다. 단 non-communicating 형태는 일측에 있는 자궁내막에서 월경을 하고 월경이 유출되지 못하므로 이 부위에 주기적 통증을 동반하는 혈성혹으로 나타나 수술적 절제를 해야 하는 경우도 있다. 유산(-40%), 조산(-20%)의 고위험군이 되며 단각자궁 자체는 교정술이 없으나 간혹 임신 시 cervical cerclage가 임신 기간 연장에 도움이 되었다는 보고가 있기는 하다.

Cervical agenesis는 마치 자궁경부에 trachelectomy를 한 것과 같은 상황이 되어 월경유출 장애, 난임, 반복유산, 조산을 흔히 유발한다. 결손 된 자궁경부를 복원하는 방법은 없으며 입구가 협착될 경우 협착 부위를 뚫어 주기도 하는데 자주 막힌다.

Vaginal agenesis는 마치 MRK 증후군에서의 질과 같은 상황이 되며 단 자궁이 있으므로 월경유출 장애가 발생한다. MRK 증후군에서와 마찬가지로 신질성형이 필요한데 blind vagina에서 자궁 방향으로 blind dissection을 하고 자궁하절과 질 부위를 연결한다. 부분적인 cervical agenesis 에서는 일부 자연임신도 가능하지만 cervical agenesis, vaginal agenesis에서 자연임신은 매우 힘들며 체외수정술을 하더라도 예후는 극히 불량하다. 난자 채취 시에는 일반적인 질식 접근이 힘들어 복식접근 또는 복강경을 이용한 난자 채취를 하며, 질을 통한 배아이식도 힘들어 주사침을 이용하여 자궁벽을 통과하여 자궁내막에 이식해주는 수술적 배아이식이 흔히 이용된다.

제 3 장

자궁경수술

1 서론

자궁경수술은 익숙해지면 손쉽게 할 수 있는 매우 유용한 시술이지만 때에 따라서는 매우 위험한 상황이 벌어질 수 있다. 따라서 가능한 합병증들을 숙지하고 수술에 임해야 하며 가급적 합병증을 예방하는 방향으로 수술을 진행해야 한다.

자궁강내에 자궁내막용종, 점막하근종, 잔류태반이 있을 경우 자궁경수술로 제거 가능하며 자궁의 격막, 질에 세로격막 또는 가로격막이 있는 경우에도 격막을 자궁경수술로 제거 가능하다. 자궁내유착이 있는 경우 자궁경을 이용하여 자궁내막유착박리술을 시행하기도 한다. 이외에도 성경험이 없는 여성에서 자궁경부용종이나 질내 병변 제거에도 유용하다. 자궁강내에 깊이 박힌 IUD는 자궁경부 확장 후 링포셉으로 꺼내면 충분히 제거가 가능하므로 굳이 자궁경수술까지 할 필요는 없다. 다만 IUD 일부 조각이 자궁 안에 있는데 링포셉으로 나오지 않을 경우 자궁경수술로 제거할 수는 있다.

제왕절개 반흔임신(c/sec scar pregnancy)을 자궁경수술로 제거하기도 하나 제왕절개 반흔 임신은 자궁경 시야에서 12시 방향에 위치하므로 각이 맞지 않아 완전제거가 어려울 수 있다. 차라리 복강경수술로 태반조직을 완전히 제거하고 자궁전벽을 완전히 봉합-지혈해주는 것이 좋다.

2 시술방법

원래 자궁경수술이라 함은 자궁경에 있는 구멍을 통하여 가위나 겸자를 넣고 수술하는 것을 말하며 자궁내막유착박리술을 시행할 때 이용한다. 점막하자궁근종, 자궁내막용종, 자궁격막, 질격막 등을 절제하는 것은 자궁경에 loop electrode를 장착한 절제경(resectoscope)을 이용한다. 그러나 이 둘을 총칭하여 자궁경수술로 부르기도 한다. 절제경은 loop electrode 외에도 needle electrode, roller-ball electrode 등을 장착할 수 있다.

자궁경수술을 계획할 때는 반드시 자궁경부 상태를 체크하는 것이 좋다. 간혹 자궁경수술을 예정하였다가 자궁경부가 너무 작아 수술이 실패하는 경우도 있다. 직경 10 mm가 되는 자궁경을 자궁내로 넣기 위해서는 자궁경부의 확장이 필수이다. 대개 자궁경수술 시에는 헤가 13번까지의 확장이 필요하다. 자연출산 경험이 있는 여성은 당일 바로 헤가 확장으로도 충분한 경우가 많으나 대개는 자궁경부 확장 목적으로 4-6시간 전 경구 미소프로스톨 0.4 mg을 한번 복용케 한다. 미소프로스톨은 질내로 넣을 수도 있지만 환자가 제대로 질 깊숙이 삽입하는 것이 미덥지 못하면 경구복용하는 것이 좋으며 입원환자라면 의사가 자궁경부 하방으로 삽입하여도 된다.

출산 경험이 없는 여성이나 제왕절개분만 여성은 입원시켜 전날 밤에 라미나리아®를 자궁경부에 거치하는 것이 좋다. 때로 라미나리아®를 넣고 미소프로스톨을 복용하는 경우도 있다. 라미나리아®를 넣을 때와 넣은 후 몇 시간 동안 골반통이 있을 수 있으므로 적절한 통증 조절을 해주어야 한다.

질 안을 소독하고 tenaculum을 자궁경부 10시-11시 방향으로 단단히 잡는다. 느슨하게 잡으면 헤가 확장 시 자궁경부에 열상이 생길 수 있다.

자궁경은 렌즈에 경사가 있는데 대개는 30도짜리를 사용한다(참고로 복강경수술 시 렌즈는 0도짜리를 사용한다). 먼저 아래를 내려다보는 방향으로 자궁에 삽입하고 6시 방향 근처에 있는 병변을 제거한다. 만일 병변이 12시 방향 쪽에 있으면 카메라는 그대로 둔 채 자궁경만을 180도 회전시켜 진행한다. 기포는 대개 12시 방향으로 모이므로 자궁 안에서 방향감각을 유지하는 데 도움이 된다. 때로 기포 때문에 12시 방향 병변 제거가 힘들 수 있다. 이때는 자궁확장액의 flow rate를 줄이면 도움이 된다.

3

합병증

자궁경수술 중에는 무엇보다도 자궁천공이 일어나지 않도록 주의하여야 한다. 사전에 반드시 자궁길이와 방향을 숙지하고 수술에 임한다. 특히 자궁이 작은 여성은 헤가 확장 시에나 자궁경 삽입 시에도 천공이 일어날 수 있으므로 주의를 요한다. 자궁천공이 인지되면 그 즉시 자궁경수술을 중단한다. 자궁천공이 일어나면 자궁확장이 안되므로 더 이상 수술을 진행하기도 어려우며 복강경수술로 전환할지를 신속히 결정해야 한다.

자궁이 완전히 천공되면 복강내 장이나 대망이 관찰되며 자궁확장이 더 이상 안되어 대개 시야가 어두워진다. 자궁이 불완전하게 천공되면 자궁확장은 되어 시야는 좋으나 자궁 쪽 장막이 얇게 보이거나 장이나 대망이 약간 보일수도 있다. 자궁천공이 확인되면 그 즉시 넬라톤 카테타를 자궁내로 깊숙이 넣어 자궁확장액을 가급적 빼주는 것이 좋다. 동시에 복식초음파로 복강내 액체저류 정도를 확인한다.

복강경수술로의 전환은 다음과 같은 경우에 주로 한다.

- 천공 부위가 넓어 자궁봉합을 해줄 필요가 있을 때
- 아직 자궁강내 병변이 남아있어 더 제거해야 할 때
- 장을 coagulation 하였는지가 불확실할 때

즉 상기와 같은 상황이 아니면 굳이 복강경수술로 전환할 필요는 없다. 대개는 자궁이 천공되는 순간 자궁확장액에 의하여 장이 밀려나므로 장을 coagulation 하는 경우는 극히 드물다.

복강경수술로 전환하면 복강내 자궁확장액도 제거할 수 있는 장점이 있다고 하는데 실제로 들어가 보면 자궁확장액은 이미 흡수되어 거의 없는 경우가 많다. 차라리 자궁천공이 확인되면 그 즉시 넬라톤 카테타를 넣어 자궁확장액을 빼주는 것이 낫다.

자궁경수술을 마칠 때 자궁 천공이 일어나지 않았음을 확신하면서 종료를 해야 하는데 자궁 천공이 일어나지 않았다는 증거는 다음과 같다.

- 자궁경수술 내내 시야가 깨끗하였다.
- 자궁확장액의 input/output이 적절하였다.
- 초음파검사로 복강내 액체저류가 심하지 않았다.
- 복부 팽대가 없으며 산소포화도가 좋고 호흡이 부드러웠다.

자궁경수술 후 합병증은 거의 자궁확장액 때문에 발생한다. 자궁확장액은 monopolar system 에서는 비전도성인 Urosol® (2.7% sorbitol + 0.54% mannitol)을 사용하는데 hypotonic 제제라 자궁을 통하여 어느 정도는 전신에 흡수되며 과도한 경우 폐부종, 뇌부종, 전해질장애를 유발한다. Bipolar system 에서는 생리식염수를 자궁확장액으로 사용하는데 등장성인 생리식염수이지만 그래도 어느 정도는 전신에 흡수된다. 자궁천공이 일어나면 다량의 자궁확장액이 복강으로 들어가 복막을 통하여 빠르게 흡수된다.

자궁확장액의 전신 흡수를 예방하는 방법은 다음과 같다.

- 자궁확장액은 대개 infusion pump system를 이용하는데 pressure 60 mmHg, flow rate 200 mL/min으로 시작하며 mean arterial pressure를 수시로 확인하면서 자궁확장액의 pressure를 mean arterial pressure보다는 낮게 유지한다. Flow rate 또한 시야가 좋다면 점차 줄인다.

Infusion pump system이 없다면 자궁확장액은 환자보다 1m 위에 거치한다.

- 자궁확장액의 input/output을 10분 간격으로 점검한다. Input에서 output을 뺀 fluid deficit이 1 L 이상이면 전해질을 체크하고 이뇨제를 주며 수술 중단을 고려한다. Fluid deficit이 2 L 이상이면 즉각 수술을 중단한다.
- 환자의 vital sign도 자주 체크하여 산소포화도가 97% 이하로 되면 즉각 수술을 중단한다.
- 가급적 수술을 빨리 끝낸다. 자궁경을 일단 자궁 안에 넣은 상태에서는 재빨리 수술을 진행한다. 쳐다보고만 있는 시간을 줄인다.
- 수술이 길어질 것 같으면 전신마취로 바꾸든지(기도확보에 유리) 일단 수술을 종료하고 이차 수술을 계획한다(two stage operation).
- 근층 내로 깊이 파지 않는다. 깊이 파면 출혈 위험성도 증가한다.
- 수술전 GnRH agonist를 투여하면 자궁내 혈관분포를 감소시키고 수술 직전 vasopressin을 자궁경부내 투여하면 혈관수축을 일으켜 유리하다는 주장도 있다.

자궁천공이 발생하거나 fluid deficit이 많을 경우 환자를 입원시켜 이뇨제를 주면서 전해질 체크를 하고 면밀히 감시한다. 대개는 하루 정도 입원으로 충분하다.

4

질환별 접근법

1) 자궁내막용종은 loop electrode를 장착한 절제경을 이용하여 쉽게 제거가 가능하다. 크기가 큰 자궁내막용종은 링포셉으로 우선 제거하고 절제경으로 남은 병변을 제거하고 지혈을 하면 수술시간이 단축된다.
2) 점막하자궁근종은 우선 monopolar의 cut로 근종을 절제하는데 혈관이 많은 부분은 적절히 coagulation을 하면서 진행한다. 베이스 부분에 가까워지면 출혈이 심해지므로 이때는 출혈 부위를 정확히 보고 coagulation을 해야한다. 가능하면 절제경을 밀지 말고 당기면서 절제를 해야 자궁천공을 방지할 수 있다. 일단 흠집이나 조각을 많이 내어 놓고 링포셉으로 제거하면 수술시간이 단축된다(그림 08).

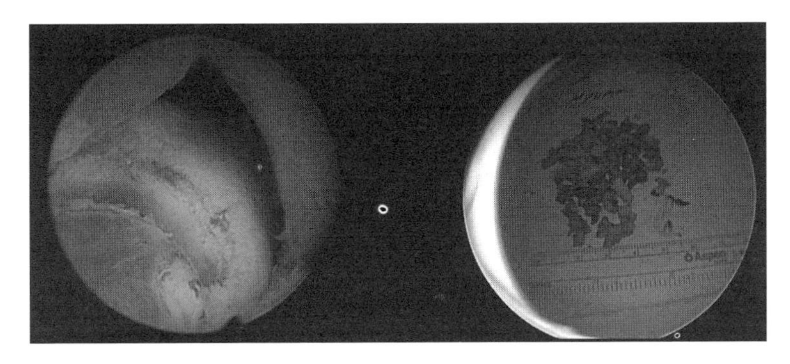

그림 08. 자궁경수술로 점막하근종을 절제하는 장면(좌)과 절제 후 근종 사진(우)

점막하자궁근종 주위로 자궁내막이 두꺼워져 있는 경우가 많은데 두꺼워진 자궁내막도 절제경으로 약간 깍아주면 월경과다 등의 증상 개선에 도움이 된다. 근층으로 많이 들어가 있는 type 2는 일단 보이는 부분을 최대한 절제한 후 절제경을 빼고 잠깐 기다리면 근층이 수축하면서 근층내 들어 있던 근종이 밀려 내려온다.

점막하자궁근종의 크기가 큰 경우 복강경수술로 근종을 제거하기도 한다. 어느 정도의 크기를 자궁경수술이 아닌 복강경수술로 시도하느냐에 대해서 딱히 기준은 없지만 임상의의 숙련도와 수술시간 등을 고려해야 한다. 일반적으로 점막하자궁근종이 2 cm이면 수술시간은 30분, 3 cm이면 1시간, 4 cm이면 1시간 반, 5 cm이면 2시간 정도가 소요된다. 점막하자궁근종의 크기가 클수록 주위 혈관이 많이 분포하여 지혈도 그만큼 어려워진다. 크기가 큰 점막하자궁근종은 사전에 GnRH agonist를 사용하여 크기를 줄이면 좋다고는 하나 대개는 GnRH agonist를 주어도 근종의 크기가 줄어들지는 않는다. 그러나 이론적으로 혈관분포를 줄이고 내막을 얇게 하여 시야가 좋아질 개연성은 있다. 대개 5 cm 이상의 점막하자궁근종은 복강경수술로 근종을 제거하는 편이 여러 측면에서 유리할 수 있다. 그러나 숙련되면 6 cm 점막하자궁근종도 자궁경수술로 제거가 가능하다. 그러나 시간이 많이 걸린다.

점막하근종을 자궁경수술로 제거 후 월경혈감소(hypomenorrhea), 무월경, 자궁내유착 등의 합병증 발생 가능성은 10% 정도이다(Obstet Gynecol Int 2012;2012:853269).

수술 직후 자궁내유착 방지 목적으로 barrier gel (예, 프로테스칼®, 가딕스®)을 자궁내로 투여하기도 하며 이는 2017년 미국 부인과복강경학회의 가이드라인에서 권고하는 사항이기도 하다. 에스트로겐을 투여하는 것은 자궁내막 회복에 유용한 전통적인 방법으로 에스트로겐을 4-8 mg 4주간 복용할 수도 있다. IUD나 폴리 삽입, 항생제 투여는 증거가 불충분하다고 한다. 점막하근종이 다발성인 경우 자궁내유착 가능성이 높으므로 수술 중 전기적 손상을 최대한 줄여야 한다. 임신을 원하는 환자라면 3-4주 후 진단자궁경을 해보는 것도 좋은 방법이다.

3) 자궁격막을 가진 여성은 대부분 출산 경험이 없는 여성인데 입원시켜 전날 밤에 라미나리아®를 자궁경부에 거치하는 것이 좋다. 격막자궁은 자궁경부가 약간 widening 되어 있는 수가 많아서 라미나리아® 거치만으로도 충분한 수술 시야를 확보할 수 있다.

자궁격막은 자궁경 시야에서 정면에 있으므로 렌즈는 0도짜리를 이용하는 것이 좋으나 30도짜리도 큰 불편함 없이 사용가능하다. 절제경에 needle electrode를 달고 자궁격막의 중앙 부위에서 자궁저부 쪽으로 밀면서 절개하면 격막이 열리면서 대부분 제거된다(그림 09). 위아래로 약간 남은 격막은 loop electrode를 달고 monopolar의 cut을 이용하여 제거한다. 절제경 대신 자궁경의 가위를 사용하여 전기적 손상 없이 절개하는 경우도 있다.

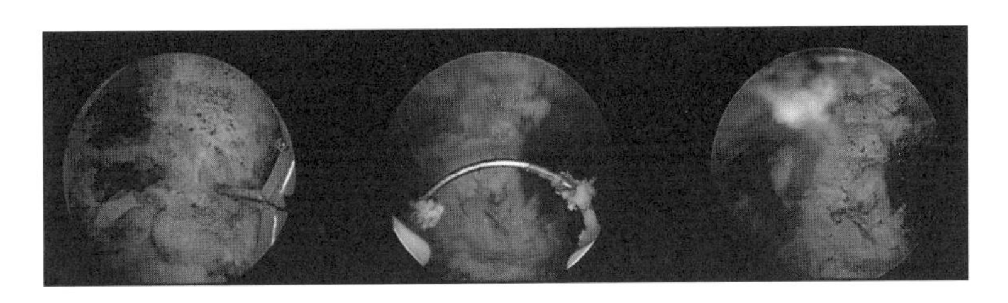

그림 09. Needle electrode로 자궁격막의 중앙을 절개하는 모습(좌), 위아래로 약간 남은 사이막을 loop electrode로 제거하는 모습(중), 수술완료 후 모습(우)

자궁격막의 제거에서 가장 중요한 것은 자궁저부 근처로 격막의 뿌리에 도달할 때 자궁천공을 하지 말아야 한다는 것인데 일단 자궁저부까지 절제가 되면 초음파검사로 fundal thickness를 측정하여 1.5-2.0 cm 정도가 되면 수술을 중단한다. 이때 만일 자궁저부에 격막이 조금 남았다고 하여도 향후 임신에는 별 문제가 없다고 한다. 자궁이 천공되었거나 fundal thickness가 얇다고 판단되면 다음 출산 시 제왕절개분만을 권한다. 격막의 제거 후 자궁내막유착의 예방 조치는 꼭 하지 않아도 되나 에스트로겐을 주는 임상의도 있다.

4) 자궁강내유착 또는 자궁내막유착은 월경혈감소, 무월경, 난임, 반복유산을 일으킨다. 자궁경을 이용한 유착박리술이 전통적인 수술법이다. 자궁내막유착박리술은 자궁경으로 가위를 이용하여 유착밴드를 박리한다. 여의치 않을 때는 절제경으로 바꾸어 cutting electrode를 사용해도 되지만 최대한 전기적 손상을 줄여야 한다. 예후는 중증도에 의존하며 다시 유착이 되어 재수술을 하는 경우도 있다.
자궁강내유착술 후 재유착 방지책에 대하여 2017년 미국 부인과복강경학회의 가이드라인을 정리하면 다음과 같다(J Minim Invasive Gynecol 2017;24:695).

- soild barrier (IUD, stent, catheter) 삽입이 재유착을 줄이는 것 같다. 그러나 fertility outcome에 대한 정보는 부족하다.
- soild barrier 삽입 시 감염의 위험은 적은 것 같다.
- IUD를 사용할 경우 Lippes loop처럼 inert해야 하며 면적이 커야 한다. 구리나 황체호르몬 함유 IUD는 사용해서는 안 된다.
- barrier gel의 사용이 재유착을 줄인다. 그러나 fertility outcome에 대한 정보는 부족하다.
- 에스트로겐(+/-프로게스틴) 투여가 재유착을 줄일 수 있다.
- 자궁강내유착술 후 항생제 사용을 지지하거나 또는 반박하는 증거는 없다.
- 자궁혈류 증진 목적으로 한 약제의 역할은 정립되지 않았다. 연구목적 이외에는 사용해서는 안 된다.
- bone marrow derived stem cell이 유망할 것으로 보인다. 그러나 증거가 부족하므로 연구목적 이외에는 사용해서는 안 된다.
- 자궁강내유착술 후 진단내시경을 해볼 것을 권한다. 보통 두 번 또는 세 번의 월경주기 후에 시행하나 몇 주 후에 빨리 하는 방법도 있다.

상기 가이드라인에 의하면 일단 ①solid barrier, ②barrier gel, ③에스트로겐이 재유착 방지에 유용한 것으로 보인다.

Lippes loop는 현재 시판되지 않아 더 이상 사용할 수 없고 소아폴리를 자궁강내 거치하는 것은 실제 사용해보면 환자가 매우 불편해한다. Cook Medical 회사에서 판매하는 하트 모양의 intrauterine balloon을 4주간 자궁강내 거치 해놓는 것이 재유착 방지에 효과적이라고 하므로 시도해 볼만 하다(Reprod Biomed Online 2020;40:539). 이 디바이스는 식염수 2-3 cc를 채우고 1주간 자궁강내 거치하며 이후 stem을 자궁외경부 1 cm 밖에서 잘라 식염수를 빼고 3주간을 더 거치한다. 통상 재유착은 3-4주 만에도 발생한다고 하므로 필자의 경우 자궁경수술 후 진단내시경이 필요한 경우는 3-4주 후에 시행한다.

제 4 장

피임

01 복합경구피임제
02 장기형 피임법
03 응급피임법

피임법의 효과는 피임실패율(1년 사용 중 100명의 여성에서 발생하는 임신율, Pearl index)로 나타내고 작을수록 좋은 피임법이다. 다음과 같은 여러 종류가 있으며 크게 비가역적 방법과 가역적 방법으로 나눌 수 있다(괄호안 숫자는 최저피임실패율, 부인과학 교과서 6판).

- 비가역적 방법: 난관결찰술(0.5), 정관결찰술(0.1)
- 가역적 방법: 복합경구피임제(0.3), 피임패취(0.3), 질링(누바링®)(0.3), 구리-IUD(멀티로드®)(0.6), levonorgestrel-IUS(미레나®)(0.1), etonogestrel-피하이식형(임플라논®)(0.05)

기타 피임실패율이 높은 방법으로 남성용콘돔(2), 여성용콘돔(5), 다이아프램(6), 자궁경부캡(26), 살정자제(18), 주기법(9), 질외사정법(4) 등이 있다.

1 복합경구피임제

복합경구피임제는 피임 목적뿐만 아니라 기능성자궁출혈, 월경과다, 월경통, 배란통, 배란기혈, 자궁내막증, 월경전증후군 등에도 광범위하게 사용되므로 그 사용법을 잘 숙지하고 있는 것이 좋다.

모든 복합경구피임제는 에스트로겐 + 프로게스틴 복합제제로 나와 있다. 에스트로겐은 클래라를 제외하면 ethinyl estradiol 한 종류이며 프로게스틴 성분은 매우 다양하다.

에스트로겐 제제가 FSH 분비를 억제시켜 난포 성장을 방해하고 프로게스틴 성분이 LH 분비를 억제하여 배란을 억제한다. 프로게스틴 성분은 자궁내막을 얇게 만드는 작용이 있고 자궁경부 점액을 좋지 않게 만들며 난관의 peristalsis를 저해한다. 프로게스틴 성분이 자궁내막을 얇게 만들어 부정출혈이 유도될 수 있지만 에스트로겐 성분이 자궁내막을 안정화시킨다. Ethinyl estradiol은 처음에 50 μg 이상이었으나 요즘에는 이보다 적은 저용량을 사용한다(20-30 μg).

프로게스틴 성분은 대부분 남성호르몬을 변형시킨 19-nortestosterone 제제라 약간의 남성호르몬 특성을 갖는다. 프로게스틴 성분은 개발 단계에 따라 1-4 세대로 구분하며 4세대로 갈수록 남성호르몬 작용이 감소하거나 항남성호르몬 작용을 갖는다.

Box

- 1세대 프로게스틴: norethindrone
- 2세대 프로게스틴: norgestrel, levonorgestrel
- 3세대 프로게스틴: desogestrel, gestodene, norgestimate, etonogestrel
- 4세대 프로게스틴: drospirenone, dienogest

참고로 19-nortestosterone 유래가 아닌 17-hydroxyprogesterone 유래 제제로서 MPA (weak androgen), cyproterone acetate (anti-androgen), dydrogesterone, micronized progesterone 등이 있는데 이들은 경구피임제에는 쓰이지 않고 대개 폐경후 여성호르몬 치료에 쓰인다.

또한 4세대 프로게스틴 중 drospirenone은 남성호르몬 유래가 아니라 17α-spironolactone 유래이며 항남성호르몬, 항미네랄로코르티코이드 작용을 가져 수분저류 현상이 거의 없다고 알려졌다.

현재 시판 중인 대표적인 경구피임제와 성분은 **표 02**와 같다(EE: ethinyl estradiol). 대부분은 21일형으로 3주간 복용하고 1주간 쉬면서 월경을 유도한다. 단 야즈®는 28일형이며 마지막 4일간은 플라시보이다.

표 02. 대표적인 경구피임제와 성분

제품명	제형	EE (μg)	프로게스틴	세대	처방
Minivlar30(미니보라)	21	30	levonorgestrel 0.15 mg	2	일반
Sexcon(쎄스콘플러스)	21	30	levonorgestrel 0.15 mg	2	일반
Alesse(에이리스)	21	20	levonorgestrel 0.1 mg	2	일반
Myvlar(마이보라)	21	30	gestodene 0.075 mg	3	일반
Melian(멜리안)	21	20	gestodene 0.075 mg	3	일반
Mercilon(머시론)	21	20	desogestrel 0.15 mg	3	일반
Yasmin(야스민)	21	30	drospirenone 3 mg	4	전문
Yaz(야즈)	28	20	drospirenone 3 mg	4	전문

다이안느35Ⓡ(ethinyl estradiol 35 μg + cyproterone acetate 2 mg)는 경구피임제에서 2009년에 여드름/다모증 전문치료제로 변경되었으나 혈전증 등의 위험으로 2019년 판매중단되었다.

Drospirenone 성분이 함유된 복합경구피임제에는 야스민®과 야즈®가 있으며 전문의약품으로 처방이 필요하다. 야스민®은 3주짜리 제형이고 소퇴성출혈을 유도하기 위해 1주를 휴약한다.

야즈®는 4주짜리 제형이며 마지막 4알은 플라시보로 이때 소퇴성출혈이 생긴다. 야즈®는 피임 외 여드름, 월경전불쾌장애, 월경통에도 허가를 받았다. 여드름으로 허가받은 경구피임제는 야즈®, 에이리스®, 쎄스콘노아® (ethinyl estradiol 20 μg + levonorgestrel 0.1 mg)가 있다.

필자의 경험으로는 기능성자궁출혈 환자에서 출혈 억제 목적으로 처방 시 야즈®보다는 야스민®이 더 효과가 좋은 것 같다.

환자들은 복합경구피임제가 몸에 해롭다는 막연한 불안감을 가지는 경우가 많으므로 처방하기 전에 이득과 부작용에 대해서 잘 설명을 해야 한다. 복합경구피임제의 순응도를 증진시키는 방안은 다음과 같다.

- 작용 기전, 이익 대 위험도, 안전성을 잘 설명한다.
- 약 복용법, 안 먹었을 때의 대처법, back-up 방법 등을 잘 설명한다.
- 약을 직접 보여주면서 설명한다.
- 부작용과 그에 대한 대처법을 잘 설명한다.
- 처방 후 한 달 또는 두 달 째 면담한다.

특정 질환이나 특정 상황에서 복합경구피임제 사용이 가능한지에 대하여 카테고리 1/2/3/4로 구분하여 WHO에서 MEC (medical eligibility criteria for contraceptive use) 가이드라인을 발표하였고 2015년에 5판이 출시되었다(**표 03**). 카테고리 1과 2는 비교적 안전하게 사용할 수 있는 경우이며, 3은 상대적 금기증, 4는 절대적 금기증이다.

표 03. 경구피임제 사용에 관한 WHO MEC 가이드라인

	1	2	3	4
흡연		〈35세	≥35세, <15 개피	≥35세, ≥15개피
고혈압		Past GHT	SBP 140-159 or DBP 90-99	혈관질환 SBP≥160 or DBP≥100
당뇨	Past GDM	비혈관성	Vascular/nephropathy /retinopathy/neuropathy	
심혈관계		고지혈증단독 BMI >30 CV risk (-)		다발성 CV risks, 과거 또는 현재 IHD/stroke
판막질환				Complicated
SLE		중증혈소판감소증 면역억제제		항체양성자
VTE	varicose veins	Superficial VTE DVT 가족력		과거 또는 현재 DVT 혈전성향증
두통		전조증상 없는 편두통 <35세	전조증상 없는 편두통 ≥35세	전조증상 있는 편두통
부인암/유방암	양성유방종양, 유방암 가족력	CIN, 자궁경부암	유방암 5년 이상 NED	현재 유방암
간경화	mild			severe
수술		움직일 수 있는 큰 수술		장기간 움직일 수 없는 큰 수술

이 중 35세 이상의 흡연자는 심혈관질환의 리스크 때문에 개피 수에 상관없이 절대적 금기증으로 보는 견해가 우세하다.

산욕기 때나 수유부가 복합경구피임제를 먹는 경우는 많지 않으나 MEC 카테고리는 다음과 같다(표 04, TE: thromboembolism). 산욕기 자체

가 혈전색전증의 고위험군이며 복합경구피임제 또한 혈전색전증을 증가시키므로 3주 미만의 산욕기이고 혈전색전증의 위험인자가 있다면 경구피임제는 절대 금기에 해당한다. 보통은 혈전색전증의 위험인자가 없으므로 3주 미만이면 주의해서 사용, 3주 초과이면 비교적 안전하게 사용 가능하다.

복합경구피임제는 모유 생산을 감소시킬 수 있으므로 모유 분비가 완성되는 산후 6주보다 이전에는 권장되지 않는다(단, 미레나®, 임플라논®은 사용가능하다). 유산 후 복합경구피임제는 곧바로 복용 가능하다.

표 04. 산욕기나 수유부에서 경구피임제 사용에 관한 WHO MEC

	1	2	3	4
산욕기	>6주	3-6주/TE risk (-)	<3주/TE risk (-) 3-6주/TE risk (+)	<3주/TE risk (+)
수유부		≥산후6개월	산후6주-6개월	<산후6주

복합경구피임제 처방 전 기본적으로 혈압과 체중을 측정하고 흡연 유무와 다른 약제 복용 여부를 문진한다. 고혈압, 당뇨, 고지혈증, 간 질환, 유방암, SLE, 심근경색, 뇌졸중, epilepsy, 혈전증, 편두통 등이 있는지 점검한다. 근종이나 난소낭종 등이 있는지를 초음파검사로 살핀다. 혈액검사는 대개 불필요하지만 35세 이상, 비만, 당뇨/고혈압의 가족력에서는 liver panel, lipid panel, glucose 등을 측정하는 것이 좋다.

WHO MEC 가이드라인을 기반으로 식약처에서 발행한 '복합경구피임제 사전평가서'를 외래에 비치하여 환자로 하여금 먼저 작성하게 하면서 상담하는 것이 편리하다(**그림 10**).

사전피임제(복합경구피임제) 사용 여성을 위한 체크리스트

이름　　　나이 만　세　키　cm　체중　kg　혈압　mmHg

	질 문	의사 확인사항	추가검사	WHO 카테고리
1	마지막 생리시작일이 언제인가요? (　년　월　일)	현재 임신 여부, 임신 가능성 여부	임신검사	
2	평소에 생리 주기는 규칙적인가요? □ 예 (　)일 간격　□ 아니오	현재 임신 여부, 임신 가능성 여부	초음파검사	
3	평소에 생리통이 있나요? □ 없다 □ 있다 (□참을 수 있는 정도 / □진통제로 조절 가능 / □진통제로 조절 안됨)	생리통이 심한 경우 부인과 질환 확인	초음파검사	
4	평소에 월경전증후군이 있나요? □ 없다 □ 있다 (□유방통 □복부팽만 □두통 □부종 □우울, 짜증, 불안 □수면장애 □식욕 변화)			
5	평소에 생리량은 어느 정도인가요? □ 적다(소형패드) □ 보통이다(중형패드) □ 많다(대형패드) □ 아주 많다(외출불가)	보통 이상일 경우 부인과 질환 확인	초음파검사	
6	최근 출산 경험이 있나요? □ 예　□ 아니오	분만 후 21일 미만이며 혈전위험인자 없음 분만 후 21일 미만이며 혈전위험인자 있음 분만 후 21일~42일이며 혈전위험인자 있음		3 4 3
7	현재 모유수유 중인가요? □ 예　□ 아니오	모유수유 중이고 분만 후 6주 미만 모유수유 중이고 분만 후 6주 이상 6개월 미만		4 3
8	향후 1년 이내에 임신할 계획이 있나요? □ 예　□ 아니오	단기 또는 장기 피임법 선택		
9	평소 사용했던 피임법은 무엇인가요? □ 없다　□ 경구 피임제 □ 콘돔　□ 구리루프 □ 미레나 □ 임플라논 □ 자연주기법 □ 질외사정 □ 기타(　)	피임 경험과 지식 확인		
10	흡연을 하나요? □ 예 (하루　개비)　□ 아니오	35세 이상 하루 15개비 미만 35세 이상 하루 15개비 이상		3 4
11	뇌졸중, 심근경색, 다리 또는 폐의 혈전을 경험한 적이 있나요? □ 예　□ 아니오	뇌졸중, 심근경색 과거력 여러 혈전위험인자(고령, 흡연, 당뇨, 고혈압)		4 3/4
12	고혈압, 당뇨병, 고지혈증이 있거나, 과거에 있었던 적이 있나요? □ 예　□ 아니오	고혈압 과거력 또는 잘 조절되는 고혈압 혈압 160/100mmHg 이상 혈압 140~159/90~99mmHg 고지혈증 단독 합병증을 동반한 당뇨병 또는 20년 이상 지속		3 4 3 2 3/4
13	유방암을 진단받은 적이 있거나 유방의 종양이 있나요? □ 예　□ 아니오	유방암 과거력 현재 유방암으로 치료 중 양성 유방 종양 또는 유방암 가족력		3 4 1
14	간이나 쓸개 관련 질환 또는 황달이 있나요? □ 예　□ 아니오	간암을 포함한 간세포종양 또는 급성 간염 중증 간경화증 경증 간경화증 증상이 있는 약물 치료 중인 담낭질환		4 4 1 3
15	전신성홍반성루푸스를 앓고 있나요? □ 예　□ 아니오	항인지질항체 양성 심각한 혈소판감소증, 면역억제치료 중		4 2
16	골반염이나 질염, 성매개성 감염을 앓은 적이 있나요? □ 예　□ 아니오	골반염, 성매개성감염, 에이즈(HIV)		
17	반복적으로 심한 두통이나 편두통이 있으며, 두통 전에 밝은 섬광이 보인 적이 있나요? □ 예　□ 아니오	전조증상 있음 전조증상 없으나 35세 이상		4 3
18	장기간 움직일 수 없는 큰 수술이 예정되어 있나요? □ 예　□ 아니오	장기간 움직일 수 없는 큰 수술 움직일 수 있는 큰 수술		4 2
19	현재 복용하고 있는 약물을 모두 적어주세요. (특히, 항결핵약, 항전간제)	Rifampicin, Rifabutin 항전간제 HIV 항바이러스제		3 3 3

WHO 카테고리 1: 사용가능, 2: 일반적으로 사용, 3: 일반적으로 추천되지 않음, 4: 사용불가

그림 10. 식약처에서 발행한 복합경구피임제 사전평가서

복합경구피임제는 월경 5일째 이내에 시작해야 효과적으로 난포발달이 억제된다. 월경 5일째 이후에 복용을 시작하였다면 첫 1주는 성교를 피하거나 콘돔 등 back-up method를 사용한다. 만일 back-up method가 필요한

경우에 성관계가 있었다면 응급피임제를 먹는 것도 좋은 방법이다.

3주 복용 후 휴약하면 대개 2-4일 후 소퇴성출혈이 나오는데 이와 상관 없이 무조건 7일간 휴약 후 다음 팩을 복용하도록 한다. 소퇴성출혈을 원치 않으면 휴약기 없이 연속복용 한다. 연속복용은 혈액응고장애 환자나 월경성 편두통이 있는 경우에 유리할 수 있다.

복용을 잊었을 때는 다음과 같이 한다(부인과내분비학 교과서).

① 일정한 복용 시간에서 12시간 미경과 시: 복용 안 한 정제를 즉시 복용 → 다음날부터 정한 시간에 계속 복용

② 일정한 복용 시간에서 12시간 경과 시: 복용 안 한 정제를 즉시 복용 → 이후 정한 시간에 계속 복용(같은 날 2정을 복용하게 될 수도 있음) (back-up method 필요)

③ 일정한 복용 시간에서 24시간 경과 시(즉, 2정을 놓친 경우): 2정씩 2일간 복용하고 이후 정한 시간에 계속 복용(back-up method 필요)

복용을 잊었을 때 부인과학 교과서 6판에는 EE의 용량에 따라 다음과 같이 제시되어 있다.

- 가능한 한 빨리 빠진 날 만큼 복용하고 이후 한 알 씩 복용하는 것은 공통 사항이다.

  EE 30-35 μg 1-2일 안 먹을 때 → 추가 피임 불필
  3일 이상 안 먹을 때 → 7일간 back-up 필요

  EE 20 μg 1일 안 먹을 때 → 추가 피임 불필
  2일 이상 안 먹을 때 → 7일간 back-up 필요

보통은 1-2개월 후 재방문케 하여 부작용을 평가한다. 복합경구피임제의 흔한 부작용으로는 부정출혈, 체중증가, 부종, 두통, 오심/구토, 유방통, 약간의 혈압 상승 등이 있다. 드물게 감정변화, 여드름, 리비도감소 등이 있다.

부정출혈은 첫 3개월 복용 시 10% 미만에서 나타나며 대개 시간이 지나면 좋아진다. 부정출혈은 경구피임제의 프로게스틴 성분이 우세하여 발생한다고 생각되므로 에스트로겐을 1-2주 보충하기도 한다. 부정출혈이 심할 경우 약을 중단시키고 1주 후 재개하는 것도 좋은 방편이다. 하루 2정을 먹는 방법은 권하지 않는다. 초음파검사로 자궁내막에 이상이 없는지도 잘 살펴야 한다.

체중증가는 부종/수분저류 때문으로 생각되며 에스트로겐 및 프로게스틴 성분이 모두 작용한다. 불편해 할 경우 drospirenone 성분이 함유된 경구피임제로 변경해본다.

두통은 복합경구피임제 복용으로 악화되는 경우도 있고 호전되는 경우도 있다. 대부분 긴장성두통이지만 편두통인지를 잘 감별해야 한다. 전조증상이 없는 편두통에서 뇌졸중에 대한 위험요인이 없다면 복용해도 무방하나 전조증상이 있다면 약을 중단한다.

월경성 편두통(menstrual migraine)은 월경 시 편두통을 호소하는 것으로 호르몬 치의 변동에 의한 것으로 생각되며 1주 휴약기에도 나타날 수 있다. 지속요법으로 바꾸어 보거나 다른 피임방법으로 대체한다.

오심은 주로 에스트로겐 작용에 의한 것이다. 취침 전에 복용하거나 다른 음식물과 함께 복용하는 것을 먼저 권해본다. 에스트로겐 용량이 적은 경구피임제로 바꾸는 것도 좋은 방법이다. 만일 2-3시간 이내에 구토를 하였다면 재복용하는 것이 좋다.

장기적인 부작용으로는 혈전색전증이 있으며 일반인에 비해 2-3배 증가하나 산모 또는 산욕기의 위험도에 비해서는 낮은 편이다. 1년간 여성 만 명 당 발생율은 일반인 1-5명, 복합경구피임제 사용자 3-9명(drospirenone은 10명), 산모 5-20명, 산욕기 40-65명이다. 위험성은 복용 6개월-1년에 가장 높고 중단하면 사라진다. 위험을 높이는 요인으로는 연령, 흡연, 비만, 가족력, 유전적소인, 고혈압, 당뇨, 이상지질혈증 등이 있다.

복합경구피임제 사용 시 유방암의 위험도 증가에 대해서는 아직 확정적이지 않다. 2016년 발표된 systematic review 에서는 2000년에서 2015년 사이에 발표된 6개의 논문을 대상으로 프로게스틴 제제 사용과 유방암 위험도를 조사하였는데 모든 프로게스틴 제제(경구제, 주사제, 임플란트, 미레나®) 사용 시 유방암 위험도 증가는 없다고 하였다(Breast Cancer Res Treat 2016;155:3). 그러나 미레나® 제조사 측에서는 유방암 환자에게 미레나®를 사용하지 말 것을 권고하고 있다. WHO MEC 가이드라인에서 미레나®는 현재 유방암은 카테고리 4, NED 5년 이상에서는 카테고리 3으로 규정하고 있다.

자궁경부암 위험도는 증가하나 복용 중단하면 감소한다. 단 HPV 보인자가 아닌 여성은 증가하지 않는다. 난소암, 자궁내막암, 대장암은 감소하며 피임 외 부가적 잇점으로 작용한다. 양성간선종은 증가하나 간세포암종은 불확실하다.

2

장기형 피임법

구리-IUD, levonorgestrel-IUS, etonogestrel-피하이식형은 장기적으로 사용 가능한 가역적 피임법으로서 long-acting reversible contraception (LARC)으로 불린다.

구리-IUD는 사용 기한 10년, 자연배출율은 4-10% 정도이다. 사용 후 월경혈 증가가 약 10%에서 있을 수 있으므로 월경혈이 많은 환자에서는 사용을 자제하며 기존 구리-IUD 사용자가 월경혈이 많다고 하면 제거를 권한다. IUD 로드에 구리가 감겨 있어 초음파검사나 CT에서 쉽게 확인된다. 구리-IUD 사용자에서 PAP 검사에서 actinomycosis-like organism으로 나오는 빈도는 약 20%이며 이는 미레나® 사용자의 3%에 비하여 월등히 높은 빈도이다. PAP 검사에서 actinomycosis-like organism으로 나오는 경우 골반염의 증상이 없고 초음파검사로 자궁-자궁부속기가 정상이라면 대개는 관찰만 해도 충분하다. 그러나 항생제를 주거나 구리-IUD를 빼라고 권하는 임상의도 있다.

Levonorgestrel-IUS에는 52 mg 용량으로 5년 사용가능한 미레나®, 13.5 mg 용량으로 3년 사용가능한 제이디스®, 19.5 mg 용량으로 5년 사용가능한 카일리나®가 있다(표 05). 제이디스®와 카일리나®는 크기는 같으며 둘 다 미레나®보다 크기가 작다. 제이디스®와 카일리나®의 구분은 실로 한다.

제이디스®는 미레나와 같은 brown이며 카일리나®는 blue이다.

표 05. Levonorgestrel-IUS 종류 및 특성

	미레나®	제이디스®	카일리나®
총 용량	52 mg	13.5 mg	19.5 mg
최대사용기간	5년	3년	5년
일일 방출량	20 μg	8 μg	12 μg
크기	3.2 cm x 3.2 cm	2.8 cm x 3 cm	2.8 cm x 3 cm
실 색깔	brown	brown	blue

미레나®는 초음파검사에서 전장이 다 보이는 경우도 있지만 양 끝만 보이는 경우도 있고 자궁이 크거나 다발성근종인 경우 확인이 애매한 경우도 있다. 미레나®가 초음파검사로 잘 안보이면 KUB 촬영을 하면 쉽게 확인된다. 간혹 미레나®가 자궁 하절 쪽으로 내려와서(subluxation) 초음파검사로 확인이 안 되는 경우가 있으므로 주의를 요한다. 미레나®는 CT에서는 고에코로 쉽게 확인되나 MRI 검사에서는 근종과 비슷한 저에코를 가지므로 확인이 어려울 수도 있다. 자궁내장치 삽입 시 미소프로스톨을 전처치하여 삽입을 용이하게 할 수도 있다.

Etonogestrel-피하이식형으로서 임플라논®은 desogestrel의 active metabolite인 3-keto-desogestrel, 즉 etonogestrel을 68 mg 함유하며 일일 30 ㎍씩 분비되고 3년 사용 가능하다. 보통 상박 안쪽에 국소마취를 하고 절개한 후 삽입하는데 피하에 적당한 깊이로 삽입해야 한다. 너무 깊게 삽입하면 만져지지 않게 되고 초음파로도 보이지 않아 제거 시에 힘들다.

Etonogestrel-피하이식형은 삽입 후 자연적으로 위치가 이동할 수도 있는데 한 보고에 따르면 이동하는 위치는 lung/pulmonary artery 9건, lung/pulmonary artery 이외의 vasculature 14건, axilla, clavicle, neck line, shoulder 부위의 extravascular 14건, chest wall 1건이었다(Contraception 2017;96:439).

산후 6주 이전에 경구피임제는 모유 생산을 감소시킬 수 있으므로 권장되지 않는데 이때 미레나®, 임플라논®은 모두 사용 가능하다. 임플라논®은 삽입 첫 1년에 부정출혈의 빈도가 30% 정도로 다소 높다. 뺄 때는 임플라논®의 말단을 잘 촉지하고 바로 위에 sharp scalpel로 0.5 cm 절개를 가하고 모스키토 두개로 피하조직을 순차적으로 당기면서 임플라논® 말단을 찾는다. 임플라논®은 피하조직에 유착되어 있으므로 sharp scalpel로 잘 박리하여 빼내야 한다.

구리-IUD, 미레나®, 임플라논®의 WHO MEC 카테고리 3과 4를 상황별로 정리하면 표06과 같다. 현재 유방암 환자에서 미레나®, 임플라논®은 모두 금기이지만 5년 이상 재발하지 않은 경우 주의해서 사용 가능하다.

표 06. 장기형 피임법의 WHO MEC 가이드라인

	구리-IUD	미레나®	임플라논®
임신 / 산욕기 패혈증 / septic abortion 직후	4	4	
원인불명의 질출혈	4	4	3
distortion of uterine cavity	4	4	
현재 PID/STI	4	4	
자궁경부암/자궁내막암	4	4	
난소암	3	3	
현재 유방암		4	4
유방암 5년 이상 NED		3	3
중증혈소판감소증	3		
GTD	3-4	3-4	
급성 DVT/PE 또는 APA양성		3	3
중증간경화, hepatoma		3	3

3
응급피임법

응급피임법에는 경구용으로 levonorgestrel 제제인 노레보®, 쎄스콘원®과 ulipristal acetate 30 mg 제제인 엘라원®이 있다. MEC 가이드라인에서 특별한 금기가 없어 모두 안전하게 투여 가능하다.

노레보®는 0.75 mg을 12시간 간격으로 2회 복용하는 제제와 좀 더 간편하게 1.5 mg을 한번만 복용하는 제제(노레보원®)가 있다. 노레보®의 부작용으로는 두통, 유방통, 월경혈 증가 등이 있고 다음 월경이 조금 당겨지거나 늦춰질 수 있다. 1회 제제가 2회 제제보다 부작용 빈도가 더 높다. 엘라원®은 다음 월경이 1-2일 늦춰질 수 있다.

두 제제 모두 성교 후 120시간까지 사용 가능하나 72시간이 지나면 엘라원®이 노레보®보다 임신예방율이 더 우수하므로 일반적으로 72시간까지는 노레보®, 엘라원® 모두 처방하고 72시간이 지나면 엘라원®을 처방하는 것이 좋다. 노레보® 복약가이드에는 12시간 이내 권장, 늦어도 72시간 이내로 권하고 있다.

식약처에서 발행한 '응급피임제 사전평가서'를 외래에 비치하여 처방하기 전에 환자로 하여금 작성하게 하면 편리하다(그림 11).

응급피임제 사용 여성을 위한 체크리스트

이름 나이 만 세 키 cm 체중 kg 혈압 mmHg

	질 문	의사 확인사항	추가검사
1	성관계 후 현재까지 경과된 시간을 적어주세요. (　　　시간)	레보노르게스트렐 제제: 72시간 울리프리스탈아세테이트 제제: 120시간	
2	마지막 생리시작일이 언제인가요? (　　　년　　　월　　　일)	현재 임신 여부, 배란기 확인	임신검사 초음파검사
3	평소에 생리 주기는 규칙적인가요? □ 예 (　　　)일 간격　□ 아니오	현재 임신 여부, 배란기 확인	
4	이전에 응급피임제를 복용한 경험이 있나요? □ 아니요 □ 예 (□ 1번 □ 2번 □ 3번 □ (　　　)번)	반복 사용시 차후 피임법 상담	
5	(복용한 경험이 있는 경우) 마지막으로 응급피임제를 복용했던 날로부터얼마나 지났나요? □ 1개월 미만　□ 1개월 이상	한 생리주기 내 반복 사용 금지	
6	(복용한 경험이 있는 경우) 응급피임제 복용 후 경험했던 부작용이 있나요? □ 아니오 □ 예 (□ 메스꺼움/구토 □ 어지러움 □ 무기력 □ 하복통 □ 유방통 □ 출혈 □ 생리지연 □ 임신 지속)		
7	평소에 생리통이 있나요? □ 없다 □ 있다 (□ 참을 수 있는 정도 / □ 진통제로 조절 가능 / □ 진통제로 조절 안됨)	생리통이 심한 경우 부인과 질환 확인	초음파검사
8	평소에 월경전증후군이 있나요? □ 없다 □ 있다 (□ 유방통 □ 복부팽만 □ 두통 □ 부종 □ 우울, 짜증, 불안 □ 수면장애 □ 식욕 변화)		
9	평소에 생리량은 어느 정도인가요? □ 적다(소형패드) □ 보통이다(중형패드) □ 많다(대형패드) □ 아주 많다(외출 불가)	보통 이상일 경우 부인과 질환 확인	초음파검사
10	최근 3개월 내에 사용했던 피임법은 무엇인가요? □ 없다　□ 사전피임제 □ 콘돔 □ 구리루프 □ 미레나 □ 임플라논 □ 자연주기법 □ 질외사정	차후 피임법 상담	
11	현재 모유수유 중인가요? □ 예　□ 아니오	레보노르게스트렐 제제 : 복용 후 적어도 8시간은 수유를 중단하기를 권고 울리프리스탈아세테이트 제제 : 수유중에 권하지 않음	
12	현재 복용하고 있는 약물을 모두 적어주세요. (특히, 항결핵약, 항전간제) □ 예　□ 아니오		

그림 11. 식약처에서 발행한 응급피임제 사전평가서

만일 경구용 응급피임제가 실패하여 임신이 된 경우 유산율, 임신합병증, 태아기형의 증가는 없다고 보고되었다(Hum Reprod 2015;30:751). 수유부에서 노레보®는 안전하게 사용 가능하지만 엘라원®은 권장되지 않으

며 만일 엘라원®을 먹는 경우 모유는 일주간 버리도록 권한다. 경구용 대신 구리-IUD를 삽입하기도 하지만 잘 사용되지 않는 방법이다.

제 5 장

자궁내막증

01 서론
02 자궁내막종의 진단
03 자궁내막증의 치료
04 재발
05 자궁내막증학회 가이드라인

1 서론

자궁내막증은 자궁내막 조직이 자궁 밖에서 성장하는 질환으로 정의되며 보통 골반의 만성염증 상태와 동반된다. 발생 요인으로 젊은 나이, 미산부, 마른 체형 또는 낮은 BMI, 출생 시 저체중(3.1 kg 이하), 음주, 카페인, 이른 초경, 월경과다, 빈발월경, 환경호르몬, 자궁질기형 등이 거론되고 있다. 지방이나 붉은 고기 섭취는 발생 증가 요인이며 야채나 과일 섭취는 발생 감소 요인으로 지목된다. 다산부, 수유, 과체중 또한 발생 감소 요인이다. 흡연은 발생 감소 요인이라고도 하지만 무관하다는 교과서도 있다. 일부에서는 증상이 없는 경우도 있으나 일부에서는 월경통(dysmenorrhea), 월경 아닐 때의 골반통(non-menstruating pelvic pain), 요통(back pain), 성교통(dyspareunia), 배변통(dyschezia) 등을 호소한다. 환자의 증상과 혈중 CA-125 농도는 자궁내막증 stage와 비례하지는 않는다. 통증의 기전으로는 local peritoneal inflammation, deep infiltration with tissue damage, adhesion formation, fibrotic thickening, collection of blood 등이 제시되고 있다.

청소년기 자궁내막증의 특징은 다음과 같다.

- 주기적 월경통 보다는 비주기적 통증과 주기적 통증이 혼합된 형태로 나타난다.

- 방광과 장관계의 증상이 더 심하다.
- powder-burn lesion 같은 전형적 병변보다는 red flame like lesion 같은 비전형적 병변이 더 많다.
- 자궁내막종의 발현은 더 적다.

2

자궁내막종의 진단

자궁내막종은 초음파검사로 95% 정도의 진단율을 갖는다. 초음파검사로 황체낭종이나 드물게 기형종과 감별이 곤란한 경우도 있다. 황체낭종은 황체기가 지나면 대개 소실되므로 2-3주 후에 초음파검사를 다시 해보고 감별한다. 기형종은 CT에서 전형적인 fat component가 보이므로 쉽게 감별된다. CT에서는 자궁내막종과 mucinous cyst가 감별이 잘 안 된다.

자궁내막종은 CT보다는 MRI를 찍어보면 진단에 더욱 도움이 된다. 자궁내막종은 MRI의 경우 T1-weighted image에서 고음영의 에코를 보이나 T2-weighted image 에서는 저음영의 에코로 보이며(shading) T1-weighted image에서 enhancement를 했을 때 고음영의 에코 부위가 signal drop이 없다는 것이 특징이다. 'T1 high / T2 low'가 기본적이지만 반대의 경우도 있고 둘 다 동일한 경우도 간혹 있다. 2019년 11월부터 자궁내막종에서 MRI가 급여가 되었으나 단 심부자궁내막증에 한하며 증상으로서는 월경과 연관되거나 또는 만성적 혈변, 복통, 배변통, 항문통이 대상이며 초음파검사로 자궁후벽, 직장, 방광 등의 심부자궁내막증이 의심되는 경우가 대상이다(제9장 Box 참조). 급여로 오더 할 때는 단순히 endometriosis (N809)로 내지 말고 endometriosis of rectovaginal septum and vagina (N804)로 내면 편하다.

혈중 마커 검사로 과거에 CA-125가 이용되었으나 변별력이 상당히 낮으며 최근에는 CA-125/HE4 농도와 연령을 이용한 ROMA 검사가 애용된다. ROMA 검사의 고위험군은 산술식에 따라 약간 다르지만 필자가 있는 병원에서는 폐경 전 여성에서 7.4% 이상, 폐경 후 여성에서 25.3% 이상이다.

자궁내막종은 일반적으로 ROMA가 저위험군으로 나온다고는 하지만 간혹 고위험군으로 나오는 경우도 있다. 국내 보고에 따르면 수술 후 자궁내막종으로 확진된 여성의 15%에서 ROMA가 고위험군, 즉 위양성으로 나왔다(Obstet Gynecol Sci 2016;59:295). 만성신부전 환자에서는 혈중 HE4가 매우 높게 나타나 ROMA가 위양성으로 나올 수 있다는 것은 잘 알려져 있으나 신장기능이 정상인 여성에서 ROMA 위양성의 원인은 알 수 없다.

자궁내막종을 수술하다 보면 매우 드물게 endometrioid carcinoma, clear cell carcinoma로 나오는 경우도 있다. 수술 전 감별법은 없으나 일반적으로 다발성낭종인 경우 악성의 고위험군으로 간주되므로 다발성인 경우 신중을 요한다. ROMA는 원래 난소암 중 serous type의 변별력이 뛰어나지만 나머지 type에 대해서는 변별력이 떨어지므로 주의를 요한다. 또한 자궁내막종을 단순흡인술만 했는데 한 달 이내에 다시 원래 크기로 자란다면 악성을 강력히 의심해야 한다.

드물게 조직검사에서 비정형 자궁내막증(atypical endometriosis)로 나오는 경우가 있다. 일종의 경계성종양으로 간주되며 endometrioid carcinoma, clear cell carcinoma로 전환되는 빈도가 약 1% 정도로 알려져 있으므로 면밀히 추적 관찰하는 것이 좋다.

간혹 자궁내막종 안에 internal projection이 보인다고 해서 악성 의심 소견으로 오는 환자가 있다. 사실 그 중 대부분은 'echoic amorphous material'이 있는 경우로 내막종 내부에 떠 있는 것처럼 보이며 보통은 'debris의 집합' 이므로 걱정할 필요가 없다. 'Echoic amorphous material'은 칼라도플러에서 혈관이 없으며 벽에 달라붙어 있지 않고 둥둥 떠다니는 형상으로 보이며 이는 아랫배를 눌러 낭종을 흔들었을 때 잘 움직이는 것이 특징이다.

True internal mural projection은 초음파검사로는 고음영으로 관찰되며 낭종벽에 붙어있는 것처럼 보이고 낭종을 흔들었을 때 움직이지 않는다. Mural projection 자체만으로 보면 악성 예측도는 사실 낮은 편이나 드물게 악성으로 나오므로 주의를 요한다. 감별 포인트로는 일단 dependent portion에 있으면 악성일 가능성은 떨어지며 MRI를 촬영하여 mural projection이 전형적인 T1 high / T2 low 소견을 보이면 거의 악성은 아니다. 2021년에 나온 메타분석에서는 자궁내막증은 난소암 위험도를 1.93배 상승(특히 clear cell type 3.44배 상승, endometrioid type 2.33배 상승) 시키는 것 외에 갑상선암 1.39배 상승, 유방암 1.04배로 경계성상승으로 나타났다(Hum Reprod Update 2021;27;393). 한편 endometrial cancer, colorectal cancer, cutaneous melanoma 와는 무관하였으며 cervical cancer는 0.68배로 오히려 낮춘다고 하였다.

자궁내막증의 확진은 수술적 생검에 의하며 이에 따라 과거 자궁내막증은 수술하지 않고 약물치료만 하는 경우 [D]로 처방해야 했었다. 그러나 2018년 12월부터 dienogest 제제(비잔®, 유앤®, 로잔®, 디에잔®)는 초음파, MRI 만으로 진단해도 급여 가능하다(단 부위는 난소, 직장, 방광이다).

간혹 수술을 해서 자궁내막종이 명확한데 조직검사는 황체낭종으로 나오거나, 자궁내막종을 cystectomy를 하지 않고 ablation만 시행하여 조직검사가 없는 경우, 자궁내막종은 없는데 복막이나 자궁천골인대 부위의 자궁내막증 병변만 있어 소작만 하여 조직검사가 없는 경우도 있다. 이때는 자궁내막증이라는 생검 결과가 없지만 임상적으로 자궁내막증에 합당하다는 기록을 해 놓으면 자궁내막증으로 인정된다. 그러나 때로는 심평원에서 조직검사지를 요구하는 수도 있다. 환자들에게 자궁내막종이라는 용어를 사용하면 간혹 자궁의 질환으로 오해하는 경우가 있어 '초콜릿낭종' 또는 '내막종'으로 부르기도 한다.

3 자궁내막증의 치료

1) 치료법의 결정

자궁내막증의 치료는 약물요법, 수술요법(낭종절제술, 소작술), 흡인술, 알콜경화술 등이 있다. 자궁내막종으로 온 환자는 가장 먼저 수술을 할지를 결정하여야 하고 수술을 하지 않는다면 관찰할 것인지, 다른 방법을 사용할 것인지를 정해야 한다.

수술의 결정에는 증상의 정도, 자궁내막종의 크기, 양측성, 출산력, 향후 임신을 원하는지 여부 및 난소기능을 보고 종합적으로 결정한다. 일반적으로 수술이 선호되는 경우는 통증이 심한 경우, 자궁내막증에 의한 장관 및 요관 폐쇄, 크기가 큰 경우, 양측성이 아닌 경우, 출산이 완료된 경우, 난소기능이 좋은 경우이다.

통증이 심한 경우에는 낭종절제술을 하면 통증완화에 큰 도움이 되고 난임이라면 낭종절제술 후 자연임신도 잘 된다고 알려져 있지만 낭종절제술을 할 경우 가장 큰 문제는 예측 불가능한 난소기능의 저하이다(Fertil Steril 2010;94:343). 따라서 아직 젊거나 미출산인 환자는 수술을 매우 신중하게 결정해야 한다.

혈중 AMH를 측정하면 수술의 결정에 큰 도움이 된다. 즉 혈중 AMH가 낮은 경우에는 되도록 수술을 피한다.

난소기능이 저하되었거나 향후 임신을 원하는 환자인데 꼭 수술을 해야 하는 상황이라면 낭종절제술 대신 소작술을 선택할 수 있다. 소작술을 하면 낭종절제술에 비해 혈중 AMH는 덜 감소하는 경향이 있다(Clin Exp Reprod Med 2022;49:76). 그러나 재발은 낭종절제술에 비해 더 잘 되므로 소작술을 하였다면 재발의 고위험군으로 간주하여 수술 후 약물치료가 필수이다.

약물치료로도 충분히 증상 완화를 유도할 수 있지만 자궁내막종이 없어지는 것은 아니므로 어디까지나 대증요법이다. 약물치료 도중 자궁내막종은 크기가 줄어들 수도 있지만 크기가 오히려 커질 수도 있어서 자궁내막종을 줄이려는 목적으로 약물치료를 하지는 않는다.

약물치료는 수술을 한 다음 남아있는 병변의 억제 및 재발 억제 목적으로 흔히 사용된다. 에쉬레 가이드라인에서 2014년에는 수술 후 통증 완화 목적으로 루틴으로 약물치료 하는 것은 권하지 않았으나 2022년 가이드라인에서는 사용 가능한 것으로 변경되었다. 수술 후 약물치료가 선호되는 경우는 stage III-IV, 젊을 경우, 소작술을 한 경우, 재발성인 경우 등이다. 대개 40세 이상의 여성은 수술 후 재발하는 경우는 드물어서 약물치료를 하지 않아도 무방하다.

수술 전에 약물 치료는 병변의 혈관도와 낭종 크기를 감소시켜 수술을 용이하게 한다는 의견이 있지만 잘 사용하지 않는 방법이다. 수술 전후로 약물 치료를 하는 것은 임신율 또는 재발 측면에서 도움이 안 된다고 알려 있다.

수술이 여의치 않은 경우나 수술을 하지 않고 바로 보조생식술을 받을 경우, 또는 자궁내막종 자체를 부담스러워하는 경우에는 흡인술이나 알콜경화술을 시도해볼 수 있다. 다만 단순 흡인술만으로는 금방 재발하므로 알콜경화술을 하든지 흡인술 + 약물치료를 병행한다.

필자는 젊은 자궁내막종 환자에서 수술을 할 경우 혈중 AMH 농도 기준을 4.0 ng/mL로 잡아 그 이상인 경우 낭종절제술을 진행한다. 그 이하인 경우에는 소작술을 시행하거나 흡인술 + 약물치료를 권한다.

2) 낭종절제술

낭종절제술은 낭종벽을 난소와 분리하여(stripping) 낭종을 완전히 제거하는 방법이다. 일반적으로 난소의 자궁내막종을 둘러싼 부분은 true capsule이 아니며 자궁내막종 액체에 접하는 난소 부분에 fibrosis가 진행되어 만들어진 'pseudo-capsule' 이라고 여겨진다. Stripping으로 pseudo-capsule을 벗겨내면 그 바깥쪽에 있는 정상난소 부분이 같이 절제되어 나가며 또한 남은 난소 부위에 지혈 목적으로 electrocoagulation을 하면 난소가 더욱 더 손상을 받는다. 낭종절제술을 하더라도 남은 난소 부위를 electrocoagulation 하지 않고 봉합을 하거나 hemostatic sealant로 지혈을 도모하기도 한다. 봉합 또는 hemostatic sealant 방법이 electrocoagulation 보다 AMH가 덜 감소한다는 논문도 있는 반면 차이가 없다는 논문도 있어 아직 효과는 불분명하다(Clin Exp Reprod Med 2022;49:76). 낭종절제술은 쉽게 진행되는 경우도 있으나 유착이 심한 경우 수술이 어려우며 특히 장이나 요관 손상이 동반될 수 있어 주의해야 한다. 장이나 요관 손상을 피하는 가장 좋은 방법은 난소와 장, 난소와 요관 부위 사이의 강한 유착은 박리를 하지 않는 것이다. 즉 유착 접점 부위보다 약간 난소 쪽으로 절개를 가하여 일단 낭종을 오픈시키며 유착 부위에 붙어있는 자궁내막증 조직은 monopolar 또는 bipolar electrocoagulation으로 소작한다. 이후 난소와(ovarian fossa), 자궁후방, 자궁천골인대 쪽에 있는 유착을 monopolar 또는 bipolar electrocoagulation을 적절히 사용하면서 조심스럽게 박리해내고 난소 자체를 자유롭게 움직일 수 있게 한 다음 낭종절제술을 진행한다.

더글라스와가 유착(obliteration)된 경우 꼭 유착박리를 하지 않아도 된다는 견해가 있기는 하지만 가급적 박리해 주는 것이 증상 개선에 도움이 된다. 복강경수술 진행 시 더글라스와 유착은 suction/irrigation 기구와 bipolar electrocoagulation을 적절히 사용하면 대부분 박리할 수 있다.

직장 손상이 우려되는 경우 air leakage test를 시행하면 좋다. 골반강 안에 식염수를 채우고 50 cc enema 시린지에 공기를 흡인한 후 항문을 통하여 공기를 밀어 넣는다. 이때 공기방울이 생기지 않으면 직장손상은 없다고 간주한다.

심부에 침윤하는 자궁내막증인 경우 처음부터 colorectal resection을 시행하는 경우도 있다. Colorectal resection을 시행하는 경우 좌측 요관이 손상받을 수 있으므로 주의를 요한다.

자궁내막종 수술은 황체기는 피하라고 되어 있으나 현실적으로 어렵다. 황체기에 수술을 시행하여 황체가 같이 제거된 경우에는 다음 월경이 당겨서 나올 수 있음을 꼭 설명해준다.

향후 임신을 원하는 여성은 수술 중 유착방지제를 사용하는 것이 좋다. 이에는 adhesion barrier (예, 인터시드®, GENZYME SEPRA FILM®), 4% icodextrin solution (예, 어뎁트®), viscoelastic gel (예, 가딕스®, 프로테스칼®, 서지올®, HYALOBARRIER GEL ENDO®) 등이 있다. 국소적인 부위라면 adhesion barrier나 viscoelastic gel이 좋고 광범위한 부위라면 icodextrin solution이 좋다.

인터시드®는 수술 부위에 덮어주고 식염수를 약간 뿌려서 조직에 잘 들러붙게 해야 한다. 8시간 만에 gelatinous coat가 형성되며 2주 후에는 전부 흡수되는 것으로 알려졌다. 다만 지혈이 불완전한 채로 덮어주면 fibrin이 침착되어 유착을 초래한다고 알려져 있다.

어뎁트®는 수술 종료 30분 전부터 연결하여 수술 부위가 고르게 적셔지도록 irrigation하고 마지막에 100 cc 정도를 골반강 안에 남겨두고 수술을 종료한다. 보통 4일 후면 전부 흡수된다고 알려져 있다. 드물게 labial edema가 있을 수 있으나 저절로 회복된다.

수술 후에는 미국생식의학회(ASRM, 1998)에서 제시한 시트로 자궁내막증 stage와 score를 작성한다. 병변의 크기(난소 및 복막), 유착정도(난소 및 난관), 더글라스와 유착 정도 3가지를 평가하여 각각 점수를 매긴 후 합산한다. Stage I은 1-5점, stage II는 6-15점, stage III는 16-40점, stage IV는 >40점인 경우이다. 그러나 ASRM stage 분류 체계는 재발율과 임신율에 대해서는 예후적 인자가 되지 못한다는 의견이 많다.

이를 보완하기 위하여 endometriosis fertility index (EFI)가 개발되었으며 자궁내막증 수술 후 자연임신을 잘 예측한다고 소개되었다(Fertil Steril 2010;94:1609). 먼저 난관, 난관채, 난소의 기능에 대하여 좌우 각각 0-4점씩 점수를 매기고 각 항목의 가장 낮은 점수로 좌우를 합산하여 least function score를 매긴다. 이후 EFI의 6가지 항목(연령, 난임 기간, 이전 임신력, least function score, 병변에 대한 자궁내막증 score, 전체 자궁내막증 score)에 해당 점수를 체크하고 합산한다. EFI 점수를 매기는 예시는 **그림 12**와 같다.

**ENDOMETRIOSIS FERTILITY INDEX (EFI)
SURGERY FORM**

LEAST FUNCTION (LF) SCORE AT CONCLUSION OF SURGERY PelviBoc

Score	Description		Left	Right	
4	= Normal	Fallopian Tube	2	2	
3	= Mild Dysfunction	Fimbria	1	1	
2	= Moderate Dysfunction	Ovary	2	1	
1	= Severe Dysfunction				
0	= Absent or Nonfunctional				
To calculate the LF score, add together the lowest score for the left side anf the lowest score for the right side. If an overy is absent on one side, the LF score is obtained by doubling the lowest score on the side with the ovary.		Lowest Score	1 (Left)	+ 1 (Right)	= 2 (LF Score)

ENDOMETRIOSIS FERTILITY INDEX (EFI)

Historical Factors			Surgical Factors		
Factor	Description	Points	Factor	Description	Points
Age			LF Score		
	If age is ≤ 35 years	(2)		If LF Score = 7 to 8 (high score)	3
	If age is 36 to 39 years	1		If LF Score = 4 to 6 (moderate score)	2
	If age is ≤ 40 years	0		If LF Score = 1 to 3 (low score)	(0)
Years Infertile			AFS Endometriosis Score		
	If age infertile is ≤ 3	(2)		If AFS Endometriosis Lesion Score is < 16	1
	If age infertile is > 3	0		If AFS Endometriosis Lesion Score is ≥ 16	(0)
Prior Pregnancy			AFS Total Score		
	If there is a history of a prior pregnancy	1		If AFS total score is < 71	1
	If there is no history of prior pregnancy	(0)		If AFS total score is ≥ 71	(0)
Total Historical Factors			Total Surgical Factors		

40
128

EFI = TOTAL HISTORICAL FACTORS + TOTAL SURGICAL FACTORS: 4 (Historical) + 0 (Surgical) = 4 (EFI Score)

그림 12. Endometriosis fertility index 점수 계산 방법

3) 소작술

소작술은 자궁내막종을 열어 내부액체를 제거하고 워싱 후 조직검사를 위하여 일부 낭종 조직을 절제하고 낭종벽을 monopolar 또는 bipolar electrocoagulation을 시행하면서 낭종벽을 lining 하는 자궁내막세포를 소작하는 방법이다. 일부는 절제하여 조직검사를 낸다. 자궁내막종 크기가 큰 경우 소작하는데 꽤 시간이 소요된다. 소작을 어느 정도 해야 하는지에 대해서는 정해진 바 없으나 낭종벽을 lining하는 자궁내막세포층은 약간 반짝이는 카키색 조직으로 보이며 이 반짝이는 부분이 보이지 않게 소작하면 충분한 것 같다. 나중에 초음파검사를 해보면 소작한 pseudo-capsule 부분은 거의 흡수되어 보이지 않게 된다. 유착의 박리는 낭종절제술에서 설명한 바와 같다.

소작술이 난소기능 보존 측면에서는 낭종절제술보다는 이롭다는 의견이 많으나 어떤 수술법을 선택하든 난소기능 저하는 피할 수 없다. 혹자는 낭종절제술과 소작술을 병행하기도 한다. 즉 대부분 낭종절제술을 시행하고 혈관이 풍부한 hilus 가까이 있는 10-20% 정도의 자궁내막증 조직은 혈관손상을 피하기 위하여 소작술만을 시행한다. 소작술에 대한 수가는 따로 없으므로 통상 낭종절제술과 동일하게 매긴다.

4) 약물치료

자궁내막증의 약물치료에는 GnRH agonist, dienogest, MPA (프로베라®), 경구피임제, 미레나® 등이 있다. Dienogest 제제는 오리지널로 비잔® 외에 국산 카피약으로 유앤®, 로잔®, 디에잔®이 있다.

내막종을 수술하지 않고 약물 치료를 하는 것은 순전히 증상 완화 목적이며 내막종 자체는 줄이지 못한다. 흔히 수술 후 약물 치료를 시행하는데 이는 남아있는 병변의 억제 및 재발 억제 목적이다. 재발이 잘되는 stage III-

IV, 젊을 경우, 소작술을 한 경우, 양측성인 경우가 주요 대상이며 ESHRE에서는 최소 18-24개월을 권장한다. 재발성인 경우는 수술 보다는 약물치료를 우선 고려한다.

자궁내막증 수술 자체가 통증 완화에 어느 정도 효과가 있으므로 수술 후 단지 통증 완화 목적으로 약물 투여는 권장하지 않았으나 2022년 에쉬레 가이드라인에서는 사용 가능한 것으로 변경되었다. 수술 후 약물치료는 가임력에는 도움이 안 된다고 알려져 있어 임신을 원하는 여성은 약물치료를 생략하고 바로 임신 시도를 한다.

GnRH agonist 처방 시에는 폐경기 증상이 동반되므로 add-back therapy로 저용량 에스트로겐(예, 프로기노바® 1 mg/d), 저용량 에스트로겐 + 황체호르몬(예, 프로기노바® 1 mg/d + 프로베라® 5 mg/d), 또는 리비알®을 투여하는 것이 좋다. 모든 환자가 폐경기 증상이 동반되는 것은 아니므로 add-back therapy를 처방하고 폐경기 증상이 심해지면 복용토록 하는 경우도 있다. 그러나 GnRH agonist 투여가 6개월이 넘어가면 골밀도가 감소할 수 있으므로 일괄 add-back therapy를 하는 것이 좋다.

과거에는 경구용 황체호르몬 제제로 MPA (30 mg/d)가 많이 사용되기도 했으나 dienogest 제제가 자궁내막증 전문 치료제로 새롭게 출시되면서 우선적으로 처방하는 경우가 늘고 있다. dienogest 제제 복용 시 부작용이 심할 경우 프로베라®로 변경한다.

국내 보고에 의하면 비잔® 3개월 이내 복용 시 흔한 부작용은 질출혈(50%), 월경혈감소(40%), 피로, 월경소실(30%), 체중증가, 우울감, 무기력, 복부불편감, 여드름, 유방불편감, 식욕증가, 졸음, 신경과민, 어지러움 등이었다(Gynecol Endocrinol 2018;34:970).

경구피임제는 주기적 요법과 지속적 요법 모두 사용 가능하며 재발 면에서는 두 요법이 비슷하였다(Fertil Steril 2010;93:52).

미레나®는 심부 자궁내막증과 연관된 통증 치료에 특히 효과적이라고 알려져 있으며 출산완료된 여성이나 주사나 경구제 복용을 곤란해하는 경우에 권할만하다.

기존의 약물치료가 만족스럽지 못한 경우도 있으므로 새로운 약제들이 개발 연구 중이며 이에는 aromatase inhibitor, TNF-α inhibitor (예, Infliximab), COX-2 inhibitors, pentoxifylline (phosphodiesterase inhibitor), angiogenesis inhibitor, matrix metaloproteinase inhibitor, progesterone antagonists, selective progesterone receptor modulator (SPRM) 등이 있다.

5) 흡인술/알콜경화술

자궁내막종 흡인술을 할 때는 외음부부터 질 안까지 철저히 소독하고 질초음파 가이드 하에 16게이지 더블루멘 주사침을 이용한다. 참고로 난자 채취용 주사침은 17게이지(또는 18게이지)이며 보통의 양성난소낭종 흡인도 17게이지를 이용한다. 간혹 자궁내막종 액체가 진하여 흡인이 안 되는 경우가 있으므로 흡인실패의 가능성을 사전에 환자에게 설명하여야 한다. 흡인이 안 되는 경우에는 더블루멘을 통하여 식염수를 밀어 넣어 주면서 흡인을 시도해보기도 하지만 그래도 나오지 않는 경우가 있다. 식염수를 주입하면서 흡인하는 경우 식염수는 자궁내막종 액체보다 가벼워 상부에 위치하므로 주사침을 식염수가 많은 상부로 이동시켜 흡인하는 것이 좋다. 흡인이 잘 되어 10분 안에 끝나는 경우도 있지만 천천히 흡인되어 2시간이 걸리는 경우도 있으므로 차라리 수술장에서 MAC 마취하에 진행하는 것이 유리하다. 흡인술에 대한 수가는 난소낭종질부배액술로 매기면 된다.

흡인을 하면 자궁내막종 액체가 복강내로 누출되어 오히려 유착을 더 초래한다는 의견이 있으나 주사침이 들어가는 부위가 대개는 유착부위여서 자궁내막종 액체가 복강내로 누출되는 위험성은 극히 적다고 본다. 단순 흡인술만으로는 재발율이 60%-90%에 달하므로 자궁내막종을 완전히 흡인한 후 95% 에탄올을 낭종 안으로 넣고 5-10분간 기다린 후 다시 빼주는 알콜경화술을 하기도 한다. 경화술에 대한 수가는 경피적낭종경화술로 매긴다.

Cohen 등은 경화술에 대한 리뷰 논문에서 경화술의 증상호전율은 70%-95%, 재발율은 0%-62%이며, 체외수정술 시 낭종절제술에 비하여 난자수는 더 많으나 임신율은 비슷하다고 하였다(Fertil Steril 2017;108:117). 그러나 체외수정술 시 난자 수 및 임신율은 비치료군과 비슷하다고 하였는데 이는 체외수정술을 한다면 임신 측면에서는 굳이 경화술을 할 필요는 없다는 것을 시사하고 경화술은 단지 증상 완화 목적으로 시행하는 것이 타당함을 시사한다. 최근 Jee는 경화술에 대한 리뷰 논문에서 경화술이 낭종절제술에 비하여 난소 기능 보존에 더 이로운지는 아직 불분명하고 재발율은 낭종절제술과 비슷하며 체외수정술 환자에서 시행 시 낭종절제술 또는 비치료에 비하여 임신율에 도움이 되는지는 아직 불분명하여 저자 개인 견해로서 경화술은 재발성이나 낭종절제술/소작술을 하기 곤란한 환자로 국한해야 한다고 하였다(Clin Exp Reprod Med 2022;49:76). 한편 경화술의 시간은 최소 10분을 추천하고 있다.

95% 에탄올 대신 tetracycline, methotrexate를 넣는 수도 있다. 낭종 안으로 에탄올을 넣으면 간혹 에탄올이 낭종 밖으로 새어나가 장손상이 있을 수도 있다. 대개 증상은 경미하다고 알려져 있지만 에탄올이 낭종 밖으로 새어나갔는지를 확인할 방법이 없고 간혹 에탄올이 전신흡수되어 부작용을 초래할 수 있어 알콜경화술을 부정적으로 보는 의사도 많다. 알콜경화술이 부담스러운 경우에는 흡인술만 하고 전후로 약물치료를 병행해본다. 그러나 흡인술 + 약물치료의 성적에 대해서는 알려진 바 없다.

4 재발

자궁내막증의 재발은 증상 재발과 내막종 재발을 구분하여야 한다. 증상 재발은 2년 후 19%, 3년 후 24% 정도로 알려졌으며, 내막종이 재발하는 것은 3년 후 12%, 4년 후 12%, 5년 후 19% 정도로 알려졌다. 국내 보고에 의하면 초음파검사로 진단한 내막종 재발율은 20개월에 16%이었다(Fertil Steril 2009;91:40).

젊을수록 그리고 stage/score가 높을수록, 양측성인 경우가 재발이 잘 되며 수술 후 약물치료를 한 경우 재발이 감소한다. 필자의 경험으로는 40세 이상의 여성은 거의 재발이 되지 않는다.

내막종 재발 시에는 약물치료를 우선적으로 시행한다. 통증이 심할 경우 수술을 고려하는데 난소기능이 이미 저하되어 있는 경우가 많으며 재수술을 시행할 경우 유착 등으로 인하여 첫 수술보다는 더 어렵고 장기손상 등의 위험성이 증가할 수 있으므로 이익 대 위험도를 신중히 고려하여 결정한다. 난임 여성이라면 재수술을 하는 것이 난소기능과 가임력을 더욱 저하시킬 수 있으므로 보조생식술을 우선 권한다.

근치적 수술로 자궁적출술을 할 때는 양측난소절제를 같이 하는 것이 이롭다는 의견이 있다. 자궁적출술 + 양측난소절제 후에는 에스트로겐 + 프로게스틴 병합호르몬 치료를 하는 것이 권고된다(스페로프 교과서 9판).

5

자궁내막증학회 가이드라인

자궁내막증학회에서는 2018년에 Clinical evaluation and management of endometriosis에 대하여 가이드라인을 발표하였다(Obstet Gynecol Sci 2018;61:553). 수요 권고 사항은 다음과 같다.

〈위험인자 및 진단〉

- 위험인자로는 null parity, short menstruation cycle, long menstruation duration, heavy menstruation bleeding, early menarche, family history, obstructive uterine anomaly, low BMI, Asian ethnicity가 있다.
- alcohol, smoking, caffeine, fat/red meat, ham 섭취가 리스크를 올리고 green vegetables, fruits 섭취가 리스크를 낮춘다고 하나 근거는 약하다.
- ovarian endometrioma 진단의 기본은 transvaginal or transrectal ultrasonography 이지만 deep infiltrating endometriosis (DIE)가 의심되는 경우 MRI가 도움이 될 수 있다. DIE가 의심되는 경우 추가로 cystoscope, colonoscopy, barium enema를 고려하여야 한다.

〈통증〉

- Endometriosis-associated pain의 약물치료에 있어 약제간 효용성은 비슷

하며 side effects, compliance, cost를 고려하여 개별화한다. 6개월 이상의 약물치료의 효용성을 보고한 논문은 드물다.

- 이미지 진단을 포함한 임상적 평가로 endometriosis가 의심되는 경우 수술적 확진 없이도 약물치료를 바로 시작 가능하다.
- 많은 연구나 가이드라인에서 약물치료의 첫 번째로 경구피임제를 권하고 있다. 경구피임제 사용 시에는 withdrawal bleeding 없는 지속사용이 더 낫다.
- 경구 프로게스틴 제제인 MPA, dienogest, 또는 levonorgestrel-IUS, 또는 GnRH agonist도 좋은 치료법이다.
- 프로게스틴 제제를 장기간 사용 시 골밀도 감소를 유념하여야 한다. MPA 사용 중단 후 골밀도는 다시 회복된다는 보고가 있지만 2년 이상 사용은 주의하여야 하며 청소년에게 사용은 권하지 않는다.
- GnRH agonist 사용 시에는 add back therapy를 하여야 한다. Add back therapy로 progestin, estrogen, estrogen+progestin, tibolone 등이 사용되나 약제간 효용성은 좀 더 연구가 필요하다. 대부분 연구에서 GnRH agonist는 18세 초과 여성에서 6개월 미만 사용을 권한다. GnRH agonist는 16세 미만에서는 권고되지 않는다.
- 다른 약제가 효과적이지 않을 때에는 aromatase inhibitor의 병용을 고려할 수 있다.

〈수술〉

- 무증상으로 우연히 발견된 endometriosis는 수술이 불필요하다.
- Endometriosis가 있는 여성에서 pelvic pain이 있거나 ovarian endometrioma가 있는 경우 수술이 필요하나 적절한 대상자는 medical treatment에 반응하지 않거나 또는 금기인 경우, torsion/rupture된 경우, DIE인 경우이다.
- 수술 전에 pain control을 위한 약물치료는 효과가 없고 재발에 영향을 주지 않으므로 하지 않는다.

- 수술 후 약 80%에서 pain이 완화된다.
- 수술 후 약물치료는 6개월을 기준으로 단기와 장기로 나누며 장기치료는 재발방지가 목적이다. 장기치료 시 경구피임제, 경구 프로게스틴 제제는 최소 18-24개월을 사용한다.
- 수술 후 pain control을 위한 목적만으로 단기 약물치료는 권고되지 않으며 일단 관찰한다.
- 수술 중 유착방지제로 oxidized regenerated cellulose를 사용할 수 있다. Icodextrin은 밝혀진 효과가 없다.[1]
- 재발된 endometriosis를 수술할 경우 이후 재발율은 첫 수술 후 재발률과 비슷한 20-40%이다.
- 임신을 원하는 여성이 endometriosis가 재발하면 수술은 권고되지 않는다.

〈난임〉

- Stage III-IV endometriosis의 경우 수술을 하는 것이 자연임신율 향상에 도움이 된다. 수술 시에는 정상 난소 조직을 보존하도록 노력하여야 한다. 자연임신율 면에서 ovarian cystectomy가 drainage/coagulation 보다 더 좋은 수술법이다. 수술을 결정할 때는 난소기능 감소 가능성을 환자와 충분히 상의하여야 한다. 재발 시 수술을 하는 것은 임신율 면에서는 도움이 안된다.
- 수술 후 바로 자연임신을 원하는 경우 호르몬 치료는 하지 않는다. Endometriosis가 있는 난임 환자에서 임신율 향상 목적으로 호르몬 치료는 하지 않는다.
- Endometriosis가 있는 난임 환자에서 tubal factor, male factor가 동반된 경우 보조생식술을 권해야 한다. 다른 치료로 임신이 안 되는 경우 보조

---

1) 저자주: 참고로 2022년 에쉬레 가이드라인에서 수술 중 유착방지제는 권하지 않는 것으로 변경되었다.

생식술을 고려한다.

- Stage I-II endometriosis 이면서 난임이면 과배란유도 +/- 인공수정술을 고려한다.
- Stage III-IV endometriosis 인데 수술 후에도 임신이 안 되거나 또는 고령이면 체외수정술이 좋은 선택이다.
- Endometriosis가 있는 난임 환자에서 보조생식술 전 GnRH agonists 3-6개월 사용을 권한다.
- Endometrioma (≥3 cm)가 있는 난임 환자에서 보조생식술 전 cystectomy의 효용성은 낮다.
- Endometriosis가 있는 여성에게 specific nutrients, alternative medicine은 권고되지 않는다.
- Endometriosis가 있는 여성이 임신 시 spontaneous abortion, preterm delivery, small for gestational age, placenta previa가 증가할 수 있다.

〈폐경〉

- Endometriosis가 있는 폐경여성에서 갱년기 증상 호소 시 EPT 가능하다. 이때는 지속요법이나 티볼론을 사용한다. Endometriosis가 재발할 수 있으므로 면밀히 관찰한다.[2)]

2) 저자주: 참고로 2022년 에쉬레 가이드라인에서 티볼론은 삭제되었다.

제 6 장

난임

01 서론
02 난관요인
03 남성요인
04 난소기능 저하
05 자궁요인
06 자궁내막증
07 원인불명
08 배란장애 및 배란유도
09 인공수정술
10 체외수정술
11 난임시술 급여화

1 서론

난임은 정상적인 부부관계에도 불구하고 1년간 임신이 되지 않을 때로 정의한다. 1년이 되지 않더라도 여성이 고령이거나 명확한 가임력 저하 요인이 존재한다면 좀 더 일찍 난임의 요인을 찾기 위한 검사나 임신을 위한 시술을 할 수도 있다. 또한 1년 이상의 난임이더라도 여성의 나이가 젊다면 검사를 하지 않고 자연임신 시도를 좀 더 권해볼 수도 있다. 이미 자녀가 있는데 다음 임신이 안 되어 온 이차성 난임의 경우 이전 임신이 자연임신이었다면 검사를 미루고 임신 시도를 우선적으로 해볼 수도 있다.

일반적으로 한 월경주기 당 임신확률(fecundity)과 1년이 지난 시점에서 난임 빈도는 비례관계에 있다. 즉 fecundity가 15%라면 100명 중 첫 달에 15명이 임신되고 나머지 85명 중 15%인 12.8명이 다음 달에 임신한다. 이런 식으로 계산하다 보면 12달이 지나면 85.8명이 임신하게 되어 난임빈도는 14.2%가 된다. 만일 fecundity가 20%라면 난임의 빈도는 6.9%, fecundity가 25%라면 난임의 빈도는 3.2%가 된다. 어느 인구 집단의 난임 빈도가 15%라면 fecundity는 이론상으로 14.6%이다.

난임 여성을 처음 대면할 때 월경력, 이전 출산력과 유산력, 내과적질환, 골반장기 수술력, 흡연여부(남편 포함)를 파악하고 체중/BMI를 측정하며, 자궁과 난소에 병변이 있는지를 보기 위하여 질초음파검사를 한다. 질초음파검사를 할 때 전동난포수(antral follicle count, AFC)를 재보면 난소기능을 어느 정도 가늠할 수 있다.

난임의 요인을 찾기 위한 기본적인 검사는 질초음파검사, 자궁난관조영술(hysterosalpingography, HSG), 정액검사, 배란 유무, 난소기능검사이다. 상기 검사가 정상이면 일단 원인불명의 난임으로 볼 수 있다. 일단 월경이 규칙적이면 배란이 잘 된다고 가정할 수 있으며 초음파로 성숙난포를 확인하거나 배란기 전후로 urine LH test를 해 보거나 황체기중기에 혈중 progesterone 치가 3 ng/mL 이상임을 확인하면 배란이 된다고 간주할 수 있다. 기초체온표 작성, 자궁경부 점액검사, 성교후검사, 자궁내막조직검사, 복강경검사는 요즘에는 하지 않는 추세이다.

초기 검사로 TFT를 내보는 경우가 있다. 갑상선 자가항체도 초기검사로 하는 경우가 간혹 있는데 비록 갑상선 자가항체가 체외수정술 시 유산율과 연관된다는 얘기가 있기는 하지만 난임의 초기검사로 갑상선 자가항체 검사까지는 불필요해 보이며 TFT가 비정상인 경우에만 추가로 하는 것이 좋다.

난임의 초기검사로 자궁경검사 또한 불필요해 보이며 초음파검사로 자궁강내 이상이 있거나 또는 체외수정술 반복실패 시에 해보는 것이 좋다.

미국생식의학회(ASRM)에서는 'optimizing natural fertility' 라는 제목으로 2013년에 이어 2017년에도 committee opinion을 발표하였는데 여러 lifestyle factor가 임신에 이르는 기간(time to conception) 또는 난임에 기여하는 정도는 다음과 같다(Fertil Steril 2017;107:52).

- 비만(BMI >35) time to conception 2배 증가
- 저체중(BMI <19) time to conception 4배 증가
- 흡연 난임 위험도 60% 증가
- 음주(>2 drinks/d) 난임 위험도 60% 증가
- 카페인(250 mg/d) fecundability 45% 감소
- Illicit drugs 난임 위험도 70% 증가

- Toxins, solvents　　난임 위험도 40% 증가

Committee opinion에서 제시하는 부가적인 사항은 다음과 같다.

- fertile window는 배란일 포함 배란 전 6일이며 자궁경부 점액의 양 및 성상과 연관 있다.
- fertile window에 1-2일 간격의 성교가 임신율이 가장 높으나 주당 2-3회 성교도 거의 비슷한 임신율을 보인다.
- 특정 성교 시간이나 자세 또는 성교 후 바로 누워 있는 것은 임신에 별 영향이 없다.
- 성교를 자주 하지 않는 부부에게는 배란테스트기 사용이 임신에 도움이 될 수 있다.
- 중등도의 음주(1-2 drinks/d) 또는 중증도의 카페인 섭취는 임신에 좋지 않은 영향을 줄 가능성이 있다.

또한 committee opinion에서는 임신을 위하여 다음과 같은 사항을 권고하고 있다.

- time to conception은 여성의 연령에 따라 증가하므로 35세 초과 여성에서는 6개월 이상 임신이 안 되면 전문가의 도움을 받는 것을 고려해야 한다.
- 규칙적인 월경 주기를 보이는 여성에서는 fertile window 시작 시부터 1-2일 간격의 성교가 임신율을 극대화하는데 도움이 될 수 있다.
- 흡연, 심한 음주(>2 drinks/d), recreational drugs, vaginal lubricants 사용은 자제하여야 한다.

2

난관요인

난관은 정자와 난자의 이동 통로이며 정자와 난자의 수정 장소도 된다. 따라서 양측 난관이 모두 막히면 자연 임신이 불가능하다. 난관요인 난임의 원인으로는 골반염과 자궁내막증이 대표적이며 이외 흡연도 거론된다(Am J Epidemiol 2001;153:566).

간혹 ruptured appendix를 난관요인 난임의 원인으로 거론하는 사람도 있으나 이는 타당성이 부족하다(Can J Surg 1999;42:101, BMJ 1999;318:963). Berek&Novak 부인과학(16판, 2019)에서는 난관난임 편에 ruptured appendix에 관한 언급이 아예 없으나 부인과학(6판, 2021)에는 ruptured appendix 병력은 난관난임을 의심해 볼 수 있는 소견으로, Speroff(9판, 2020) 교과서에는 ruptured appendix 병력은 tubal damage를 강하게 의심해 볼 수 있는 소견으로 기술되어 있다. Ruptured appendix는 또한 ectopic pregnancy의 risk를 올린다고 보고되었다(J Surg Res 2014;192:368).

난관의 소통여부를 보는 검사는 자궁난관조영술이 대표적이다. 자궁난관조영술은 보통 영상의학과에 의뢰하여 촬영하는데 산부인과의사가 직접 촬영하는 경우도 있다. 촬영 시 통증이 있을 수 있으므로 예방적으로 진통제를 촬영 30분 전에 주는 것이 좋다. 자궁난관조영술 촬영 시 예방적 항생제를 꼭 줘야 하는지에 대해서는 의견이 분분하다. 2018년 ACOG에서는 자궁난관조영술 촬영 후 골반염의 빈도가 0.3%-1.3%로 매우 낮으므로 루틴하게 줄 필요는 없지만 PID 병력이 있거나 tubal occlusion으로 나온 경우에는 골반염의 빈도가 11%로서 높은 편이므로 예방적 항생제(doxycycline 100 mg bid 5일)를 주는 것을 권고하고 있으며 이는 Speroff 교과서(9판, 2020)에서도 마찬가지이다. 그러나 부인과학(6판, 2021)에서는 예방적 항생제를 루틴하게 주는 것을 권고하고 있다. 필자는 예방적 항생제를 루틴하게 주지는 않으며 양측 난관폐색으로 나온 경우만 doxycycline 100 mg bid 7일을 처방한다. 이 같은 방침으로 지금까지 자궁난관조영술 촬영 후 골반염은 한 건도 경험하지 못하였다.

자궁난관조영술은 촬영하면 정식판독이 따라오는 경우도 있지만 촬영 후 바로 환자와 대면해야 하거나 타병원에서 촬영한 사진을 가지고 외래로 오는 경우도 있으므로 난임 전문의사는 어느 정도 자궁난관조영술 사진을 판독할 수 있어야 한다.

먼저 역삼각형의 자궁강을 보면서 filling defect가 없는지 확인한다. 위쪽 두 꼭지점에서 시작하는 난관의 경로를 죽 따라가면서 끝 부분에서 조영제가 골반강에 모여 있음을 확인하면 난관은 소통된다고 판단한다(**그림 13**). 자궁이 후굴된 경우 전형적인 역삼각형이 아닐 수도 있다.

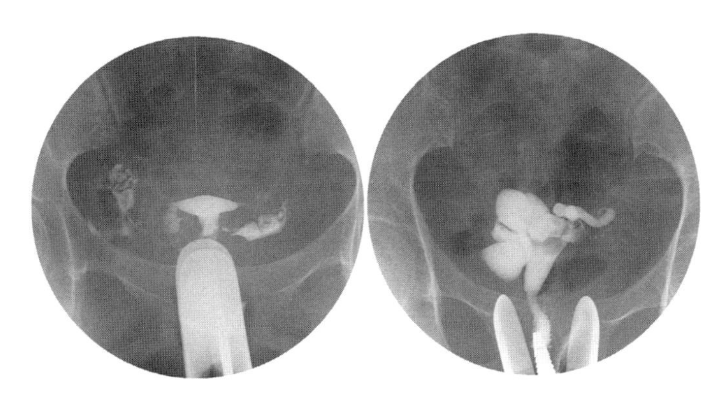

그림 13. 자궁난관조영술 사진에서 정상(좌)과 양측난관폐색(우)

난관의 시작 부위부터 조영제가 들어가지 않아 난관의 근위부 폐색으로 보이는 경우 실제는 막히지 않은 경우가 많으므로 tubal spasm으로 인한 오진의 가능성을 환자에게 충분히 설명해야 한다. 이때는 진통제를 충분히 주고 편안한 상태에서 재촬영을 권한다.

자궁난관조영술 촬영 시 조영제가 혈관 안으로 들어가는 intravasation 현상이 올 수 있다. 빈도는 드물지만 엑스레이 사진이 혈관 분포대로 나뭇가지 형태로 나타나기 때문에 판독이 어렵다.

간혹 자궁이 약간 rotation된 환자에서 정면에서 찍은 자궁난관조영술 사진만 보면 단각자궁이라고 오진을 하는 수가 있다. 환자의 우측으로 자궁이 rotation되면 우측 자궁각 부분이 사진에서 사라지고 좌측 자궁각만 보이게 되어 단각자궁으로 오인한다. 이 경우 환자를 tilting 시키고 찍은 사진을 확인하거나 질초음파검사로 두 개의 자궁각이 있음을 확인하면 된다.

HyCoSy (hystero-contrast-salpingosonography)는 자궁강 안에 air-bubble이 함유된 용액을 넣이 초음피를 보면서 지궁강 뿐만 아니라 난관 소통 여부도 같이 보는 검사이다. 이는 X-ray 노출 위험이 없고 산부인과의가 직접 시행할 수 있어 통증에 즉각 대처할 수 있으며 개원가에서는 자궁난관조영술을 찍으라고 다른 의원에 보낼 필요가 없다는 장점이 있다. Air-bubble이 함유된 용액으로는 Echovist®, Levovist®, Sonovue®가 사용된다. 식염수를 공기와 같이 흔들어 air-bubble이 생기게 하여 이용하는 경우도 있다.

초음파검사는 통상의 2D보다는 3D가 더 낫다고 하지만 2D 초음파의 조건을 잘 설정하면 만족할만한 결과를 얻을 수도 있다고 한다. 2D 초음파의 조건은 자궁 자체 배경은 저음영으로 만들고 용액의 흐름만 고음영으로 강조되게 설정하는데 때로 영상의학과의 도움이 필요하다.

검사 시간이 식염수주입초음파 보다는 오래 걸리므로 인공수정용 카테타 보다는 소아폴리를 통하여 air-bubble이 함유된 용액을 20 cc 시린지를 통하여 자궁 안으로 넣어주는 것이 좋으며 자궁확장 때문에 통증이 있으므로 진정마취 하에서 진행하는 것이 좋다. Air-bubble이 함유된 용액이 난관을 통하여 나가는 것을 관찰하면 난관소통의 확실한 증거가 되나 용액의 흐름을 초음파로 보기가 어려운 경우도 있다. 이때는 용액이 난소 주위로 모이는 것을 보고 동측 난관은 소통된다고 판단한다. 또는 더글라스와에 용액이 모이는 것을 관찰하면 적어도 일측 난관은 소통된다고 판단한다.

HyCoSy의 문제점은 아직 기존의 자궁난관조영술을 완전히 대체하지는 못한다는 것이다. 용액의 흐름이 확인되면 난관소통이 있다고 판단하지만 용액의 흐름이 보이지 않을 경우 판단이 애매하며 이때는 자궁난관조영술을 촬영하여야 한다. Air-bubble이 함유된 용액은 원래 간조영술에 사용되는 제제로 HyCoSy에 이용 시 S-code로 처리된다는 단점이 있다. 현 급여체계에서도 HyCoSy는 급여의 범위에 속하지 않는다.

'난관이 막혔다'라는 말은 영어 표현으로는 'tubal obstruction'과 'tubal occlusion' 두 가지가 있으며 혼용되어 사용된다. 그러나 'tubal obstruction'은 난관이 진짜 막힌 경우로서 이전 난관 임신 등으로 난관절제를 한 경우 등에 사용하며 통상 '난관폐쇄'로 불린다. 'Tubal occlusion'은 난관이 막히기는 했으나 미세한 통로는 있을 수 있다는 의미이며 원위부가 막혔더라도 근위부에 해당하는 utero-tubal junction이 열려 있어 소통이 가능하다는 의미이다. 통상 난관 원위부가 막히고 난관수종을 형성한 경우 tubal occlusion으로 표현하며 '난관폐색'으로 불린다. 심혈관이 막힌 경우 coronary occlusion으로 표현하며 coronary obstruction이라는 용어는 사용하지 않는다. Coronary occlusion은 심혈관이 atherosclerosis나 혈전으로 막혔지만 미세한 통로는 있을 수 있다는 의미이다.

난관이 막힌 경우 간혹 환자가 물 같은 냉이 나온다고 호소한다. 이는 난관수종 안의 액체가 자궁 쪽으로 흘러나와 일으키는 증상으로 이해하는데 간혹 난관수종이 없는 환자나 자궁경부의 분비샘이 발달한 환자에서도 그런 증상이 올 수 있으므로 난관수종의 진단에 특이적이지는 않다.

난관의 원위부가 막힌 경우 과거에는 젊거나, 난관채(fimbria)가 살아있거나, 난관수종이 없는 경우에는 난관성형을 통하여 자연임신을 시도하기도 했지만 요즈음에는 난관의 막힌 위치에 상관없이 바로 체외수정술을 시도한다.

난관의 근위부 즉, utero-tubal junction이 막힌 경우에는 수술로 막힌 부분을 제거하고 남은 난관을 자궁각에 심어주기가 매우 어려워 잘 시도되지 않는 방법이다. 대신 자궁경을 이용하여 자궁 안쪽에서 접근하여 utero-tubal junction의 막힌 부위를 가느다란 금속 catheter로 뚫어주는 수술을 하기도 한다.

난관의 중간부가 막힌 경우 막힌 부위를 절제하고 양측 끝 부분을 이어주는 re-anastomosis를 시행하기도 한다. 자궁난관조영술 사진에서 난관의 중간부가 막힌 경우 막힌 위치로부터 그 이하 원위부로 얼마나 막혀 있는지를 가늠하기가 사진으로는 불가능하다. 실제 수술을 할 때는 막힌 부위를 일단 대략 절제하고 양측에서 카르민용액을 주입하면서 개통되었는지를 확인하면서 수술을 진행한다. 이때 만일 막힌 부위가 예상외로 길다면 난관의 상당 부분을 절제해야 한다. 수술 후 임신율은 대개 남은 난관의 길이와 상관이 있는데 무작정 수술을 시도했다가 제대로 복원을 못하는 경우도 있다.

난관수종이 있는 경우 체외수정술을 하더라도 임신율이 저하될 수 있다. 이는 난관수종액이 자궁 쪽으로 흘러나와 배아를 씻어내는 소위 'washing out' 효과일 수도 있고, 난관수종액 자체의 여러 toxic substance가 배아 또는 내막에 악영향을 주기 때문으로 이해한다. 따라서 양측 난관수종이 있는 환자에서 체외수정술을 시도하기 전에 처음부터 양측 난관절제를 하는 경우가 있으며, 체외수정술 1-2회 시도 후 임신이 안 되면 양측 난관절제를 하는 경우도 있다.

간혹 난관수종은 과배란유도 전에는 안보이다가 과배란유도를 진행함에 따라 명확해지는 경우가 있으므로 주의를 요한다. 난관수종이 있는 환자에서 난관절제를 할 때는 주위 난소와의 유착이 심한 경우가 있는데 이때는 난소의 손상을 최소한으로 하면서 난관절제를 하는 것이 중요하다. 또한 utero-tubal junction 쪽으로 약간 wedge resection을 하듯이 절제해내야 향후 자궁각임신을 예방할 수 있다. 이는 난관임신에서 하는 난관절제술 때도 마찬가지이다.

난관절제를 하면 난관 쪽에서 난소로 가는 혈류가 차단되어 난소에 좋지 않은 영향을 준다는 의견도 있다.

난관수종이 있는 환자에서 난관절제를 하지 않고 난관수종액이 자궁 쪽으로 흘러들어오지 못하게 하는 방안으로는 난관수종의 알콜경화술, utero-tubal junction에 특수한 기구를 자궁내시경을 이용하여 삽입하는 방법 등이 있다.

양측 난관이 모두 막힌 경우는 체외수정술로 바로 가지만 한 쪽만 막힌 unilateral tubal occlusion (UTO)일 때는 원칙적으로 인공수정술이 가능하다. 국내 보고에 의하면 인공수정술의 성적은 UTO 대 원인불명인 경우가 비슷하였다(Clin Exp Reprod Med 2012;39:68). 임신율은 각각 17.3% 대 16.5%, 유산율은 11.1% 대 23.3%, 난관임신율은 11.1% 대 6.7%였다. 근위부 폐쇄와 원위부 폐쇄에서 임신율은 각각 25% 대 13.9%였다.

3

남성요인

남성난임의 진단적 평가에 관한 2017년 WHO 가이드라인은 다음과 같다(Hum Reprod Update 2017;23:660).

- 남성난임의 빈도와 남성요인이 난임에 어느 정도 기여하는지는 불확실하다.
- 남성난임의 초기 진단적 검사는 과거 가임력 문진, 전문가에 의한 신체검진, 최소 한 번의 적절하게 행해진 정액검사이다. 초기 검사가 비정상인 경우 비뇨기과 전문의 또는 다른 전문가에 의하여 추가적 평가가 이루어져야 한다. 원인불명의 부부 또는 여성인자를 교정하였음에도 불구하고 계속 난임인 경우에는 남편에 대한 추가적 평가를 고려하여야 한다.
- 정액검사는 한번으로 충분하나 비정상으로 나오는 항목이 있으면 재검할 수 있다.
- 비만은 일반적으로 남성건강에 악영향을 끼치나 가임력에 영향을 끼치는지는 불확실하다. 그러나 난임부부에서 남편에게 비만이 있다면 교정하도록 권해야 한다. 직업 또는 의복 등에 의한 열 노출이 정자의 질이나 남성 가임력에 영향을 끼치는지는 불확실하다. 흡연

이 정자의 질에 좋지 않은 영향을 준다는 보고가 많으나 그렇지 않다는 보고도 있다. 그러나 흡연은 일반적으로 건강에 악영향을 끼치므로 임신을 하려는 남성에게는 금연이 권고된다.

- 정자의 질이 비정상인 남성 또는 난임남성에서 항산화제나 허브제제 복용의 치료적 효과는 불분명하다.
- 중증 정자감소증(<5 million/mL) 또는 비폐쇄성무정자증에서는 염색체검사, Y 염색체 미세결실에 대한 검사를 시행하여야 한다. 선천성정관무형성증(congenital bilateral absence of the vas deferens), 낭성섬유증(cystic fibrosis) 환자에서는 cystic fibrosis transmembrane conductance regulator (CFTR) 돌연변이검사를 하여야 한다.
- 남성 암 환자에서는 치료로 인한 정자생성에 대한 악영향 가능성과 정자보관(sperm banking)에 대하여 설명하여야 한다. 비록 암 치료 후 무정자증이 되더라도 간혹 회복될 수도 있으므로 만일 환자가 임신을 원하지 않는다면 피임을 권해야 한다. 부인이 임신한 경우 일반적으로 산과적 예후는 좋으나 선천성 기형이 약간 증가할 수 있음을 배제할 수 없다.
- 정계정맥류(varicocele)는 정액검사가 비정상이고 여성측 인자가 경미하거나 없을 때 수술을 권할 수 있다. 그러나 여성측 인자 때문에 체외수정술이 필요한 경우에는 비록 정계정맥류 또는 비정상 정액 소견이 있더라도 체외수정술을 먼저 시도해볼 수 있다. 즉 난임 부부의 상황을 고려하여 수술을 결정한다.

과거에는 난임남성의 평가와 치료에 산부인과의가 상당 부분 관여해서 이에 대한 지식을 잘 알아야 한다고 했지만 요즘에는 주로 비뇨기과의에 의해서 제대로 평가하고 처치를 한다는 것이 추세여서 난임남성에 대한 병력청취나 신체검진은 중요도가 떨어진다. 그러나 정액검사는 자주 접하게 되므로 이에 관한 지식을 잘 알아두는 것이 좋다.

정액은 2-7일간의 금욕기간을 거친 후 자위에 의하여 무균전용컵에 채취한다. 예외적으로 특수 무독성콘돔에 사정하였다가 옮기는 경우도 있다. 보통 쓰는 라텍스콘돔은 권하지 않는다. 20-37°C를 유지하면서 옮기며 37°C 인큐베이터에서 액화되도록 30분 정도를 기다린 후 채취로부터 1시간 이내에 검사한다. 액화는 보통 15분 이내에 일어나며 30분 후에도 액화되지 않으면 추가로 30분을 더 기다린다. 그래도 액화가 안 되면 동량의 Dulbecco's PBS 용액에 섞어 pipetting 하거나, 18-19게이지 니들로 저어주거나, 단백분해효소인 bromelain을 첨가한다. 상기 방법들은 점성도가 강한 샘플에서도 적용할 수 있다. 점성도가 강하면 정자수, 운동성 판독에 영향을 준다.

정액양의 측정은 전용부피측정실린더를 이용하거나 무게를 재어(전체 무게에서 전용컵 무게를 뺀) 정액밀도가 1 g/mL 이라고 가정하고 환산한다.

정액양이 적으면 사정관폐쇄, 선천성정관무형성증, 부분역행사정(partial retrograde ejaculation), testosterone 결핍 등이 원인일 수 있다. 정액양이 많으면 전립선/정낭의 염증이 원인일 수 있다. 정액양과 숫자가 적으면서 pH 7.0 이하이면 사정관폐쇄, 선천성정관무형성증이 원인일 수 있다.

운동성은 과거 rapid (>25 μm/s), medium, slow로 구분했으나 WHO laboratory manual 5판부터는 progressive, non-progressive, immotile로 구분한다. 과거 rapid + medium이 현재 progressive에 해당한다고 보면 된다.

- 총운동성정자수(total number of motile spermatozoa)는 (정액양 x 정자수 x 총운동성) / 100으로 산정한다.
- 총진행성운동성정자수(total number of progressively motile spermatozoa)는 (정액양 x 정자수 x 진행성운동성) / 100으로 산정한다.
- 총생존정자수(total number of membrane-intact spermatozoa)는 (정액양 x 정자수 x vitality) / 100으로 산정한다.

정액검사 항목의 최저참고치(lower reference limit)는 가임력이 있는 남성의 5th percentile에 해당하는 수치로서 다년간 WHO laboratory manual for the examination and processing of human semen 5판(2010년)을 사용하였으나 2021년에 6판이 출시되었다(표 07).

표 07. 정액검사 항목의 최저참고치

	5판(2010)	6판(2021)
양(mL)	1.5	1.4
pH	≥7.2	≥7.2
정자수(million/mL)	15	16
총정자수(million)	39	39
총운동성(progressive + non-progressive)	40%	42%
진행성운동성(progressive)	32%	30%
정상형태(normal form by strict criteria)	4%	4%
Vitality (by eosin-nigrosin staining or hypo-osmotic swelling test)	58%	54%
peroxidase-positive cells (million/mL)	1.0	1.0
항정자항체(IBT)	50%	50%

WHO 최저참고치에 맞으면 normozoospermia로 부르며 맞지 않을 때 부르는 용어는 다음과 같다.

oligozoospermia (O): 정자수 또는 총정자수 저하

asthenozoospermia (A): 총운동성 또는 진행성운동성 저하

teratozoospermia (T); 정상형태 정자 저하

oligoasthenozoospermia (OA); 정자수 및 운동성 저하

oligoasthenoteratozoospermia (OAT); 정자수/운동성/정상형태 정자 모두 저하

aspermia: 정액이 없는 경우

hypospermia: 정액양 저하

azoospermia: 무정자증

necrozoospermia: 모든 정자가 움직이지 않을 때

globozoospermia: 정자 머리가 클 때

leukocytospermia: 백혈구가 많을 때

cryptozoospermia: 처음에 정자가 없다가 원심분리 후에 정자가 보일 경우

남성에서 호르몬검사는 비정상 정액검사, 발기부전, 성욕감퇴, 고환용적 감소, 여성유방증 등이 있는 경우에 시행한다. 혈중 FSH/testosterone을 측정하며 testosterone의 일중변동을 고려하여 아침 채혈을 권장한다. FSH의 증가는 대부분 고환에서 정자를 생산하는 기능에 장애가 있음을 의미한다. 그러나 정상 FSH 치가 고환의 정자생산기능이 정상임을 꼭 의미하는 것은 아니다. Testosterone 치가 낮은 경우에는 재검하며 이때는 LH/prolactin도 같이 측정한다.

LH/FSH 치가 모두 낮으면 저성선자극호르몬성 성선저하증이며 LH/FSH 치가 모두 높으면 고환부전(testicular failure)이다. 그러나 고환의 Leydig 세포는 생식세포에 비하여 손상에 대한 저항력이 높기 때문으로 정자를 생산하는 기능이 거의 소실되더라도 흔히 정상 LH/testosterone 치를 보인다.

비폐쇄성무정자증은 고환생검으로 확진 가능하며 염색체검사, Y 염색체 미세결실 검사를 시행하여야 한다. 정액검사에서 이상이 있는 남성에서 가끔 고환암 등이 발견되기도 하므로 주의를 요한다.

최근에는 정액검사에서 이상이 있는 경우 반드시 비뇨기과의에 의한 전문 진찰을 권하는 추세이다. 정확한 진단을 내리고 각 질환별로 적절한 치료를 하는 것이 난임부부를 위해서 바람직하다.

- 약물 치료 대상: 사정장애, 역행성사정, 시상하부-뇌하수체 부전, 고프로락틴혈증, 염증(요도염, 전립선염, 고환염, 부고환염), 항정자항체

- 수술적 교정 대상: 정계정맥류, 정류고환, 폐쇄성무정자증
- 보조생식술: 약물치료 실패, 수술적 교정이 실패하거나 불가능할 경우, 선천성정관무형성증

무정자증에서는 수술적으로 부고환/고환정자를 찾아내어 수정법으로서 intracytoplasmic sperm injection (ICSI)를 적용한다. 수술적 정자채취법은 요새 와서 개념이 많이 바뀌었다.

즉 과거에는 폐쇄성무정자증에서는 부고환정자흡인술(percutaneous epididymal sperm aspiration, PESA) → 고환조직정자흡인술(testicular sperm aspiration, TESA) → 고환조직정자추출(testicular sperm extraction, TESE) 순으로, 비폐쇄성무정자증인 경우에는 TESA → TESE 순으로 진행하였으며 일부 산부인과의에 의하여 직접 시행되기도 하였다. 미세수술적 부고환정자흡입술(microsurgical epididymal sperm aspiration, MESA)와 미세수술적 고환조직정자추출(micro-TESE)는 비뇨기과의에 의하여 시행되었다.

PESA, TESA에서는 국소마취 하에 21게이지 나비바늘과 5 cc 시린지로 각각 부고환, 고환을 찔러 흡인하며, TESE에서는 진정마취 하에 고환에 약 2 cm 정도를 절개를 하고 고환조직 일부를 채취하였다. 그러나 체외수정술을 여러 번 하게 되면 상기 시술 또한 매번 해야 하는 번거로움이 있었으며 부고환이나 고환을 니들로 자주 찌르거나 고환을 자주 절개/봉합하는 행위가 조직에 더 손상과 유착을 초래하며 향후 비뇨기과적 수술을 어렵게 한다는 우려가 제기되었다. 또한 비폐쇄성무정자증에서 micro-TESE가 가장 성적이 좋음이 알려져 현재는 비뇨기과의에 의하여 수술장에서 micro-TESE를 시행하고 가능한 많은 정자를 얻어 일괄 동결해 놓고 체외수정술을 시작한다. 즉, 요즘에는 부고환정자는 추출하지 않으며, 수술불가/수술실패인 폐쇄성무정자증에서는 TESE를 우선 시도하고 비폐쇄성무정자증에서 micro-TESE를 우선 시도한다.

약물치료로 교정되지 않는 사정장애/발기장애, 당일 사정정액에서 운동성 정자가 없는 경우에도 TESE를 우선 시도한다. TESA는 수술불가/수

술실패인 폐쇄성무정자증에서 TESE가 실패한 경우에 한하여 시도해볼 수 있다.

전통적인 정액검사 지표가 체외수정술의 예후를 잘 반영하지 못하기 때문에 정자 기능을 대변하는 새로운 검사법이 대두되었다. 이에는 DNA fragmentation, hyaluronic acid binding assay (HBA) 등이 있다. 정자 DNA fragmentation 검사는 DNA fragmentation을 직접 확인하는 직접법과 염색질(chromatin)의 건전성을 확인하는 간접법으로 나뉘며 각각의 검사법은 다음과 같다.

- 직접법: TUNEL, Comet assay, oxidative DNA 측정
- 간접법: sperm chromatin dispersion (SCD)(Halosperm kit 이용), sperm chromatin structure assay (SCSA)

정자에서 DNA fragmentation이 높으면 수정률/배아질/임신율이 감소하고 유산율이 증가한다는 의견이 있으나 아직 확정적인 것은 아니며 정상치에 대해서도 의견이 분분하여 아직 실험적인 검사법이다. TUNEL 염색은 저렴하기는 하나 염색 과정에 전문성을 요하며 판독 시 형광현미경이 필요하다. 이에 반해 Halosperm kit를 이용한 SCD 검사는 고가이기는 하지만 염색이 용이하고 광학현미경으로 쉽게 판독 가능하다.

난자 주위의 난구세포에는 hyaluronic acid가 다량 존재하는데 정자가 수정을 하려면 hyaluronic acid 수용체가 있어야 하고 또한 hyaluronic acid에 부착해야 한다고 한다. 이 개념을 이용하여 dish 안에서 hyaluronic acid에 부착하는 정자의 정도를 퍼센트로 표시한 것이 HBA이다. 그러나 hyaluronic acid에 부착하는 정자가 높은 수정능을 가지는 양질의 정자라는 것에 대해서는 좀 더 연구가 필요하다.

4

난소기능 저하

Tal 등이 제시한 indications for ovarian reserve testing은 다음과 같다(Am J Obstet Gynecol 2017;217:129).

- women undergoing infertility evaluation/treatment
- individualization of ovarian stimulation protocol and dosing
- history of premature ovarian failure (insufficiency) or early menopause
- polycystic ovary syndrome
- women considering elective freezing
- oocyte donors
- fertility preservation before and after gonadotoxic treatment
- preoperative prior to ovarian surgery in reproductive-aged women
- diagnosis and recurrence surveillance for granulosa cell tumors
- perimenopause
- women with BRCA-1 or FMR1 premutation

난소기능은 혈중 FSH 또는 AMH 측정으로 가늠하며 초음파로 잰 AFC로도 파악할 수 있다. 혈중 FSH는 월경 3일째 내며, AFC는 초기 난포기에 관찰하고, 혈중 AMH는 월경과 무관하게 검사한다. 일반적으로 저난소반응군을 예측하는 신뢰도는 AMH > AFC > FSH 순이다.

난임 급여화 초기에 혈중 AMH는 여전히 D-code이었으나 2019년 12월부터는 난임이면 연 1회 급여가 되었다. 혈중 AMH의 급여 기준은 다음과 같다.

Box

- 난임이면 연 1회 급여
- 난임은 아니지만 난소 기능 변화로 임신에 영향을 줄 수 있는 난소수술 전후, 항암제 및 방사선 치료 전후, 난소과자극에 대한 난소 반응이 감소한 경우에는 연 2회 인정

단, 인정비급여가 아니므로 상기 외의 경우에는 [S]이다. 예를 들어 단순히 폐경이 언제인지를 알아보려는 목적, 난임이 아닌 미혼 PCOS 여성에서 검사, 수술 안한 자궁내막종 추적 시 검사는 [S]이다.

여성의 연령도 난소기능을 가늠하는데 중요한 인자이며 보통 AMH/AFC/FSH의 난소기능 마커는 난자수를, 연령은 난자의 질과 임신능을 가늠하는 지표로 삼는다.

간혹 기초호르몬 검사의 일환으로 월경3일째 LH/FSH/estradiol을 같이 내는 경우가 있는데 이 3가지 호르몬 중 난소기능을 반영하는 유일한 검사는 혈중 FSH 뿐이다. 따라서 난소기능을 보고자 할 때 LH/estradiol은 내지 않도록 한다.

다만 체외수정술 시 장기요법을 사용할 때 뇌하수체 억제가 적절히 되었는지를 확인하기 위하여 월경3일째 LH/FSH/estradiol을 같이 내는 경우가 있을 수는 있다. 즉 LH <1.0 mIU/mL, FSH <1.0 mIU/mL, estradiol <10 pg/mL로 나오면 뇌하수체 억제가 적절히 되었다고 간주한다.

생식내분비분야 및 난임 환자에서 혈중 LH 측정이 필요한 경우는 다음과 같이 정리할 수 있다.

Box

- 무월경 환자에서 성선자극호르몬 상태 확인
- PCOS 여성
- 중기황체기 장기요법 시 뇌하수체 억제 확인
- 과배란유도 주기 중 premature surge 확인
- 과배란유도 주기 중 low LH 상태를 확인하여 'LH add-back'을 하려는 목적

간혹 난소기능 검사로 혈중 FSH와 AMH를 같이 재는 경우도 있는데 굳이 그럴 필요는 없다고 본다. 혈중 FSH와 AMH를 같이 재는 경우에는 둘 사이에 mismatch가 발생할 수 있다. 혈중 FSH가 정상인데 혈중 AMH가 낮다면 이는 저난소반응군일 가능성이 높다고 간주되며, 혈중 AMH는 정상인데 혈중 FSH가 비정상이라면 이는 전자의 경우보다는 예후가 좋을 것으로 판단된다. 즉, 혈중 AMH를 좀 더 신뢰한다. 혈중 AMH 값이 극히 낮은 경우 과배란유도를 할지를 판단하기 위하여 혈중 FSH를 내볼 수는 있다. 즉 혈중 AMH 값이 아주 낮은데 혈중 FSH가 정상이라면 과배란유도를 시도해 볼 수 있다.

한국인 여성의 연령에 따른 혈중 AMH 메디안치는 다음 표 08과 같다. 그간 혈중 AMH 측정법은 몇 단계 변화를 거쳤는데 IOT 방법은 2008년 11월부터 2012년 8월까지, original Gen II는 2012년 9월부터 2013년 7월까지, revised Gen II는 2013년 6월부터 2016년 7월까지 사용된 방법이다.

표 08에서 연령별 AMH 메디안치는 초기 IOT에 비하여 revised Gen II에서 약간 더 높게 나타난다(Acta Obstet Gynecol Scand 2012;91:970, J Korean Med Sci 2017;32:825).

표 08. 한국인 여성의 연령에 따른 혈중 AMH 메디안치

age	IOT	revised Gen II	age	IOT	revised Gen II
25	5.48	6.00	38	2.07	2.50
26	6.43	5.83	39	1.78	1.95
27	5.83	6.20	40	1.58	1.71
28	5.44	5.89	41	1.21	1.21
29	5.07	5.51	42	0.92	0.87
30	4.57	5.11	43	0.73	0.72
31	4.52	4.75	44	0.74	0.64
32	4.17	4.40	45	0.52	0.61
33	3.75	4.17	46	0.48	
34	3.51	3.76	47	0.48	
35	3.07	3.56	48	0.31	
36	2.55	3.09	49	0.20	
37	2.31	2.63	50	0.21	

2016년 8월부터는 자동화기기(삼광사 Access, 로슈사 Elecsys)가 도입되어 사용 중인데 삼광사 측 자료에 의하면 Access 기기로 동일샘플에서 비교 측정한 결과 자동화기기 값이 기존의 revised Gen II 값의 82%-88% 정도이므로 현재의 자동화기기 값은 이전의 IOT 방법으로 잰 수치와 비슷해졌다고 한다. 아직 자동화기기 값으로 측정한 연령별 메디안 치가 없지만 IOT 값에 준해서 상담하면 될 것으로 보인다. 같은 환자에서 측정한 연구에 의하면 삼광 Access가 로슈사 Elecsys 보다는 약간 높게 나온다고 하며(Ann Lab Med 2022;42:47) 필자의 경험도 그러하다.

간혹 청소년기 학생이나 젊은 여성이 혈중 AMH가 매우 낮다고 외래로 상담을 오는 경우가 있다. 대개 혈중 AMH는 여성에서 사춘기 무렵부터 증가하여 25세경에 피크를 보이고 그 이후에 서서히 감소한다. 24세 이하 여성에서는 연령에 따른 메디안 치가 확립이 안 되어 있고 청소년기 때는 그

수치가 낮을 수도 있으므로 상담에 신중을 기해야 한다. 시간을 두고 재검을 하여 상승 추세를 확인하는 것도 좋은 방법이다. 만일 여전히 낮다면 조기난소부전의 전조 징후일 수도 있으므로 염색체 검사를 권해본다.

보통 저난소반응군은 혈중 FSH >10-15 mIU/mL, AMH <0.5-1.1 ng/mL, AFC <5-7이 기준이며, 고난소반응군은 AMH >3.5 ng/mL, AFC >10이 기준이다.

현 급여 체계 하에서 체외수정술의 대상이 되는 난소기능 저하의 정의는

① AFC ≤6, AMH ≤1.0 ng/mL, FSH ≥12 mIU/mL,

② 저난소반응 고위험군,

③ 저난소반응 경험자 3가지 중 2개 이상에 해당하는 경우이다.

저난소반응 경험자는 과배란유도제(FSH 150 IU/d 이상)를 사용함에도 불구하고 3개 이하의 난자가 채취되는 경우이다.

혈중 AMH로 폐경 연령을 예측하기도 한다(J Clin Endocrinol Metab 2013;98:1946). 예를 들어 40세 여성이 혈중 AMH 0.1 ng/mL이라면 예상되는 폐경 연령은 45세경이다. 이외 혈중 AMH로 난소 수술 전후, 항암치료 전후로 난소기능 변화를 보기도 한다.

5 자궁요인

임신 시도 여성에서 자궁내막용종 제거에 대하여 저자가 직접 쓴 종설에 의하면 다음과 같이 정리할 수 있다(Clin Exp Reprod Med 2021;48:198).

- 비록 근거 정도는 낮지만 원인불명의 난임에서 자연임신을 위해서는 제거하는 것이 좋다.
- 연구가 많지는 않지만 인공수정술 시에는 제거하는 것이 이롭다.
- 체외수정술을 하려는 경우에 제거하는 것은 이득이 없다(과배란유도 중에 발견된 경우 포함).
- 반복착상실패군에서는 시행하는 것이 좋다.

단, 위 사항은 대개 1.5 cm 이하의 자궁내막용종의 경우에 한한다. 1.5 cm 이상일 때는 월경이상이 올 가능성이 높고 악성 가능성을 고려하여 대부분 제거를 권한다. 간혹 1.0 cm 이하의 소용종은 자연 소실되는 경우도 있다.

자궁강을 차지하는 크기가 비교적 큰 점막하자궁근종은 배아의 착상을 방해하여 난임을 유발할 수 있고 월경과다, 유산의 원인이 될 수 있으므로 제거를 하는 것이 좋다. 근층근종이 난임을 유발하는가에 대해서는 의견이 분분하지만 자궁내막을 휘게 만드는 4 cm 이상의 근층근종은 월경과다, 난임 및 유산의 요인이 될 수 있어 근종제거술을 고려하여야 한다.

자궁선근증에 대해서는 다음 장에서 따로 자세히 다룬다.

자궁내막유착증(intrauterine adhesion, IUA)은 자궁내막 조직의 반흔으로 인하여 배아가 착상될 정상 자궁내막이 감소하므로 월경혈 감소와 난임의 원인이 될 수 있다. 자궁경을 이용한 유착박리술(hysteroscopic adhesiolysis)을 시도해 볼 수 있는데 중증유착인 경우 수술도 어렵고 예후가 불량하다.

자궁-질 기형 중에 obstruction type은 명확히 난임을 유발하겠지만 대개는 월경유출이 안되어 사전에 치료가 이루어지므로 난임의 요인으로는 작용하지 못한다. 그러나 매우 드물게 가로질격막에 미세한 구멍이 있어 월경은 정상적으로 하지만 정액은 잘 들어가지 못하여 난임이 되는 수가 있다. 이 경우 자궁경으로 가로질격막을 제거하고 자연임신을 시도해 본다.

또한 드물게 중복자궁과 세로질격막을 가지는 환자에서 비교적 크기가 정상인 우성 질(dominant vagina)은 크기가 작은 비우성자궁(non-dominant uterus)과 연결되고 크기가 작은 비우성 질은 우성자궁으로 연결되어 있는 경우가 있다. 이 경우 부부관계를 우성 질 쪽으로만 하게 되어 비우성자궁에 배아의 착상이 잘 안되어 난임의 요인이 될 수 있다. 이 경우 자궁경으로 세로질격막을 제거하고 자연임신을 시도해 본다.

쌍각자궁이나 격막자궁은 난임의 요인은 아니나 유산과 조산의 원인이 될 수 있다. 자궁 기형 중 격막자궁이 비교적 흔한데 임신을 하려는 여성에서 격막자궁이 발견되면 임신 예후를 좋게 하기 위하여 자궁경을 이용한 격막절제술을 우선 하는 것이 좋다. 그러나 격막자궁에서 hysteroscopic septum resection이 관찰에 비하여 생아출생율에서 이롭지 않다는 보고가 있으므로 잘 생각해서 결정한다(제2장 자궁기형 참조).

비정형 자궁내막증식증이나 초기 자궁내막암은 원래 자궁적출을 하여야 하나 애기를 갖기 원하면 고용량 프로게스틴 치료를 하고 이후 빠른 임신을 위하여 체외수정술을 할 수 있다. 상당수는 배란장애를 갖는 환자라 고반응군에 해당하며 전체적으로 보면 체외수정술 후 임신율은 평균적이지만 일부는 내막이 얇거나 좋지 않아 양질의 배아를 이식하여도 임신이 되지 않는다는 문제가 있다. 자궁내막암의 보존적 약물치료 후 임신을 위하여 과배란유도를 하고 혈중 estrogen을 올리는 것이 안전한지, 즉 재발을 증가시키지는 않는지는 아직 불분명하다. 아직 의견이 분분하므로 close follow-up이 필요하다(Clin Exp Reprod Med 2020;47:237).

6

자궁내막증

자궁내막증은 난임 여성에서 빈도가 약간 높고 수술 후 자연임신도 잘 되므로 어느 정도 난임에 기여한다고는 생각하지만 수술을 하지 않더라도 자연임신이 잘되는 편이므로 절대적인 난임의 원인으로는 간주되지 않으며 가임력 저하(subfertile condition)를 유발하는 정도로 이해하면 된다. 그러나 stage III-IV에서는 난소기능저하, 골반유착, 난관유착을 초래하여 난임의 원인으로 작용할 수 있다.

자궁내막증이 난임을 유발하는 기전으로는 골반/난관 유착으로 인한 난자 배출/포획/이동 방해, 복강내 여러 사이토카인의 증가, 면역학적 장애, 자궁내막의 착상력 감소, 난자/배아질 감소 등이 제시되었다.

난임 환자에서 자궁내막증 수술 후 3년간의 자연임신율은 50%에 달하므로 난소기능만 잘 보존된다면 수술이 가임력을 향상시키는 것으로 이해된다. 보통은 자연임신 시도 후 1년이 경과하여도 임신이 되지 않으면 적극적인 치료를 권한다.

대개 stage I-II에서는 과배란유도제 +/- 인공수정술을 우선적으로 권한다.

체외수정술은 stage III-IV, 35세 이상의 여성, 난임 기간이 길거나 다른 난임 요인이 공존하는 경우, 자궁내막종이 재발한 경우, 인공수정술 3-4회

후에도 비임신일 때 권한다.

현 급여체계에서 자궁내막증 단독요인으로 인공수정술의 대상자는 수술한 경우 6개월 이상 비임신, 수술 안 한 경우 1년 이상 비임신이며, 체외수정술의 대상자는 중증인 경우이다.

자궁내막종이 있는 난임 여성에서 체외수정술 전에 수술을 할 것인지 안 할 것인지가 논란이 된 적이 있으며 일부 연구에서는 체외수정술 전에 수술을 하는 것이 체외수정술의 임신율을 감소시키지 않으나 다만 채취 난자 수는 다소 감소할 수 있다고 하였다.

상기 논란에 대하여 Garcia-Velasco는 임신까지의 기간을 줄이고 수술에 따른 부작용을 피하기 위해 체외수정술을 먼저 추천하고 다만 크기가 크거나 약물치료에 무반응인 통증, 악성 의심의 3가지 경우에만 수술을 고려하자는 의견을 내었다(Hum Reprod 2009;24:496). 그러나 동시에 이전 수술병력, 난소기능, 낭종의 성장 속도, bilaterality 등을 고려해야 한다고 하였다.

상기 의견들에 의하면 체외수정술을 할 예정이면 굳이 수술을 할 필요는 없다는 것인데 실제 많은 임상의들이 난임 여성에서 자궁내막종이 있는 경우 수술을 먼저 권한다. 수술을 하고 통증이 경감된 상태에서 자연임신을 선호하는 환자가 있을 수 있으며, 자궁내막종이 있는 상태에서 과배란유도를 하면 자궁내막종이 커질 수 있고, 난포 성장에 방해가 될 수 있으며, 난자채취가 어려울 수도 있음을 감안해야 한다. 일반적으로 반복되는 과배란유도가 자궁내막증의 재발을 높이지는 않는 것으로 이해하고 있다(Reprod Biomed Online 2019;38:185). 그러나 해당 과배란유도 주기에서 자궁내막종의 크기는 약간 커질 수는 있으며 대개는 시간이 지나면 환원된다.

자궁내막증으로 수술한 환자에서 체외수정술의 임신율이 원인불명의 난임보다 감소해 있다는 보고가 2002년에 있었다(Fertil Steril 2002;77:1148). 난포액 안에 사이토카인 등이 증가하여 난자질 저하를 초래하고 자궁내막증 환자의 자궁내막에 착상 관여 인자들이 감소해 있다는 기전들이 제시되기도 했지만 현재는 난자만 잘 나오면 체외수정술 후 임신에는 악영향을 주지 않는다는 견해가 우세하다. 즉 자궁내막증 환자에서 체외수정술의 예후에는 난자수가 관건인 것으로 이해하고 있으며 따라서 수술시에는 난소기능을 보존하도록 노력하여야 한다. 국내 보고에 의하면 같은 난소기능 저하 환자(AMH <1.1 ng/mL 또는 AFC ≤6)라도 원인불명의 난소기능 저하보다 자궁내막종으로 수술받은 후 난소기능이 저하된 경우가 예후가 더 안 좋았다(Obstet Gynecol Sci 2017;60:63). 자궁내막증 환자에서 체외수정술을 위한 특이한 과배란유도 방법은 없으나 stage III-IV에서 체외수정술 전에 GnRH agonist를 2-3개월 투여하는 것이 이롭다는 의견이 있다. 그러나 2022년 에쉬레 가이드라인에서는 GnRH agonist 장기 투여의 이득은 불분명하다고 하였다. 자궁내막증 환자가 임신하면 조산 1.2배 증가, 자간전증 1.1배 증가, 태반문제 1.7배 증가, 제왕절개분만 1.4배 증가하여 산과적 예후가 좋지 않을 수도 있음이 보고되기도 하였다(Hum Reprod 2009;24:2341).

7 원인불명

배란이 잘 되면서 자궁난관조영술에서 난관과 자궁내막에 이상이 없고, 정액검사가 정상이며, 난소기능도 정상, 더불어 자궁내막종이 없으면 원인불명의 난임으로 진단한다.

원인불명 난임의 기전은 아직 우리가 잘 이해하고 있지 못하다. 제시되는 가설들로는 난포 기능 저하, 뇌하수체-난소축의 이상, 황체기 장애, 난포발달(folliculogenesis)의 장애, 난자성숙 장애, 난자 질 저하, 정자 질 저하, 난자와 정자의 상호작용 장애, 자궁 내막의 inflammation, progesterone 수용체나 integrin의 불충분한 발현, 자궁동맥이나 나선동맥(spiral artery)의 혈류 이상, 기타 면역학적 이상 등을 들 수 있다.

여성의 나이가 젊으면 배란 타이밍을 잡아 자연임신을 우선 더 시도해 볼 수 있다. 1년간 난임인데 원인불명인 경우 1년간 더 자연임신을 시도해 보면 약 절반에서 임신에 이른다고 알려졌다. 경구 배란유도제나 주사제 배란유도제를 통하여 timed coitus를 도모해 보는 것도 좋은 방법이며 안 되면 인공수정술을 해보고 마지막으로 체외수정술을 권한다. 인공수정술을 몇 회 시행하고 안 되면 체외수정술로 넘어가느냐에 관하여 과거부터 많은 논란이 있었으나 요새는 대개 인공수정술 3회 시행 후 안 되면 체외수정술로 넘어간다. 필자가 근무하는 병원의 경우 원인불명으로 3년 이상 난임 또는 인공수정술 3회 실패 후 체외수정술을 시행할 때는 수정법으로서 split insemination을 적용한다.

현 급여 체계에서는 자궁난관조영술과 정자검사가 정상이고 배란이 확인된 경우 원인불명의 난임으로 간주한다. 1년 이상 난임이면 인공수정술 대상이 되므로 - 단, 부인 연령 35세 이상인 경우는 6개월 이상 난임 - 일단 난임 환자라면 자유롭게 인공수정술을 급여로 시행할 수 있다. 체외수정술 대상은 3년 이상 난임이며 단 부인 연령 35세 이상인 경우는 1년 이상 난임이어도 급여 대상이 된다. 부가적으로 기타 난임치료(난관성형술, 배란유도, 인공수정술 등)로도 1년 이상 비임신이면 체외수정술의 대상이 된다.

이를 다시 부인의 연령으로 나누어 생각해보면 다음과 같다.

- 35세 이상의 부인인 경우: 6개월 이상 난임이면 인공수정술 가능, 1년 이상 난임이면 체외수정술 가능.
- 35세 미만의 부인인 경우: 1년 이상 난임이면 인공수정술 가능, 3년 이상 난임이면 체외수정술 가능.

현 급여 체계에서는 인공수정술을 몇 회 시행하고 안 되면 체외수정술로 넘어가느냐에 관하여 딱히 명시된 것이 없다.

35세 이상의 부인인 경우 1년 이상 난임이면 바로 체외수정술이 가능하므로 고민될 게 없다. 그러나 만일 35세 미만의 부인이 1년의 난임으로 왔는데 인공수정술을 몇 회 해보고 임신이 안 되어 체외수정술로 넘어가고 싶은 경우 꼭 3년이라는 기간을 충족시키기 위하여 2년을 더 기다려야 하는지가 문제가 된다. 이때는 체외수정술의 부가적 기준인 '배란유도 또는 인공수정술 시도 후 1년 이상 비임신' 조항을 적용하여 배란유도 또는 인공수정술을 1년간 시행해보고 안되면 체외수정술로 넘어갈 수 있다는 것이 현 급여 체계 기준이다. 즉 인공수정술의 횟수가 아니라 기간이 중요하다. 경증의 남성요인, 경증의 자궁내막증인 경우도 마찬가지로 '배란유도 또는 인공수정술 시도 후 1년 이상 비임신' 기준을 적용해야 한다.

8

배란장애 및 배란유도

배란유도(ovulation induction)는 배란장애가 있다고 판단되는 경우, WHO 분류 배란장애 II군, PCOS 환자, 배란이 잘 된다고 판단되는 원인불명의 경우라도 다수의 난포를 배란시켜 임신을 도모하려는 목적으로 흔히 이용된다.

WHO 분류에 의한 배란장애의 종류는 다음과 같다.

I군: 시상하부-뇌하수체 기능부전으로서 FSH/LH/estradiol 모두 저하 또는 스트레스, 급격한 체중감소, 과도한 운동, anorexia nervosa, 칼만증후군

II군: 시상하부-뇌하수체 기능이상으로서 FSH/LH/estradiol 모두 정상, 단 PCOS에서는 LH 상승 가능

III군: 난소부전으로서 FSH/LH 상승, estradiol 저하

배란유도의 대상이 되는 군은 I군과 II군이다. 배란장애가 있다고 판단되는 경우에는 여러 난임 검사를 하지 않고 배란유도를 먼저 시행할 수 있다.

I군에서는 FSH/LH 모두 감소하여 있으므로 반드시 FSH+LH 병합 제

제만으로 배란유도를 진행한다.

일반적으로 경구배란유도제는 II군에서 사용하며 반응이 좋지 않을 경우 과배란유도 주사제(FSH 단독 또는 FSH+LH 병합 제제)로 넘어간다.

클로미펜은 대표적인 경구배란유도제로 뇌하수체에서 estrogen antagonist 역할을 하므로 estrogen이 감소한 것처럼 인지되어 혈중 FSH가 상승하여 배란촉진 효과를 갖는다.

이차적 경구배란유도제인 레트로졸은 안드로겐을 estrogen으로 전환시키는 효소인 aromatase를 억제하는 aromatase inhibitor 제제로서 혈중 estrogen이 감소하므로 negative feedback으로 혈중 FSH가 상승한다. 모든 estrogen antagonist는 단기간 투여 시 배란유도 효과가 있다(예, 타목시펜).

클로미펜은 다수의 난포를 자라게 하나 레트로졸은 단일 난포를 자라게 한다고 하는데 이에 대한 설명은 다음과 같다. 클로미펜은 혈중 FSH 상승 → 난포성장 → 혈중 estradiol 상승 순인데 이때 클로미펜의 estrogen antagonist 효과 때문에 negative feedback이 걸리지 않아 혈중 FSH가 지속적으로 상승하면서 다수의 난포를 자라게 한다. 이에 반해 레트로졸은 혈중 estradiol이 상승하면서 negative feedback이 걸리기 때문에 혈중 FSH가 감소하여 다수의 난포가 성장하지 않는다.

클로미펜은 월경 3-5일부터 시작하여 5일간 투여하는데 보통 50 mg (1T) 또는 100 mg (2T)을 매일 투여한다. 사전에 꼭 초음파를 볼 필요는 없다고 하지만 간단히 복부초음파로 난소낭종 등이 없는지 확인하는 것이 좋다. 월경 3, 4, 5일째 시작하는 것은 효과가 동일하다고 알려졌다. 간혹 150 mg을 사용하는 경우도 있지만 이는 미FDA 허가 사항이 아니다. 필자가 있는 병원에서는 150 mg 처방 시 기준량 100 mg를 초과하였다고 사유를 입력하라는 창이 뜬다. 처음에 50 mg으로 해보고 배란이 안 되거나 임신이 안 되면 다음 주기에 100 mg으로 순차적으로 용량을 올린다. 클로미펜 투여 기간을 늘리는 방법은 잘 사용되지 않는다. 간혹 처음부터 50 mg이 아닌 100 mg으로 시작하는 임상의도 있는데 드물게 난포가 과도하게 자라는 경우가 있으므로 주의를 요한다. 구역, 구토, 시야혼탁(blurred vision), 암

점(scotomata) 등의 부작용이 있을 수 있다고는 하나 매우 드물다. Estrogen antagonist 영향으로 자궁내막이 발달하지 않을 수 있으며 자궁경부점액도 안 좋아질 수 있다. 클로미펜을 월경 5일째부터 9일째까지 5일간 투여하고 부부관계는 마지막 투여일로부터 1주 후(즉, 월경16일)에 하도록 권한다. 난포감시나 트리거링을 위해서는 마지막 투여일로부터 5일 후(즉, 월경14일)에 방문케 한다.

우성난포가 20-25 mm에 도달하면 urine LH test를 해보고 양성이면 다음날 부부관계를 권하고 음성이면 트리거링 제제를 투여하고 2일 후 부부관계를 권한다. 보통 배란이 되기 전에 부부관계를 하는 것이 좋다고 알려졌으나 오히려 부부관계 시점을 엄격히 잡아주는 것이 심리적인 스트레스로 작용할 수 있다. 일반적으로 난자의 수정가능 시기는 배란 후 12-24시간인데 한편으로 정자는 여성의 몸 안에서 2-3일 동안 수정가능하다고 하므로 자연관계에서는 꼭 부부관계 시간을 엄격히 따질 필요는 없다. 대개는 부부관계 날짜만 정해주고 시간은 알아서 정하라고 하는 편이 낫다. 자연주기 또는 배란유도제를 사용하는 주기에서 배란타이밍을 잡을 때 urine LH test, 일명 배란테스트기는 자주 사용된다. LH surge는 보통 이른 새벽이나 아침에 일어나므로 배란테스트기는 보통 오후에 해본다. 필자는 오후 4시에 해보는 것을 권한다. 환자에게 직접 예상배란일 전에 3일 정도 해보도록 하여 만일 양성이 나오면 그날 또는 다음날 부부관계를 권한다. 한번 양성이면 그 다음날에는 할 필요 없다고 얘기해준다.

레트로졸은 유방암 치료제라 배란유도에 사용하려면 D-code로 내야 했지만 난임급여화 이후 자연관계, 무배란증, 보조생식술에 이용 시 2 T (5 mg)까지 급여가 된다. 문헌상으로는 3 T (7.5 mg)까지 사용 가능하다. 클로미펜처럼 월경 3-5일부터 5일간 투여한다. 레트로졸은 클로미펜과 배란율이 비슷하며 자궁내막에 대한 부정적 영향도 없으므로 일부 가이드라인에서는 일차적 배란유도제로 권고되기도 하지만 아직까지 우리나라는 이차적 경구배란유도제이며 클로미펜 사용 시 배란이 안되거나 자궁내막이 얇거나 자궁경부점액이 좋지 않은 경우에 한하여 대체제로 사용한다.

메트포민은 PCOS 환자에게 투여 시 일부는 배란이 재개되면서 월경이 정상화되며 자연임신까지 기대해 볼 수 있다(제1장 무월경 부분 참조). 만일 메트포민만으로 배란을 유도한다면 일단 매달 월경을 하는지 보면서 자주 초음파검사나 urine LH test로 배란일을 체크해야 하는 번거로움이 있다. 사용 기간에 대해서도 의견이 분분하다. 따라서 메트포민은 아직까지 PCOS 난임 환자에서 일차적인 배란유도제로는 간주되지 않는다. 단 PCOS 환자에서 클로미펜 사용 시 메트포민을 병용하면 배란율과 임신율에 유리하며 특히 클로미펜-저항성인 경우 병용하면 배란율을 증진시킬 수 있다고 하므로 고려해볼만 하다. 참고로 체외수정술을 하는 PCOS 환자에서는 메트포민 병용이 난소과자극증후군(ovarian hyperstimulation syndrome, OHSS)을 낮추는 것 외에 임신율에는 이득이 없다고 알려졌다. 즉, 메트포민은 PCOS 환자에서 일차적인 경구배란유도제로는 사용하지 않으며 ①일차적 경구배란유도제인 클로미펜으로 배란이 안 될 때 병용하고 ② 과배란유도주사제 사용 시 OHSS 예방 목적으로 병용한다. 난임 환자에서는 무배란증(N970), PCOS (E282) 진단명 하에 메트포민이 급여이다.

혈중 AMH가 높으면 클로미펜 사용 시 배란실패율이 높다고 하므로 이때는 클로미펜을 처음부터 고용량으로 사용하든지 메트포민을 병합하거나 과배란유도 주사제로 사용하는 편이 낫다. 기전상 레트로졸은 권고되지 않는다. 난임인 PCOS 환자에서 전략은 단계적으로 접근해야 하며 우선적으로 ① 경구 배란유도제를 이용해보고 임신이 안 되면 ② 주사 과배란유도제로 넘어가며 그래도 임신이 안 되면 ③ 체외수정술을 하는 것이다. 경구배란유도제로 클로미펜을 우선 사용하는데 배란이 안되면 메트포민을 병용해 볼 수 있고 배란이 안 되거나 자궁내막이 얇거나 자궁경부점액이 좋지 않은 경우에는 레트로졸을 사용해본다.

한편 난임인 PCOS 환자에서 일차 제제로서 레트로졸 대 클로미펜의 효용성에 대한 보고는 많으며 최근에는 일차 제제로서 오히려 레트로졸이 더 우수하다는 보고가 많다. 이들 보고를 종합한 메타분석에서는 레트로졸이 생아출생율 1.43배(95%CI 1.17-1.75), 임신율 1.45배(95%CI 1.23-1.70), time-to-pregnancy 감소 1.72배(95%CI 1.38-2.15)로 클로미펜보다 더 우수하다고 하였다(Hum Reprod Update 2019;25:717).

한편 클로미펜+메트포민 대 클로미펜 비교에서는 생아출생율 1.08배(95%CI 0.87-1.35), 임신율 1.18배(95%CI 1.00-1.39), time-to-pregnancy 감소 1.25배(95%CI 1.00-1.57)로 클로미펜+메트포민이 클로미펜보다 아주 우수하다고는 볼 수 없다는 결과가 나왔다. 흥미롭게도 이 메타분석에서는 baseline serum total testosterone 치가 높을수록 레트로졸의 효과가 더 크고, baseline insulin level이 더 높을수록 클로미펜+메트포민의 효과가 더 크게 나타났는데 이러한 소견은 환자 진료 시 참고할 만하다.

주사 과배란유도제 사용 시에는 저용량을 투여하여 1-2개의 난포만 자라게 하는 방법들이 소개되어 있다.

- Step-up: FSH 75 IU로 1주간 투여하고 난포가 자라지 않으면 1주마다 75 IU씩 증량하는 방법
- Low dose step-up: FSH 75 IU로 1주간 투여하고 난포가 자라지 않으면 1주마다 37.5 IU씩 증량하는 방법
- Step-down: FSH 150 IU로 투여하다가 난포가 자라면 37.5 IU씩 감량하는 방법

그러나 이러한 방법들은 투여 기간이 길어져 환자나 의사 모두에게 피곤한 방법이다. 혹자는 150 IU, 75 IU를 번갈아 사용하기도 하는데 환자가 투약 스케쥴을 잊어버리기 쉽다. 아예 FSH 150 IU로 매일 투여하여 다수의 난포를 자라게 하고 트리거링을 이른 시기에 하는 것이 더 편리할 수도 있다. 그러나 이 경우 다수의 난포가 자라는 관계로 인공수정술을 하면 OHSS나 다태임신의 위험이 증가한다. 경구 배란유도제 + 저용량의 주사 과배란유도제로 mild stimulation을 하여 인공수정술을 할 수도 있으나 이 역시 뒤늦게 다수의 난포가 배란되는 수가 있어 OHSS나 다태임신의 위험성이 있다. 따라서 주사 과배란유도제 후 다수의 난포가 자란다면 주기를

아예 취소하든지 아니면 체외수정술로 전환하여 다수의 배아를 획득하여 동결해 놓고 여러 주기에 걸쳐 1-2개의 배아만을 이식해주는 것도 좋은 방법이다.

9

인공수정술

인공수정술은 대부분 원인불명의 난임에서 일차적으로 시행하고 이외 경미한 남성요인, 경미한 자궁내막증, 자궁경부요인 등에서 시행한다. 최소 일측 난관은 정상이어야 하고 자궁내막 상태는 좋아야 한다. 드물게 역사정 남성, 항정자항체가 있는 경우, 동결된 정자, 공여된 정자에서 인공수정술을 이용할 수 있고, HIV 전파 예방 목적으로도 시행한다.

인공수정술이 임신율을 올린다는 이론적 배경은 ① 정자처리를 통하여 정자의 운동성을 증진시킨다는 점, ② 정확한 배란 타이밍을 잡아서 시행한다는 점, ③ 매달 배란되는 것만으로는 임신이 안 되므로 과배란유도를 통하여 다수의 난자를 배란시킨다는 점 등이 거론된다. 인공수정술은 자연배란 주기에서 시행할 수도 있지만 과배란유도를 하는 것이 확실히 임신율을 증진시킨다. 또한 성숙난포 개수가 증가할수록 임신율은 정비례하여 상승한다고 알려져 있다. 그러나 성숙난포 3개와 4개는 임신율에 차이가 없으므로 대개는 성숙난포 3개까지 성장시키는 것이 인공수정술을 위한 과배란유도의 목표이다. 이를 위하여 경구 배란유도제 단독 또는 mild stimulation (경구 배란유도제 + 간헐적 과배란유도 주사제 또는 저용량 과배란유도 주사제 단독)이 흔히 애용된다.

경미한 남성요인인 경우에는 꼭 과배란유도를 할 필요는 없으며 자연배란 주기에서 우선적으로 시도해 보아도 된다. 보통 인공수정술은 총운동성정자수가 10 million 이상일 때 시행하며 이보다 낮을 때는 체외수정술을 고려한다. 정자의 숫자와 운동성이 정상이면서 strict criteria에 의한 정상형태 정자가 4% 미만으로 낮은 경우를 isolated teratozoospermia로 칭하며 체외수정술을 권하는 경우도 있으나 최근에는 인공수정술을 해도 충분한 임신율을 얻을 수 있다고 알려졌다.

35세 이하 여성에서 클로미펜을 사용한 인공수정술 1,194주기를 분석한 보고에 따르면 정상형태정자율 ≥4%, 3%, 2%, 1%일 때 임신율은 15.6%, 16.1%, 18.1%, 13.1%로 비슷하였다(Gynecol Endocrinol 2018;34:742). 또한 총운동성정자수가 20 million 이상일 때 임신율은 17.8%인 반면 20 million 미만일 때 임신율은 4.6%로 유의하게 낮았다. 한편 임신이 되기 위한 총운동성정자수의 threshold는 optimal response (성숙난포 2개 이상, 내막 ≥7 mm)의 경우에는 10 million이지만 suboptimal response (성숙난포 1개, 내막 <7 mm)의 경우에는 40 million이었다.

한 대규모 후향적 연구에 의하면 '처리 후 총운동성정자수'가 9 million 이상이면 주기당 임신율은 16.7% 인데 일단 9 million 이상이면 정자수가 임신율에 요인은 아니며 9 million 미만에서는 정자수가 감소함에 따라 주기당 임신율은 직선적으로 감소하여 임신율에 의미있는 변수로 작용한다고 하였다(Fertil Steril 2021;115:1454). 0.25 million 미만에서도 주기당 임신율은 4.1%였다.

통상적인 인공수정술의 과정은 과배란유도 후 가장 큰(leading) 난포가 19 mm에 도달하면 urinary 또는 recombinant hCG를 5 pm에 주사하여 트리거링을 하고 2일 후 9 am에 인공수정술을 한다. 즉 트리거링부터 자궁내 정액 주입까지 40시간의 간격을 유지한다. 그러나 이 간격은 비교적 자유롭게 조절 가능하다(36시간-42시간). 비록 배란이 되고 뒤늦게 정자가 들어가더라도 충분히 임신은 가능하며 오히려 배란이 된 후 정자를 주입하는 것이 더 좋다는 주장도 있다. 보통 질초음파로 난포가 collapsed 되었거나 fluid collection이 있으면 배란이 되었다고 간주한다.

인공수정술에서는 뇌하수체 억제제는 잘 사용하지 않으며 urine LH test도 반드시 필수는 아니다(Hum Reprod Update 2009;15:265). Urine LH test가 음성이든 양성이든 트리거링 후 인공수정술을 시행하는 것은 마찬가지이다. Urine LH test가 양성이면 트리거링 후 인공수정술을 40시간보다 당겨서 시행하는 수도 있으나 꼭 그럴 필요는 없다.

정자 준비 방법에는 swim up과 density gradient centrifugation이 있다. 보통 정상 정자인 경우는 swim up이 선호되고 비정상 정자인 경우에는 density gradient centrifugation이 선호된다. 필자가 있는 병원에서 사용하는 gradient media는 PureCeption®으로 체외수정술에서도 동일하게 사용한다. 이를 이용한 density gradient centrifugation 방법은 다음과 같다.

① semen + 3 mL Ham's F-10 media 혼합 후 centrifugation (300 x g for 5 min)

② pellet을 3 mL Ham's F-10 media에 풀고 15 mL conical tube에 lower phase gradient media 1 mL, upper phase gradient media 1 mL, semen을 순차적으로 로딩하고 centrifugation (300 x g for 5 min)

③ pellet을 4 mL Ham's F-10 media에 풀고 centrifugation (300 x g for 5 min)

④ final pellet을 3 mL Ham's F-10 media with 10% SPS에 잘 풀고 100-300 μL 정도를 취해서 인공수정용 카테타에 로딩

Gradient media는 여러 가지가 시판되고 있으며 PureCeption® (40%/80%), PureSperm® (40%/80%), SpermGrad® (45%/90%) 등이 있다.

인공수정용 카테타는 soft type과 rigid type이 별 차이가 없다고 알려져 있으며 시술 후에는 바로 신체 활동 가능하다.

인공수정술 시 황제기 보강이 필수는 아니다(Hum Reprod Update 2009;15:265). 사용하더라도 근주형은 환자에게 부담을 줄 수 있어 잘 사용하지 않으며 질정제나 경구용이 애용된다. 국내 보고에 의하면 경구 micronized progesterone (유트로게스탄®) 300 mg/d 대 경구 dydrogesterone (듀파스톤®) 10 mg bid 사용 시 임신율은 각각 21% 대 19%로 차이가 없었

다(Clin Exp Reprod Med 2010;37:153).

인공수정술 후에는 시술 개요를 기록하는 것이 좋은데 참고로 필자가 사용하는 인공수정술 기록지는 **그림 14**와 같다.

■ IUI sheet ■

Chart No		NAME	
AGE	year	Para	- - -
AGE of husband	year	OB Hx	
Duration of infertility	year	Gy Hx	
Infertility diagnosis	Unexplained ( ) Ovulatory ( ) Tuball ( ) Uterine ( ) Endometriosis ( ) Male ( ) Combined ( ): Others ( )	Tubal patency	HSG - not done ( ) Rt ( ) Lt ( ) Both ( )
		CASA	vol ( ) cc cone ( ) M/mL mot ( )% SM ( )% TMC ( ) M
		Basal FSH (최근3달인경우)	mIU/mL
		AMH (최근3달인경우)	ng/mL

COH regimen		Total dose of ( )	IU
Pituitary suppression	No ( ) GnRH anta ( ) long ( )	Triggering	Ovidrel ( ) IVF-C ( )
Follicle No ≥ 17 mm		Serum E2	pg/mL
Leading follicle	mm	Serum P4	ng/mL
EMT	mm		
DATE of IUI		MCD#	
Cycle No of IUI	#	Fluid collection	Yes ( ), No ( )
Sperm - 처리전 Sperm - 처리후	( ) M/mL - ( ) % - TMC ( ) M ( ) M/mL - ( ) % - TMC ( ) M		Luteal phase support No ( ) oral P ( ) im P ( )

그림 14. 인공수정술 기록지 예시

인공수정술 후의 추적은 2주 후 serum hCG를 측정하는 경우도 있으나 꼭 그럴 필요는 없고 대개 다음 월경을 기다려 보고 그에 따라 환자가 판단케 한다. 추적이 필요하면 대개 3주 후 방문케 한다. OHSS 위험성이 있으면 7-10일 후 초음파검사를 시행해본다.

10 체외수정술

1) 과배란유도법

체외수정술을 계획할 때는 건강한 성숙난자(metaphase II, MII)를 얻는 것이 목표이다. 2007년 International Society for Mild Approaches in Assisted Reproduction (ISMAAR)에서 제안하고(Hum Reprod 2007;22:2801) 2009년에 발표된 목표 난자수에 따른 과배란유도법의 분류는 표 09와 같다(Hum Reprod 2009;24:2683).

표 09. 목표 난자수에 따른 과배란유도법

용어	목표난자수	방법
자연주기 (Natural cycle)	1	투여약제 없음
변형 자연주기 (Modified natural cycle)	1	난포기 후기 주사 과배란유도제 add-back 가능, GnRH antagonist 사용 가능, 트리거링제 사용 가능
경자극법 (Mild stimulation)	2-7	저용량 주사 과배란유도제 사용, 경구 배란유도제 병용 가능, GnRH antagonist 사용 가능
표준자극법 (Conventional stimulation)	≥8	표준 용량 주사 과배란유도제 사용, 뇌하수체 억제제 사용 가능

과거 과배란유도 주사제를 저용량으로 사용하거나 또는 경구 배란유도제와 병용하여 소수의 난자를 얻는 방법을 soft, minimal, mild stimulation으로 혼용하여 불렀으나 상기 안에서는 mild stimulation으로 통일하였다.

2009년 International Committee for Monitoring Assisted Reproductive Technology (ICMART)에서 용어를 정리하여 발표하였는데 여기서 mild stimulation이라 함은 6개까지의 난자를 얻는 것을 목표로 한다고 해서 애초 ISMAAR 안과는 약간 차이가 있다(Hum Reprod 2009;24:2683). 그러나 2017년 개정판에서는 mild stimulation 정의에 난자수 제한을 없앴다(Fertil Steril 2017;108:393).

보통 과배란유도 후 4-14개의 난자를 얻으면 정상난소반응군(normal ovarian responder, NOR), 3개 이하의 난자면 저난소반응군(poor ovarian responder, POR), 15개 이상이면 고난소반응군(high ovarian responder)으로 구분한다.

상기 구분 시 난자수란 미성숙난자를 포함한 총난자수이다. 과배란유도 후 난자가 15개 이상이면 난소과자극증후군의 위험성이 높아져 대개는 이보다는 적은 난자를 얻는 것이 체외수정술을 위한 과배란유도의 일차 목표가 된다. 그러나 한 번에 많은 난자를 얻으면 난자채취 횟수를 줄일 수 있고 잉여배아는 동결보존하여 추후 동결배아이식을 하면 되므로 반드시 나쁜 것만은 아니다. 한 리뷰에 의하면 9개의 논문을 근거로 생아출생을 목표로 한다면 적정 난자수는 12-18개라고 하였다(Reprod Biomed Online 2021;42:83).

주사 과배란유도제에는 크게 urinary 제제와 recombinant 제제가 있다.

- Urinary 제제: FSH+LH 혼합 형태로서 IVF-M®, IVF-M HP®, FSH+hCG 혼합 형태로서 메노퍼®
- Recombinant FSH 제제: 고날에프®, 폴리트롭®, 고나도핀®, 퓨레곤®, 에론바®(일주1회 제제), 레코벨®
- Recombinant LH 제제: 루베리스®
- Recombinant FSH+LH 제제: 퍼고베리스®

Urinary 제제와 recombinant FSH 제제 간에 전반적인 임신율은 비슷한 것으로 알려져 있어 어느 것을 사용해도 무방하다. Recombinant FSH 제제가 urinary 제제에 비해 순도는 높으나 더 비싸다. 또한 저반응군에서는 FSH+LH 혼합 제제를 사용하는 것이 더 유리할 수 있다는 주장이 있다.

과배란유도제의 용량은 AMH/AFC/FSH의 난소기능 마커와 더불어 여성의 연령을 종합적으로 고려하여 결정한다.

보통 정상반응군은 225 IU, PCOS 같은 고반응군은 150 IU, 저반응군은 300 IU로 시작한다. 정상반응군에서도 35세 미만이면 150 IU, 35-37세이면 225 IU, 38세 이상이면 300 IU로 시작하기도 한다. 간혹 PCOS 환자에서 150 IU 보다 용량을 줄여야 하는 경우도 있으며 150 IU보다 더 많은 용량을 주어야 난포가 자라는 경우도 있다. 정상반응군에서 적정 FSH 시작용량을 연령과 혈중 AMH/FSH를 이용하여 결정하는 노모그램이 나와 있기는 하나(BJOG 2012;119:1171) 통상적 용량으로 35세 미만에서 150 IU, 35세 이상에서 225 IU를 사용하는 것에 비하여 더 나을 것이 없다는 것이 중론이다.

대표적인 recombinant FSH 제제인 고날에프®(follitropin-alpha)는 12.5 IU 씩 증량이 가능하여 75, 87.5, 100, 112.5, 125, 137.5, 150, 162.5, 175, 187.5, 200 IU 등으로 선택이 가능하다. 만일 900 IU 제형을 매일 같은 용량으로 투여한다면 용량 스케쥴은 다음과 같이 한다.

4일 투여: 225 IU/d
5일 투여: 175 IU/d (25 IU 남음) 또는 200 IU 1일 + 175 IU 4일로 투여
6일 투여: 150 IU/d
7일 투여: 125 IU/d (25 IU 남음) 또는 150 IU 1일 + 125 IU 6일로 투여
8일 투여: 112.5 IU/d (75와 150을 번갈아 주는 경우도 있으나 환자가 혼돈할 수 있음)
9일 투여: 100 IU/d

저반응군에서는 300 IU로도 난포가 자라지 않아 450 IU를 사용하는 경우도 있다. 급여 체계에서는 단일약제로 450 IU/d, 총 600 IU/d까지 사용 가능하다.

과배란유도는 FSH 제제만으로 충분하나 혈중 LH 치가 과도하게 감소한 경우 획득 난자 수가 감소하고 임신율에 부정적인 영향을 줄 우려가 있어 mid follicular phase에 혈중 LH <1.0 mIU/mL인 경우 LH add-back을 하기도 한다. Add-back 제제로는 recombinant LH, urinary gonadotropin 제제, 저용량 hCG 등이 있으며 난포기 후반부에 추가한다.

레코벨®은 follitropin-delta 제제로 최초의 인간세포 유래 recombinant FSH 제제이다. IU 단위가 아닌 μg 단위로 투여하며 follitropin-alpha 제제의 150 IU가 follitropin-delta 10 μg에 상응한다. 12 μg, 36 μg, 72 μg 제형이 있다. 'rekovelle 계산기' 앱을 설치하고 혈중 AMH 농도와 체중을 입력하면 적정 용량이 자동으로 계산된다.

체외수정술에서는 미리 배란이 되어 버리면 안 되므로 조기 LH surge를

예방하기 위하여 뇌하수체 억제제를 투여한다. 뇌하수체 억제제 투여 방식에 따른 과배란유도 종류는 다음과 같다.

- GnRH agonist 중기황체기 장기요법: GnRH agonist (예, 데카펩틸® 0.1 mg/d)를 월경 21일째부터 투여하고 다음 월경 3-4일째부터 과배란유도를 시작하는 전통적인 방법이다(**그림 15 위쪽**). 보통 과배란유도제 6-7일을 주고 다음날 첫 난포감시를 시작하면서 용량 조절을 한다. 뇌하수체가 사전에 억제되어 있기 때문에 난포가 다소 빨리 자라더라도 조기 LH surge를 걱정할 필요 없이 안심하고 사용할 수 있다는 장점도 있지만 내인성 gonadotropin이 억제되므로 과배란유도제를 많이 주어야 하고 그에 따른 OHSS 위험도 상승의 단점이 있다.

MCD	#21		#3	#4	#5	#6	#7	#8	#9	#10	#11
deca	0.1 mg 시작										
FSH			225	225	225	225	225	225	225		
									트리거링		난자채취
E2									1210		
P4									0.61		
EM									8.2C		
MCD			#3	#4	#5	#6	#7	#8	#9	#10	#11
GnRH antagonist								anta	anta		
FSH			225	225	225	225	225	225	225		
									트리거링		난자채취
E2									1847		
P4									0.76		
EM								10.6C	10.9C		

그림 15. GnRH agonist 중기황체기 장기요법(위)과 GnRH antagonist 단기요법(아래)

- GnRH antagonist 단기요법: 월경 3-4일째부터 과배란유도를 시작하고 일정 시점에 GnRH antagonist (cetrorelix 0.25 mg, ganirelix 0.25 mg)를 투여하는데 난포가 14 mm에 도달하면 투여하는 flexible protocol, 과배란유도 5일째 무조건 투여하는 fixed protocol이 있다.

Flexible protocol에서는 보통 과배란유도제 5일을 주고 다음날 첫 난포감시를 시작하면서 GnRH antagonist 투여 여부를 결정한다(**그림 15 아래쪽**). 조금 빨리 자라는 스타일의 환자나 기저 혈중 FSH가 상승한(또는 AMH가 낮은) 환자는 과배란유도제 4일을 주고 다음날 첫 난포감시를 시작하기도 한다.

월경 3-4일째 환자가 방문하면 과배란유도가 바로 이루어지므로 전통적인 중기황체기 장기요법보다는 실제 사용이 편리하며 과배란유도제 용량이 적고 OHSS 위험성이 낮다. 환자에 따라 성장하는 난포들의 크기 차이가 심해질 수가 있는데 이는 뇌하수체가 억제가 사전에 이루어지지 않았기 때문으로 생각된다. 이 경우에는 다음 주기에 GnRH agonist 중기황체기 장기요법으로 변경하든지, 경구피임제를 전처치하거나 중기황체기부터 경구 에스트로겐(예, 프로기노바® 4 mg/d)을 투여하면 난포들의 크기를 좀 더 균일하게 할 수 있다고 한다(follicular synchronization).

- GnRH agonist 난포기 장기요법: depot GnRH agonist (예, 루프린® 3.75 mg)를 월경 직후에 투여하고 다음 월경 3-4일째부터 과배란유도를 시작하는 방법이다. GnRH agonist에 의한 강력한 혈중 estradiol 저하를 유도하기 위함이며 자궁선근증, 자궁내막증 환자에서 주로 쓰인다.
- GnRH agonist 단기요법: 과배란유도 시작일부터 GnRH agonist (예, 데카펩틸 0.1 mg)를 매일 같이 투여하는 short protocol, GnRH agonist를 월경 2일, 3일, 4일째 세 번만 투여하고 월경 3일째부터 과배란유도를 시작하는 ultra-short protocol이 있지만 요새는 잘 쓰이지 않는 방법이다.

환자들은 흔히 GnRH agonist 중기황체기 장기요법을 '장기요법'으로, GnRH antagonist 단기요법을 '단기요법'이라 부른다. 체외수정술을 많이 경험해본 환자들 중에는 본인이 어떤 방법을 사용했을 때 난자가 많이 나오고 배발달이 좋았다는 것을 알고 있는 경우도 있다.

GnRH antagonist 단기요법은 모든 난소반응군에서 널리 사용된다. GnRH agonist 중기황체기 장기요법은 정상반응군에서 일차적으로 사용하며 고반응군에서는 내재적인 OHSS 위험도 상승 우려 때문에 잘 사용하지 않으며 일반적으로 저반응군에서는 사용하지 않거나 GnRH agonist 용량을 줄여서 사용한다.

최근에는 GnRH agonist나 GnRH antagonist 같은 주사제 대신 경구 프로게스틴 제제를 투여하여 혈중 LH를 억제하기도 한다. 이를 'progestin-primed ovarian stimulation protocol'이라고도 부르며 경구피임제의 기전에서 프로게스틴 성분이 LH 분비를 억제하는 것과 같은 이치이다. 단 프로게스틴을 투여하여 LH를 억제하는 주기에서는 프로게스틴이 자궁내막에 작용하므로 배아이식을 하지 않고 전부 동결하는 freeze-all policy를 적용한다. 이 방법은 해당 주기에 배아이식을 하지 않는 난자공여주기나 가임력보존 목적으로 난자동결을 하는 경우에도 적용 가능하다. 통상 프로베라® 10 mg/d 또는 듀파스톤 20 mg/d를 과배란유도 시작일부터 복용을 시작하여 트리거링 전날까지 복용한다. 난소내막종 환자는 dienogest 제제를 먹고 있는 경우가 많은데 이때 가임력보존 목적으로 난자동결을 할 경우 dienogest 제제를 중단 없이 계속 투여하면서 따로 뇌하수체 억제제 투여 없이 바로 언제든지 과배란유도가 가능하다.

과배란유도 전에 스케쥴링을 위하여 경구피임제를 전처치하기도 하고 특히 다낭난소증후군 등 무월경이 지속될 경우 월경유도를 위하여 경구피임제를 사용한다. 필자는 경구피임제 전처치는 거의 사용하지 않는데 한 대규모 후향적연구에 의하면 정상 배란을 하는 여성에서 체외수정술 시 경구피임제 전처치는 비사용자에 비하여 생아출생율이 감소하고(42.6% 대 52.8%; adjusted OR 0.73, 95%CI 0.62-0.86) 누적생아출생율 또한 감소한다고 하였다(62.8% 대 67.6%; adjusted HR 0.89, 95%CI 0.80-0.98)(Fertil Steril 2020;114:779).

2) 난포 및 자궁내막 감시

과배란유도제 투여 후 적절한 난포 성장이 일어나는지와 자궁내막 두께 및 타입을 질초음파검사로 파악한다. 난포감시 중 혈중 estradiol 치를 꼭 재야하는 것은 아니지만 저반응군인 경우와 고반응군인 경우에는 혈중 estradiol 치를 측정해보는 것이 매우 유리하다.

저반응군인 경우에는 주기를 취소할지를 혈중 estradiol 치를 보고 판단한다. 일반적으로 과배란유도제 5-7일을 투여하고 혈중 estradiol 치가 500 pg/mL 이하이면 저반응군으로 간주하여 주기 취소의 대상이 된다.

고반응군인 경우에는 일반적으로 혈중 estradiol 치가 매우 높은데 트리거링 시점을 난포 크기로 하지 말고 혈중 estradiol 치 2,000 pg/mL 전후로 잡는 것이 OHSS 예방을 위하여 유리하다.

트리거링 시점에 혈중 estradiol 치를 기본으로 측정하는 임상의가 많은데 이는 몇 개 정도의 난자가 채취될 것인가에 관한 중요한 정보를 준다. 정상반응군인 경우 혈중 estradiol 치와 채취되는 성숙난자수 사이에는 어느 정도 비례관계가 있으며 성숙난자 한 개당 200-300 pg/mL 정도의 혈중 estradiol 치를 반영한다고 생각하면 된다.

난포 크기를 측정할 때는 질초음파검사로 개개 난포의 안쪽면-안쪽면 사이의 내경을 재어 mm로 표시한다(예, 18,17,15,12,12). 개개 난포에서 가장 긴 직경을 재는 경우, 가장 긴 직경과 이에 수직인 직경을 재고 그 평균을 구하는 경우, 난포를 가장 둥글게 잡아 놓고 가장 긴 직경을 재는 경우 등 측정법은 임상의마다 다양하다. 두 축에서 평균을 구하는 것은 실제 외래에서 매우 불편한 방법이다. 각자 익숙한 측정법을 숙지하는 것이 가장 중요한데 트리거링일에 측정한 난포 크기와 실제 획득된 난자수를 자주 비교해보고 조정한다.

난포가 매우 많은 경우에는 모든 난포의 직경을 재는 것은 매우 어렵기도 하고 비현실적이다. 이때는 가장 큰(leading) 난포를 포함하여 15 mm 이상의 난포만 재고 15 mm 미만의 난포가 몇 개라는 식으로 약술하기도 한다. 난포는 대개 하루에 2-3 mm씩 성장하므로 이를 참고하여 다음 투약 스케쥴을 정한다.

자궁내막 두께를 측정할 때는 질초음파검사로 자궁의 장축 방향에서 가장 두꺼워 보이는 내막을 잡은 다음 내막의 제일 바깥쪽 고반향성라인의 바깥면-바깥면 사이의 외경을 재어 mm로 표시한다. 제일 바깥쪽 고반향성라인이 없더라도 최대한 외경을 잰다. 간혹 자궁이 rotation 되어 있는 사람도 있으므로 질초음파검사로 최대한 자궁의 장축면을 잡도록 노력해야 한다. 자궁내막의 타입은 Gonen 등이 제시한 전통적인 방법인 A, B, C로 표기한다.

A: 전체적으로 균질성이면서 고반향성을 보이는 경우
B: A-C의 중간형태
C: 다층성구조로서 제일 바깥쪽과 중심선은 고반향성으로 보이면서 그 사이는 저반향성으로 보이는 경우, 일명 triple line

임상적으로 A, B를 구분하는 것은 큰 의미가 없어 triple line인가 아닌가로만 구분하는 경우도 있다. 보통 두께와 타입을 같이 표기한다(예, 8.5C).

3) 트리거링

보통 가장 큰(leading) 난포 직경이 18-19 mm에 도달하면 트리거링 제제를 투여하는데 트리거링은 자연배란 주기에서 LH surge에 해당하는 것으로 난자의 성숙과 감수분열 재개, 난구세포의 황체화, 프로게스테론 생산이 이루어진다. 트리거링 제제를 투여하면 36-40시간 후에 배란이 된다고 알려져 있으므로 그 전에 난자채취가 이루어져야 한다. 가장 큰 난포가 18 mm에 도달하였으나 나머지 난포들이 15 mm 정도로 작다면 트리거링을 다음날로 미루는 것이 다수의 성숙난자를 획득하는데 유리할 수도 있다.

트리거링 제제의 종류는 다음과 같다.

- Urinary hCG 제제; IVF-C®, 프레그닐®

- Recombinant hCG 제제: 오비드렐®
- GnRH agonist 제제: 데카펩틸® 0.2 mg
- Recombinant LH 제제: 루베리스®

Urinary hCG 제제의 1 앰플인 5,000 IU가 오비드렐® 1 앰플(250 µg)에 상응하는 용량이다. Urinary hCG 제제는 표준용량이 5,000 IU이나 요 유래 제제여서 실제 용량이 적을 수도 있으므로 루틴으로 10,000 IU를 주는 임상의도 있다.

정상반응군에서는 hCG 제제로 보통 1 앰플로 투여하나 고반응군일수록 OHSS 예방을 위하여 용량을 줄여야 하며(예, 오비드렐® 1/2 앰플 투여), 저반응군일수록 용량을 늘린다(예, 오비드렐® 2 앰플 투여).

GnRH agonist로 트리거링을 하면 내인성 LH/FSH가 상승하는데 이들은 반감기가 짧아 주로 고반응군에서 OHSS 예방을 위하여 투여한다. 다만 해당 주기가 GnRH antagonist 단기요법이어야 하며 이미 뇌하수체 억제가 이루어진 GnRH agonist 장기요법에서는 사용할 수 없다.

고반응군이나 OHSS 고위험군에서는 GnRH antagonist 단기요법 하에서 GnRH agonist로 트리거링을 하고 강화된 또는 변형된 황체기보강(intensified or modified luteal support)을 하면 적절한 임신율을 얻을 수 있다고 한다(황체기보강법 편 참조).

정상반응군에서는 GnRH agonist 만으로 트리거링을 하면 임신율이 저하된다고 하여 잘 사용하지 않는다. 그러나 GnRH agonist + 저용량 hCG 제제(예, IVF-C® 1,000IU 또는 2,500IU)로 듀얼 트리거링을 하기도 한다.

간혹 GnRH agonist (예, 데카펩틸® 0.2 mg) + 표준용량 hCG (예, 오비드렐® 1앰플) 제제로 듀얼 트리거링을 하기도 하는데 표준용량 hCG 단독에 비하여 난자수, 양질배아수, 착상률에는 차이가 없지만 임신율이 1.55배 상승한다는 보고가 있다(Eur J Obstet Gynecol Reprod Biol 2017;218:92). 메타분석에서도 듀얼 트리거링은 7개 연구를 종합한 결과 hCG 단독에 비하여 임신율 1.62배 상승(p=0.05), 생아출생율 2.65배 상승(p<0.01) 효과가

있었다. 그러나 착상률은 차이가 없었다(Gynecol Endocrinol 2022;38:213). 이러한 현상의 이유로서 기왕에 투여된 GnRH antagonist가 자궁내막에 악영향을 주는 것을 GnRH agonist가 상쇄한다고 생각하는 임상의도 있다.

그러나 상기 듀얼 트리거링이 고용량 hCG 제제(예, 오비드렐® 2 앰플)와 비교 시에 임상 성적이 어떨지는 미지수이다. 정상반응군에서는 hCG 제제를 표준용량대로 투여하면 충분한 것 같고 저반응군이나 또는 보이는 난포에 비해 난자가 적게 채취된 경우에는 다음 주기에 고용량 hCG 제제 또는 듀얼 트리거링을 사용해 보는 것이 합리적인 접근일 것이다. 듀얼 트리거링은 정상반응군에서는 큰 이득이 없고 저반응군에서 난자획득에 다소 이롭다는 것이 중론이다.

한편 double trigger란 GnRH-agonist와 hCG를 순차적으로 투여하는 방법으로 원래는 genuine empty follicle syndrome의 해결책으로 제시되었다. GnRH agonist는 난자채취 40시간 전에, hCG는 난자채취 36시간 전에 투여한다(즉 4시간 간격을 두고 투여한다). 이 방법은 일단 트리거링과 난자채취 시간 간격을 늘리고 hCG 트리거링 전에 미리 FSH surge를 유도한다는 것이 특징이다. 통상 double trigger는 미숙난자율이 높은 환자나 보이는 난포에 비해 난자가 적게 채취되는 환자에 추천되고 있다(J Ovarian Res 2015;8:69).

GnRH antagonist 단기요법 하에서 GnRH agonist로 트리거링하는 방법은 난자채취의 기회가 많지 않아 고용량의 과배란유도제를 투여하고 한 번에 다수의 난자를 얻으려는 난자공여시술이나 암환자에서 가임력보존 목적으로 난자/배아동결 시에 흔히 이용되는 방법이다.

고반응군이나 OHSS 고위험군에서는 OHSS 예방을 위하여 트리거링 시점을 난포 직경 18-19 mm가 아닌 14-15 mm 정도로 당겨서 잡기도 한다.

트리거링일에 측정한 혈중 progesterone 치가 임신율에 영향을 준다는 것은 과거에 논란이 많았던 부분이나 요새는 대개 인정되는 추세이다. 따라서 트리거링일에 측정한 혈중 progesterone 치가 높으면 모든 배아를 얼리고 다음 주기에 동결배아이식을 시도하는 임상의가 많다. 그러나 그 기준치에 대해서는 의견이 분분한데 대개 1.5 ng/mL 로 잡는 경우가 많다.

4) 난자채취

난자채취는 트리거링 후 35-36시간 정도로 스케쥴을 잡아 진행한다. 보통 트리거링을 저녁 9시에 하고 이틀 후 오전 9시에 난자채취를 하면 36시간 간격이 된다. 오후에 난자채취를 하려면 환자가 트리거링 주사를 밤중에 맞아야 하므로 이는 잘 쓰이지 않는 방법이다.

난자채취는 보통 진정마취 하에 시행한다. 음부 및 질 소독 시 베타딘은 쓰지 않으며 식염수로 한다. 50 cc enema 시린지에 식염수를 넣고 음부, 질 내부, fornix 부위를 철저히 washing한다. Washing은 통상 vaginal debris가 나오지 않을 때까지 시행하고 이어서 넬라톤 카테타로 소변을 빼준다. 항생제를 먼저 투여하고 이어서 fentanyl과 midazolam을 투여한다. 이후 post fornix 4시 방향과 8시 방향에 리도카인을 국소투여하고 식염수 washing을 한번 한 다음 마지막으로 배양액 15 cc를 질 깊숙이 넣고 배양액을 그대로 둔 채로 질경을 뺀다. 마지막 배양액을 넣지 않는 경우도 있다.

질초음파 프로브를 질 안으로 넣고 자궁내막과 양측 난소를 먼저 관찰한다. 이어서 질초음파 프로브를 중앙에 위치시키고 17게이지 난자채취용 흡인침을 가이드 안으로 조심스럽게 넣고 질초음파 프로브와 흡인침을 같이 움직여서 뽑을 난포를 타켓팅한다. 질초음파 프로브를 왼손에 잡고 흡인침을 오른손에 잡았다면 오른손 새끼손가락을 왼손 손바닥에 붙인 채로 같이 움직이면 질초음파 프로브와 흡인침을 같이 움직이기에 용이하다. 익숙해지기 전에는 질초음파 프로브와 흡인침이 같은 방향으로 와 있는지를 자주 눈으로 확인한다.

어떤 센터에서는 난자채취용 흡인침으로 18-19게이지를 사용하기도 한다. 참고로 19게이지 흡인침은 미숙난자 채취시 사용하며, 선택적태아감수술(selective fetal reduction) 시에 사용하는 흡인침도 19게이지이다. 참고로 자궁내막종 흡인침은 16게이지이다.

뽑을 난포의 정중앙이 초음파화면의 가이드선에 오도록 타켓팅하고 중간 정도의 힘을 주어 난포 안으로 흡인침을 삽입하고 바로 흡인 발판을 밟는다. 흡인침을 난포 안에 넣기 전에 미리 발판 위치를 확인하여 흡인침이 들어가자마자 바로 흡인 발판을 밟도록 한다. 흡인기 압력은 통상 100-120 mmHg로 세팅하고 사용한다. 흡인 압력이 너무 높으면 난자가 깨질 우려가 있다.

난포액을 흡인하기 위해서는 흡인침이 질벽과 난소 두 군데를 통과해야 한다. 대개는 한번에 난포까지 흡인침을 집어넣을 수 있으나 난소가 움직이는 경우에는 먼저 질벽을 통과한 후 이어서 난포 위치를 다시 잡아 난소를 통과하는 두 단계로 하는 경우도 있다. 난소를 통과할 때 중요한 것은 가급적 통과 횟수를 최소한으로 하는 것이다. 즉 난소를 한번 통과하면 그 자리에서 가급적 여러 개의 난포를 채취하는 것이 좋다.

간혹 common iliac vessel이 난포와 혼돈되는 수가 있으므로 난소의 가장 lateral side를 흡인하는 경우에는 common iliac vessel이 아닌지를 확인해야 한다. 질초음파 프로브를 제자리에서 90도 돌려보면 난포는 계속 둥그런 모양을 유지하지만 common iliac vessel은 기다란 관 모양이 되므로 쉽게 구분 가능하다.

난소가 움직여서 난자채취가 어려우면 어시스트로 하여금 아랫배를 누르게 하면 난소가 자궁 가까이 다가와 약간 고정되므로 용이하다.

드물게 자궁경부를 통과해야 하는 경우나 자궁근층을 통과해야 하는 경우에는 흡인침이 가이드선과는 다르게 휘어질 수 있으므로 고도의 술기가 요구된다.

난포액이 흡인되어 거의 다 나오게 되면 흡인침을 제자리에서 회전시켜 난포액이 완전히 흡인되도록 한다. 흡인침은 벨벳으로 경사가 있으므로 제자리에서 회전시켜주면 약간 남은 난포액이 마저 흡인된다. 대개는 한번에 흡인을 끝낼 수도 있으나 흡인이 불완전하다고 판단되는 경우에는 주입용 루멘에 배양약을 1-3 cc 정도 밀어 넣고 재흡인한다(follicular flushing). Flushing 할 때 넣는 배양액 양은 직경 2 cm 정도의 난포라면 2 cc가 적당하다. 난포 크기에 따라 1 cc, 2 cc, 3 cc를 적절히 이용한다. 우리말로 일씨씨, 이씨씨로 얘기하면 어시스트가 잘못 알아들을 수도 있으므로 영어로 one, two로 말하면 알아듣기 편하다.

Flushing은 처음에는 대표적인 난포 몇 개에서 난포 당 한두 번 정도 시행해보고, 전체적으로 나오는 난자수가 적다면 모든 난포에서 난포 당 4회까지 시행해본다. 난자수가 적은 경우 더글라스와에 고여 있는 액체를 흡인해주는 임상의도 있다. 난포액을 흡인하여 랩에 전달하면 연구원이 바로 채취된 난자수를 얘기해주므로 항상 난자수를 피드백하면서 흡인을 진행한다.

급여 환자의 경우 난자채취일의 전형적인 오더는 다음과 같다. 비급여 환자라도 난자채취일 들어가는 모든 약제는 급여이다. 단 황체기보강 제제는 S-code이다.

Box

V/S q 1 h
BR
NPO for 4h → TD
(1) [원내] Normal saline 1000 mL bag [IVS]
(2) [원내] Fentanyl 100 mcg/2 mL inj [IVS]
(3) [원내] Midazolam 3 mg/3 mL inj [IVS]
(4) [원내] Cefazolin 2 g [IVS] q24h AST
(5) [원내] NaCl 0.9% 20 mL 1 amp [IVS] q24h
(6) Meiact 100 mg tab (Cefditoren) 100 mg [P.O] bid pc X2 Days
(7) Asec 100 mg tab (Aceclofenac) 1 tab [P.O] bid pc X2 Days
(8) Beszyme tab 1 tab [P.O] bid pc X2 Days [S]
(9) [원내] Prolutex 25 mg inj 1 via [SC] x1 X21 Days [S] 또는 Lutinus 100 mg vag tab 1vt [Apply] ins. vag 2-3/d X21 Days [S] 또는 Crinone gel 8% 1.125 g 1 tub [Apply] ins. vag 1/d X21 Days [S]
ET day : 0000-00-00
성숙난자 채취 및 처리
일반 체외수정(→수정법이 ICSI인 경우 ICSI 오더로 냄)
배아 배양 및 관찰[수정 확인 후 1-2일 이상 배양]
정액처치료(→남편에게 처방함)

황체기보강 제제는 난자채취일에 21일치를 처방하면 임신된 경우 임신 5+0주에 병원에 올 때까지 사용 가능하다. Prolutex®는 1주 단위로 포장되어 있어 21일치를 내야한다.

'배아 배양 및 관찰' 수가는 2-3일 배아이식인 경우 '배아 배양 및 관찰[수정 확인 후 1-2일 이상 배양]'으로 내고, 4-5일 배아이식인 경우에는 '배아 배양 및 관찰[수정 확인 후 3일 이상 배양]'으로 낸다. 만일 '배아 배양 및 관찰' 수가를 난자채취일에 냈는데 수정이 실패한 경우에는 환불해주어야 하므로 배아이식일에 배아이식 수가와 같이 오더하는 경우도 있다.

난자채취 후 항생제를 루틴으로 주는 것은 일부 가이드라인에서 권고되지 않지만 일부 부인과학 교과서에서는 주는 것이 좋은 것처럼 기술하고 있다. 준다면 Cefa 계열 2 g 1회(시술직전투여) 또는 doxycycline 1 T bid 5일을 투여하는데 어떤 가이드라인이든지 둘 다 투여한다는 얘기는 없다. 그러나 현 급여 체계에서는 난자채취 시 Cefa 계열 외에 doxycycline 1 T bid 5일을 D-code로 추가 처방 가능하다. 필자는 난지체취 후 루틴으로 cefazolin 2 g 1회만을 투여한다.

난자채취 후 골반염의 고위험군은 history of endometriosis, PID, ruptured appendicitis, multiple prior pelvic surgery, 또는 current endometrioma, 또는 oocyte donor이다.

난자채취 후에는 질경을 넣고 질출혈 유무를 살핀다. 대개 흡인침의 질통과 부위에서 출혈이 보이는 수가 있으며 대개는 거즈로 1-2분 압박하면 멎는 수가 많다. 그래도 출혈이 보이면 거즈를 질내 팩킹하고 1-2시간 후 다시 관찰한다. 봉합까지 하는 경우는 극히 드물다.

특히 아스피린 복용자나 혈소판이 감소된 환자는 출혈이 다량 있을 수 있으므로 주의를 요한다. 만일 혈복강이 다량 발생하고 복통 등 증상이 심하면 입원시키고 경과를 면밀히 관찰한다. 혈복강은 대개는 트란자민®을 주사로 주고 필요 시 수혈을 하여 보존적인 치료를 하면 저절로 멎는 경우가 많다. 이때 복강내 혈을 배액시키는 것은 추천하지 않는다. 복강내 혈 자체가 난소에 압박을 주어 지혈 효과가 있다고 본다. 혈복강이 심할 경우 드물게 수술이 필요한 경우도 있으나 과배란유도를 한 난소는 찢어지기 쉽고 크기도 크며 지혈도 어려워 매우 힘든 수술이 되므로 가급적 수술은 피하는 것이 좋다.

난자채취 후 난소-난관 농양이 드물게 발생할 수 있다.

공난포증후군(empty follicle syndrome, EFS)은 난자채취를 시도했는데 난자가 획득되지 않은 경우를 말한다. 아직 정확한 원인은 모르며 국내 보고에 의하면 빈도는 2.4%이며, GnRH agonist 장기요법에서 1.4%, GnRH antagonist 요법에서 2.5%이었다(Clin Exp Reprod Med 2012;39:132). 이 빈도는 45세 이상의 여성과 트리거링일 혈중 estradiol ≤200 pg/mL인 여성, 즉 저반응군을 제외하고 산출한 것이다. 저반응군은 잘 알려진 공난포증후군의 위험인자이다. 공난포증후군은 당일 혈중 또는 소변 hCG 검사를 해보아 양성이면 진성형(genuine EFS), 음성이면 가성형(false EFS)으로 부른다. 따라서 난자가 획득되지 않은 경우에는 혈중 또는 소변 hCG 검사를 바로 해보아 이 둘을 감별해 보는 것이 좋다.

진성형은 트리거링 후 hCG가 검출이 되는데도 난자가 안 나온 경우로서 진짜로 공난포증후군이라는 뜻이며, 가성형은 hCG가 검출이 안 되어 제대로 트리거링이 이루어지지 못했음을 뜻한다.

가성형은 환자가 주사를 잘못 맞은 경우, 약제 자체가 이상한 경우 등을 생각해 볼 수 있다. 만일 가성형이면 즉시 트리거링을 다시 시도하고 다음 날 난자채취를 시도해 볼 수도 있으나 결과는 좋지 않다.

다음 주기 때는 다른 과배란유도제나 다른 뇌하수체 억제법을 사용해 보거나 트리거링과 난자채취 간격을 40시간 이상으로 늘려보는 방법을 사용해볼 수 있다. 국내 보고에 의하면 공난포증후군 16명의 환자 중 9명에서 다음 주기를 시도했는데 1명은 공난포증후군이 재발하였으며 8명에서는 난자가 잘 획득되어 5명이 임신에 성공하였다(Clin Exp Reprod Med 2012;39:132).

5) 황체기보강

체외수정술에서는 뇌하수체 억제제의 사용으로 인하여 황체 기능이 감소하는 수가 많으며, 난자채취로 과립막세포가 제거될 수도 있어 황체기보강을 루틴으로 시행한다. 보통 난자채취일부터 황체기보강을 시작하나 난자채취 다음날부터 시작하는 수도 있다. 프로게스테론 제제로 근주형, 질삽입형, 경구형이 있는데 2019년에 피하형이 도입되어 자가주사가 가능해지고 근주형에 비하여 부작용도 줄었다.

- 피하형: Prolutex® 25 mg
- 근주형: Sugest® 50 mg, 100 mg
- 질삽입형: micronized progesterone (예, 루티누스® 100 mg bid or tid, 유트로게스탄® 200 mg tid), 크리논겔® 8% (progesterone 90 mg/d)
- 경구용: dydrogesteronc (듀파스톤®) 10 mg tid

근주형은 매일 주사를 맞아야 하는 불편함과 주사부위 발적 및 통증을 유발할 수 있다. 기존의 한 병 500 mg짜리 제형(제니퍼프로게스테론주사®, WATSON사)은 여러 번 뽑아서 사용하도록 되어 있었는데 여러 번 뽑는 것이 감염의 위험성을 증가시킨다는 이유로 사용중단 되었다. 대신 슈게스트®(Sanzyme사)는 한 바이알에 50 mg 또는 100 mg 씩 들어있어 뽑아 쓰지 않아도 된다. 원래 근주형의 상용량은 50 mg/d이나 혈중 estradiol 치가 높거나 자궁선근증이 있는 경우는 고용량, 즉 100 mg/d을 사용하기도 한다. 슈게스트®라면 100 mg짜리를 한번 사용하면 되는데 Prolutex®라면 25 mg짜리를 두 번 맞아야 하는 불편감이 있으므로 이때는 Prolutex® 25 mg에 질삽입형을 추가하기도 한다(dual support).

질삽입형은 매일 주사하는 불편감은 없지만 질점막 자극 증상이 있을 수 있고 크리논겔®은 질 안에 약간의 찌꺼기가 남는다는 단점이 있으나 루티누스®나 유트로게스탄® 같은 micronized progesterone 제제는 흡수가 비교적 잘되는 편이다. 그래도 간혹 배아이식일에 보면 자궁경부에 약제가 약간 남아 있는 경우도 있다. 루티누스®는 1 T bid가 상용량이지만 35세 이상에서는 1 T tid를 권장한다.

경구형 dydrogesterone은 먹는 제제이므로 사용이 제일 간편하고 부작용도 거의 없지만 흡수율이 낮아 하루 3회 복용해야 하는 불편함이 있고, 근주형 또는 질삽입형과 비교 시 임신율은 비슷하다는 소수의 보고가 있기는 하지만 잘 쓰이지 않는 제제이다.

보통 근주형과 질삽입형은 임신율이 비슷하거나 또는 근주형이 약간 더 좋고 경구형은 이 둘 보다는 임신율이 낮다고 인식하는 임상의가 많다.

신선배아 주기에서 황체기 보강을 연구한 82개의 논문을 대상으로 한 메타분석에서 주요 결론은 다음과 같다(Fertil Steril 2019;112:491).

- 비투여에 비하여 임신율은 모든 제형에서 상승한다(근주형 4.57배, 피하형 3.36배, 질삽입형 3.34배, 경구형 2.57배).
- 비투여군 대비 시작 시점으로 따지면 난자채취일, 배아이식일, 둘 사이, 또는 이식 이후면 다 좋은데 가장 좋은 것은 둘 사이로서 임신율은 4.76배, 난자채취일 대 둘 사이만을 비교하면 둘 사이가 약간 더 좋다(임신율 1.31배). 난자채취 전날부터 주는 것은 의미 없다.
- 비투여군을 제외하고 난자채취일 시작 대비 임신율은,
  근주형은 난자채취 전날 0.32배로 유의하게 감소, 그러나 둘 사이 및 배아이식일은 차이 없음.
  질삽입형은 둘 사이가 1.38배로 가장 좋음. 난자채취 전날 및 배아이식일은 차이 없으나 약간 감소 경향.
- 다양한 시작 시점을 모두 포함하면 근주형은 질삽입형에 비하여 임신율 1.37배(생아출생율은 논문이 적지만 차이 없음).
- 모든 제형을 포함하면 난자채취일 시작 대비 임신율은 난자채취일 다음날 시작이 1.25배로 가장 좋음. 난자채취일 2일후 시작은 차이 없음.

- 에스트로겐 동시 투여는 이득이 없다.
- 중단시점으로서 3주 후부터 12주까지는 임신율 비슷, 따라서 3주 이상 투여할 필요는 없다.

보통 난자채취일부터 황체기보강을 시작하는데 난자채취일에 시작했을 때 근주형과 질삽입형을 직접 비교한 자료는 없어 아쉬움이 남는다. 그러나 이전 보고들에서 근주형이 질삽입형보다 약간 더 좋다고 나온 것은 질삽입형은 사실 난자채취 다음날이 더 좋고 난자채취일에서 약간 떨어지는데 이것이 반영되어 그렇게 나온 것이 아닐까 한다. 만일 난자채취일에 시작한 근주형과 난자채취 다음날 시작한 질삽입형을 비교해 보면 비슷하게 나올 수도 있을 것이다.

한편 상기 보고에 의거 근주형은 난자채취일부터 시작해도 되지만 질삽입형의 경우에는 난자채취 다음날부터 시작하는 것을 강력히 고려해 볼 수 있다.

hCG 제제도 과거 황체기보강법으로 프로게스테론 제제와 동등하게 사용되었으나 OHSS 위험도가 높다고 하여 잘 쓰이지 않는다.

황체기보강으로 프로게스테론 제제에 경구 에스트로겐이나 저용량 hCG를 추가하는 방법도 소개되어 있다. 정상반응군에서는 프로게스테론 제제에 경구 에스트로겐을 루틴으로 추가하는 방법은 그다지 효용성은 없는 듯하다(Fertil Steril 2010;93:428).

GnRH agonist로 트리거링을 하는 경우에는 강화된 또는 변형된 황체기보강(intensified or modified luteal support)을 할 목적으로 프로게스테론 제제 외에 다음 제제를 병용하기도 한다.

- 경구 에스트로겐 4 mg
- 경구 에스트로겐 4 mg + urinary hCG 1,500 IU 1회
- 경구 에스트로겐 4 mg + urinary hCG 500 IU 3일 간격으로 총 3회

hCG를 추가할 경우 OHSS 발생이 증가한다는 견해도 있으므로 신중히 선택한다. 경구 에스트로겐을 빼고 hCG만 주는 방법도 소개되어 있다. 한편 강화된 황체기보강을 할 경우 프로게스테론 제제는 질삽입형 보다는 근주형을 주는 것이 좋다는 견해도 있다.

GnRH agonist로 트리거링 후 강화된 황체기보강을 한다는 것은 신선배아이식을 강행한다는 것인데 그렇게 해도 OHSS는 발생하므로 명백히 OHSS 고위험군인 경우에는 배아이식을 취소하고 'freeze-all' 전략을 하는 것이 낫다고 본다.

황체기보강을 언제까지 하여야 하는 것에는 의견이 분분하다. 과거에는 임신 12주까지 사용하기도 하였으나 요즘에는 태아길이가 1 cm가 넘어가는 임신 8주까지 사용하는 것이 보통이다. 태아심장박동이 관찰되면 중단해도 된다는 보고도 있지만 유산되는 경우 조기에 황체기보강을 중단한 것이 원인이 아닌가 하는 환자의 원망을 받을 수 있다. 혹자는 태아심장박동이 보일 때까지 근주형 또는 질삽입형을 유지하고 이후 간편한 경구용으로 바꾸기도 한다.

6) 수정법

성숙난자를 수정시키는 방법에는 다음과 같이 세 가지가 있다.

① Conventional insemination: 난자 한 개당 정자를 50,000/mL 정도의 농도로 넣어준다.

② ICSI (intracytoplasmic sperm injection): 가는 피펫으로 정자 한 개를 직접 난자에 찔러준다. 중증 남성요인 또는 무정자증 환자에서 수술적으로 채취된 정자의 경우 일차적으로 이용되며 이전 주기에서 conventional insemination으로 낮은 수정율을 보인 경우에도 사용 가능 하다. 낮은 수정율이란 통상 20% 이하를 말하지만 사실 보통의 수정율이 70% 이상인 점을 감안하면 50% 이하로 규정하는 것도 고

려해야 한다. ICSI가 필요한 중증 남성요인이란 정액검사에서 total motile sperm count <1-2 million, normal form <4%, 당일 정자 처리 후 normal form <50% 이다. 단 normal form <4%이 ICSI 기준이라는 것은 논란이 있는 항목이다.

미숙난자나 동결보존 된 난자는 투명대 경화 현상이 일어나 수정율이 낮아질 것을 염려하여 ICSI를 시행한다. 착상전배아유전진단에서는 다수의 정자가 난자에 들어가거나 난자 표면에 존재하면 안 되므로 ICSI를 시행한다.

ICSI는 최근에는 비남성요인, 즉 여성측 요인인 경우에도 광범위하게 적용된다. 이에는 난자수가 적거나(보통 2개 이하), 40세 이상, 중증 자궁내막증 등이 있다. 현 급여체계에서 ICSI의 급여 기준은 심각한 남성인자, 무정자증, 항정자항체, 척수손상, 사정장애, 역방향사정, 미숙난자, 동결보존된 정자/난자, 중증 자궁내막증, 난소기능저하, 착상전배아유전진단, 비ICSI 주기에서 수정실패 또는 배발생률이 낮았던 경우, 이전 체외수정술 후 2회 이상의 임신 실패력이다.

③ Split insemination: 채취된 난자 중 절반은 conventional insemination, 나머지 절반은 ICSI로 수정시키는 방법이다. 이 방법은 conventional insemination 만을 시도할 경우 수정실패(total fertilization failure) 가능성이 높은 경우에 적용한다. Split insemination을 한 경우 처방은 ICSI로 한다. 필자가 있는 병원의 split insemination의 적응증은 다음과 같다.

- 원인불명으로 3년 이상 난임
- 인공수정술 3회 실패
- 체외수정술 당일 농정자증(leukocytospermia) 이거나 난자질이 좋지 않은 경우
- 이전 주기에서 50% 이상의 배아가 양질이 아닌 경우

국내 보고에 의하면 split insemination을 한 경우 ICSI 수정율이 conventional insemination에 비하여 훨씬 높았으며(90.5% 대 72.7%) 포배기배아 발달율도 좋았다(55.9% 대 25.9%)(Obstet Gynecol Sci 2015;58:217). 한 메타분석에 의하면 ICSI 수정율은 conventional insemination에 비하여 1.47배 높고, 수정실패율는 0.09배 낮았다(Fertil Steril 2013;100:704).

ICSI는 수정율을 증진시키고 수정실패를 예방하는 측면이 있어 그 사용은 날로 증가 추세이며 국내에서도 ICSI를 사용하는 건수가 conventional insemination 건수를 넘어서고 있다(Clin Exp Reprod Med 2017;44:47). 그러나 ICSI 사용이 임신율을 높이고 유산율을 낮추는지에 대해서는 더 연구가 필요하다.

ICSI에서는 운동성과 모양이 좋은 한 개의 정자만을 선택하여 난자에 찔러준다. 최근에는 양질의 정자 한 개를 어떻게 선택할 것인가에 대한 연구가 활발하다. 앞서 얘기한 hyaluronic acid binding assay (HBA) 때 사용하는 hyaluronic acid를 이용하여 여기에 부착하는 정자를 선택하여 ICSI를 하는 방법이 physiologic ICSI, 즉 PICSI이다. 6,000배 정도의 고해상도 현미경을 이용하여 외양적으로 결함이 없는 정자를 선별하여 ICSI를 하는 방법이 IMSI (intracytoplasmic morphologically selected sperm injection)이다. 혹자는 높은 DNA fragmentation을 보이는 정자는 ICSI 또는 IMSI 또는 PICSI로 수정하면 좋다는 의견을 제시하기도 한다.

이외에도 건전한 정자를 선별하는 방법으로 자기장을 이용한 magnetic-activated cell sorting (MACS)도 소개되어 있다. 초기 apoptosis가 일어난 정자의 표면에는 phosphatidyl serine이 노출되는데 여기에 결합할 수 있는 annexin V에 자기장 성질을 가지는 microbead가 결합되어 이 결합물을 정액에 넣고 자기장을 통과시키면 초기 apoptosis가 일어난 정자는 자기장에 의해 표면에 부착하므로 밑으로 흘러내려오는 정자가 apoptosis가 없는 건강한 정자이다. MACS로 선별한 정자는 양이 많아 인공수정술 및 체외수정술에 모두 이용 가능하다.

이들 방법들이 질이 좋은 정자를 선별하는 것으로 생각은 되지만 임신율을 상승시키고 유산율을 낮추는지에 대해서는 더 연구가 필요하다.

현 급여 체계에서는 PICSI, IMSI를 급여로 정하고 있으며 각각의 적응증은 다음과 같다.

- PICSI 기준: normal form ≤1%, 운동성 ≤20% 또는 진행성운동성 ≤ 10%, 정자성숙도가 떨어지는 경우, ICSI 수정률 ≤40%, ICSI 했으나 포배기배아발달률이 낮거나 지연발달, 자연유산 2회 이상, ICSI 했으나 반복 임신 실패 또는 2회 이상의 화학적 임신
- IMSI 기준: normal form ≤1%, 수술적으로 채취하여 동결한 정자로 ICSI 하는 경우, 이전 체외수정술 후 수정실패, ICSI 수정율 ≤40%, 포배기배아발달률이 낮은 경우, 자연유산 2회 이상, ICSI 했으나 반복 임신 실패 또는 2회 이상의 화학적 임신

7) 배아이식

배아이식관은 과거 rigid 타입이 사용되었으나 soft 타입이 임신율이 더 우수하다고 알려져 요새는 soft 타입의 배아이식관을 주로 사용한다.

Soft 타입의 배아이식관으로 배아이식을 할 때에는 복부초음파 또는 질초음파를 보면서 진행하는 것이 매우 유리하다. 과거 rigid 타입은 배아이식관을 자궁내로 넣어 자궁저부에 닿으면 1-2 cm 후퇴시켜 슈팅을 하였는데 (clinical touch) 요즘의 soft 타입은 clinical touch가 불가능하다. 따라서 정확히 자궁저부 1-2 cm 아래에 슈팅할 수 있도록 초음파를 보면서 진행한다.

복부초음파 방법과 clinical touch 사이의 임상결과는 과거 여러 차례 발표되었으나 2018년 발표된 메타분석에 의하면 복부초음파 방법은 clinical touch 방법에 비하여 임신율 1.41배 증가, 진행임신율/생아출생율은 1.49배 증가한다고 하였다(Reprod Biomed Online 2018;36:524). 복부초음파 방법에서 자궁외임신율은 0.52배 감소, 유산율은 0.76배 감소하였지만 통

계적 유의성은 없었다.

또한 이 메타분석에서는 질초음파 방법과 기존의 복부초음파 방법을 비교한 3개의 연구를 분석하였는데 질초음파 방법이 복부초음파 방법에 비하여 임신율 1.05배, 진행임신율/생아출생율 1.19배로 나타나 비슷한 결과를 보였다. 필자는 2016년부터는 기본적으로 질초음파를 이용하여 배아이식을 진행하며 초음파프로브에 의하여 배아이식관이 휘거나 내관이 잘 진입이 안 되는 경우에 한하여 복부초음파를 이용한다. 질초음파를 이용하면 술자가 직접 초음파프로브와 배아이식관을 같이 잡고 진행하므로 시술이 좀 더 용이하다.

복부초음파는 어시스트가 잡아야 하는데 이때 경험이 적은 어시스트라면 배아이식관의 경로를 잘 보여주지 못하는 수가 많다. 복부초음파로는 통상적으로 endometrial thickness를 재는 종축 방향으로 프로브를 위치시키는데 이때 배아이식관이 꼭 그 방향으로 들어가지 않는 경우도 있다. 한편 자궁이 심한 후굴인 경우 복부초음파로는 자궁내막이 파악이 안 되는 경우가 많다.

질초음파 하에서 Cook사의 soft 타입 배아이식관을 사용하는 배아이식의 순서는 다음과 같다.

- 먼저 연습용 내관을 외관에 삽입하고 외관 끝부분으로 나오지는 않을 정도로 밀어 넣어 조립하며 외관 끝 부분을 자궁 전굴/후굴에 맞게 각도를 조절하고 자궁길이에 맞게 측정환을 조절한다.
- 질경을 넣고 자궁경부를 거즈로 닦은 다음 외관을 자궁경관으로 밀어 넣어 내자궁경관 입구 근처까지 진입시키고 질경은 넣은 채로 그대로 질초음파 프로브를 자궁경부에 밀착시켜 초음파검사를 한다.
- 질초음파 프로브와 외관을 한손으로 같이 잡고 다른 손으로 내관을 밀어 넣으면서 부드럽게 자궁저부 아래 1-2 cm 까지 잘 들어가는지 확인하고 내관을 뺀다.
- 배아를 장착한 내관을 그대로 외관에 밀어 넣어 자궁저부 1-2 cm 아래

에 슈팅한다.

- 슈팅후 외관을 빼고 고반향성으로 빛나는 슈팅버블로부터 자궁저부까지의 길이를 재어 기록한다(그림 16).

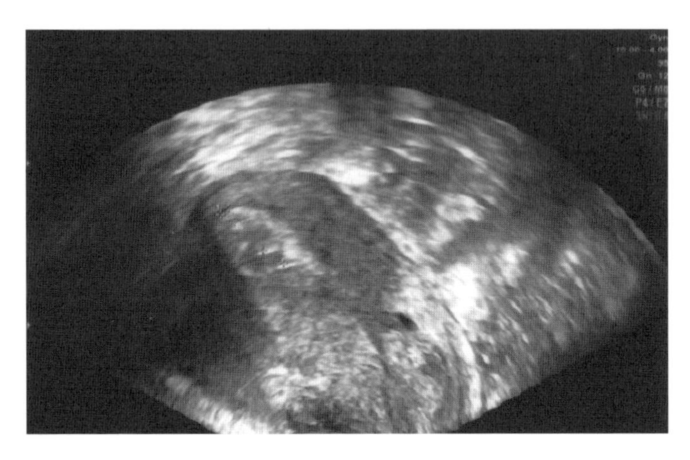

그림 16. 고반향성으로 빛나는 두개의 슈팅버블로부터 자궁저부까지의 길이를 재면 1.49 cm, 1.02 cm이다

배아를 자궁저부 가까이 슈팅하면 와류로 인하여 난관 쪽으로 가는 수가 있고 배아 소실의 위험성도 있어 반드시 자궁저부 1-2 cm 아래에 슈팅한다.

배아이식관의 내관을 자궁내막에 삽입하면 초음파로 자궁내막의 최대 직경을 재는 이미지에서 다소 다른 쪽으로 가는 경우도 많으므로 주의를 요한다. 급격전굴로 인하여 외관을 내자궁경관 입구까지 진입시키기 어려우면 stylet을 이용해본다. Stylet은 malleable 타입의 가는 철사인데 내관 대신이 stylet을 외관에 장착하고 급격전굴에 맞게 충분히 구부린 다음 진입시킨다. 이후 stylet을 빼고 내관을 진입시켜 본다. 초음파를 보면서 배아이식을 하면 부가적으로 자궁내막의 두께, 자궁내막 액체고임, 난소비대 정도 등도 파악할 수 있다.

자궁내막에 액체고임이 있는 경우에는 카테타로 즉시 빼주고 배아이식을 시도한다. 자궁내막 액체고임은 대개 난관요인이나 PCOS인 경우가 많다고 하며 과배란유도 중이나 난자채취 때 관찰되었다가 배아이식일에는 사라지는 경우도 있다.

배아이식 후에는 혈중 hCG 검사로 임신을 확인하는데 보통 난자채취 후 14일째에 시행한다. 따라서 3일 배아이식은 이식 후 11일째, 4일 배아이식은 이식 후 10일째, 5일 배아이식은 이식 후 9일째가 hCG 검사일이다. 배아이식일수에 상관없이 난자채취로부터 2주 후가 hCG 검사일이라고 외우면 편하다.

임신된 경우에는 난자채취일을 임신 2+0주로 간주하고 hCG 검사일을 임신 4+0주로 간주하여 산정하면 된다.

동결배아이식 시에도 3일 동결배아이식은 11일 후, 5일 동결배아이식은 9일 후가 hCG 검사일이다. 통상 황체기보강 시작일(신선주기로 치면 난자채취일에 해당) 기준 2주 후가 hCG 검사일이라고 외우면 편하다.

8) 동결배아이식

동결배아이식은 자연배란 주기를 이용하는 경우도 있으나 대개는 호르몬 처치(EPT)를 하여 내막을 준비한 후 이식을 시행한다.

호르몬 처치법은 월경 3일째부터 프로기노바®를 4-8 mg/d로 10-12일간 투여하고 내막을 관찰하여 내막 상태가 좋으면 황체기보강을 시작하는데 동결된 배아가 3일배아이면 황체기보강을 3일 하고 다음날 배아이식, 5일배아이면 황체기보강을 5일 하고 다음날 배아이식을 시행한다. 황체기보강 시작일을 P+0 으로 하고 3일배아는 P+3일에 이식, 5일배아는 P+5일에 이식한다.

프로기노바®는 자연 월경 주기를 모방하여 4 mg/d 4일간 → 6 mg/d 4일간 → 8 mg/d 4일간으로 주는 경우도 있으나 환자들이 혼동하는 경우도 있으며 사실 매일 같은 용량으로 주어도 혈중 estradiol 치는 점진적으로 상승하므로 매일 같은 용량으로 하는 것이 서로 간에 편리하다. 직전 월경주기 황체기에 GnRH agonist를 주고 내인성 호르몬을 완전히 없애고 자연배란을 억제시킨 다음 호르몬 처치를 하는 경우도 있으나 굳이 그럴 필요는 없으며 프로기노바®만 주더라도 혈중 FSH가 억제되어 난포를 자라지 않게 하는 효과는 발휘된다. 황체기보강의 시작과 배아이식일의 간격은 환자의 여건이나 내막 상태 등을 따져서 1-2일 더 늘리는 경우도 있다. 즉, 3일배아의 이식을 황체기보강을 4일 하고 다음날 할 수도 있다.

동결배아이식 시에는 전날 오후에 미리 배아를 해동하므로 반나절 동안 배아발달이 이루어질 수 있어 이식 시 배아는 동결 시보다는 좀 더 진행된 상태가 된다. 그러나 당일 오전에 배아를 해동하는 센터도 있다.

급여 환자의 동결배아이식 시 오더는 3가지로서 배아/난자/난소조직/고환조직해동, 배아선별 후 추가배양실시, 자궁경관을 통한 배아이식이다.

최근에는 EPT 하에 동결배아이식을 할 때 이식일 또는 그 전일 측정한 혈중 progesterone 치가 9-10 ng/mL 이상이 되어야 착상이 잘 된다는 보고가 많다. 메타분석에 따르면 동결배아이식주기(질정형 프로게스테론 사용, blastocyst 이식)에서 이식일의 혈중 progesterone 치가 10 ng/mL 이상인 경우 임신율은 1.31배 상승(95%CI 1.16-1.49), 지속임신/생아출생율은 1.47배 상승(95%CI 1.28-1.70), 유산율은 0.62배로 감소(95%CI 0.50-0.77)한다고 하였다(Fertil Steril 2021;116:1534). 이러한 보고에 근거하여 이식일 또는 그 전일 혈중 progesterone을 측정하고 만일 9-10 ng/mL이 안 되면 황체기보강을 추가하는 경우도 있는데 이것을 individualized luteal phase support라 부른다. 한 보고에 따르면 euploid 동결배아이식 시 그 전일 혈중 progesterone을 측정하고 만일 >10.6 ng/mL이 안 되면 황체기보강을 기본 질정제에 추가하여 subcutaneous P를 투여하고 이식일에 혈중 progesterone >10.6 ng/mL 으로 올라간 경우와 원래부터 >10.6 ng/mL 이었던 군을 비교하니 임신율 59.1% 대 56.4%, 생아출생율 52.3% 대 49.1%로 비슷하였다(Hum Reprod 2021;36:1552).

자연배란 주기를 이용할 때는 배란이 되는지를 계속 감시하여야 하고 성숙난포가 보일 때 트리거링이 필요한 경우도 있으며 만일 내막이 얇게 보이는 경우에는 주기를 취소하여야 하는 단점이 있다.

동결배아이식에서 자연주기를 이용하고자 할 때는 3일배아이식인 경우에 ① 자연 LH surge를 이용한다면 urine LH test 양성일로부터 4일 후 이식하고 ② 트리거링을 할 경우에는 트리거링일로부터 5일 후 이식한다. 신선주기에서 트리거링을 하면 2일 후 난자채취, 그로부터 3일 후 이식하므로 여기에 맞도록 트리거링 5일 후 이식한다. 자연 LH surge 이용 시 보통 트리거링 다음날 surge가 detect 된다고 보면 surge 전날 트리거링한 셈이니 4일 후 이식이 맞다.

만일 4일배아이식이라면 위 기준에서 하루를 더 늦추고 5일배아이식이라면 이틀을 늦춘다.

사실 자연주기에서는 자연 배란되는 난포에 대해 자연 LH surge 또는 트리거링을 하므로 황체기보강을 따로 할 필요가 없지만 일부 임상의들은 황체기보강을 하는 경우도 있다. 자연주기에서 황체기보강을 하는 것이 이로운가에 대하여 국내 보고의 메타분석에서는 이롭지 않다고 하였으나 (Clin Exp Reprod Med 2020;47:147) 외국 보고의 메타분석에서는 임신율 1.48배 상승, 생아출생율 1.67배 상승으로 이롭다고 하였다(Hum Reprod Update 2021;27:643).

9) 저난소반응군

정상반응군은 과배란유도제 투여 용량에 비례하여 난자가 획득되므로 누구나 손쉽게 과배란유도를 할 수 있으나 저반응군과 고반응군에서는 좀 더 신중한 접근이 요구된다.

저반응군(POR)은 다양한 기준에도 불구하고 보통 난자가 3개 이하로 채취되는 경우를 말한다. 2011년 유럽생식의학회(ESHRE)에서는 POR을 정의하는 Bologna criteria를 발표하였다(Hum Reprod 2011;26:1616). 이후

POR에 대한 연구들은 대개 이 기준을 적용하여 대상자를 선정한다.

POR을 정의하는 Bologna criteria는 다음 세 가지 중 두 가지 이상의 기준을 만족할 때나 또는 이전에 POR 경력이 2회 이상인 경우로 정의하고 있다.

① 고령(40세 이상) 또는 POR에 대한 고위험인자

② 이전에 POR 경력(과배란유도 중 난포 저발달로 주기 취소 또는 3개 이하의 난자가 나온 경우)

③ 난소예비력 지표 저하(AFC <5-7 or 혈중 AMH <0.5-1.1 ng/mL)

Bologna criteria의 문제점은 다음과 같다.

- 기준②만이 POR의 정의이고 기준①③은 POR의 고위험군일 뿐이라는 점
- 기준①이 상대적으로 POR의 고위험군이 아니라는 주장
- 기준②에서 POR을 정의하는 난자수 기준을 더 낮추어야 한다는 주장(Yonsei Med J 2015;56:482)
- 혈중 AMH 기준의 범위가 너무 넓고 과거 다양한 POR 연구들에서 제시된 혈중 AMH 기준치를 아무런 검증 없이 막연히 도입하였다는 점

국내 보고에 의하면 3개 이하의 채취난자를 예측하는 혈중 AMH 기준치는 1.08 ng/mL이었으므로(Clin Exp Reprod Med 2012;39:176) 만일 POR을 난자가 3개 이하로 채취되는 경우로 하려면 혈중 AMH 기준치는 1.0 ng/mL 근처로 정해야 한다. 실제 현 급여체계에서도 난소기능저하의 기준은 혈중 AMH ≤1.0 ng/mL이다.

저난소반응군에서는 다음과 같은 전략을 사용해볼 수 있으나 난소기능이 저하된 저난소반응군에서 많은 난자를 채취하기란 결코 쉽지 않은 문제이다.

- 과배란유도제 용량을 450 IU까지 올려본다. Recombinant FSH 제제로 사용하여도 되지만 저반응군에서는 FSH+LH 혼합제제가 더 유리하다는 의견이 있어 urinary 제제로 450 IU까지 사용해 본다. 주사양이 많아지므로 하루 두 번 투여하는 것이 좋다(예, 퍼고베리스® 225 IU bid).
- FSH 제제만을 이용하는 주기라면 과배란유도 후반부에 LH add-back을 병용해 본다. 일반적으로 LH add-back이 유리한 경우는 저난소반응군, 38세 이상, GnRH agonist 중기황체기 장기요법에서 혈중 LH 치가 낮은 경우(보통 <1.2 mIU/mL) 이다. Recombinant LH, urinary gonadotropin 제제, 저용량의 hCG 등이 이용된다.
- GnRH agonist 중기황체기 장기요법에서 과배란유도제 투여일부터 GnRH agonist 용량을 절반으로 줄인다. GnRH agonist short protocol에서 용량을 절반으로 줄이든지(microdose flare protocol) 또는 ultra-short protocol을 사용해 본다. 그러나 이 방법이 GnRH antagonist 단기요법에 비하여 이득은 없는 것 같다.
- 어차피 고용량의 과배란유도제를 투여하여도 난자가 매우 적게 나온다면 자연주기나 변형 자연주기, mild stimulation을 이용해 본다.

2020년에 발표된 메타분석에 의하면 mild stimulation 방법은 기존의 고용량 제제 사용에 비하여 임신율(RR 0.95), 생아출생율(RR 0.91) 및 주기취소율(RR 1.38)이 비슷하다고 하였다(Reprod Biomed Online 2020;41:225).

- 난소내 안드로겐을 높여 난소에 대한 FSH의 작용을 보다 강화시킬 목적으로 테스토스테론 제제, dehydroepiandrosterone (DHEA), aromatase inhibitor 등을 추가하기도 하나 효과는 아직 불분명하다.

DHEA는 약한 테스토스테론 제제인데 건강보조식품으로서 인터넷을 통하여 쉽게 구매 가능하여 저난소반응군 환자들이 자의로 복용하고 있는 경우가 간혹 있다. DHEA는 메타분석에서 난자수의 증가가 없음에도 불구하고 임신율이 2.13배 증가한다고 보고되었지만(Int J Gynaecol Obstet 2015;131:240) 그 효용성에 대해서 의문을 제기하는 임상의가 많다. 환자가 DHEA 복용에 대한 문의를 해오면 드셔도 나쁠 것은 없겠지만 과학적 근거는 아직 불충분하다고 설명하는 것이 좋으며 장기 복용 시 목소리 변화, 탈모 등의 부작용도 있으므로 6개월 이상 복용하지 않도록 한다. 저난소반응군에서 경구피임제 전처치는 이득이 없다고 알려져 있다.

- 성장호르몬은 난구세포에 작용하여 난소내 IGF-1을 상승시켜 난포 발달에 이로운 작용을 한다고 알려져 과거부터 꾸준히 시도되는 제제이다.

2009년 발표된 메타분석에서 성장호르몬 사용군이 임신율과 생아출생율이 각각 16%, 17% 상승한다고 하였고(Hum Reprod Update 2009;15:613), 2017년 발표된 메타분석에서 성장호르몬 사용군이 난자수는 1.48배 증가하고 임신율과 생아출생율이 각각 1.65배, 1.73배 상승한다고 하였다[Medicine (Baltimore) 2017;96:e6443].

그러나 2020년 발표된 메타분석에서는 성장호르몬 사용군이 비록 성숙 난자수가 증가하고(mean difference 2.06), 이식가능한 배아수도 증가하며(mean difference 0.76) 임신율도 상승하지만(OR 1.34, 95%CI 1.02-1.77) 생아출생율에는 도움이 안 된다고 하였다(OR 1.34, 95%CI 0.88-2.06)(Fertil Steril 2020;114;97).

성장호르몬의 효용성에 의문을 제기하는 임상의가 많으며 고가인 점도 고려해야 한다. 성장호르몬은 과배란유도 시작일에 투여하는데 매일 맞는 제제(예, 유트로핀플러스® 4 IU)도 있으나 주1회 제제를 사용하기도 한다. 현 급여 체계에서 성장호르몬은 40세 이상과 저반응군에서 [D]로 처방 가능하다.

- 트리거링 용량을 올려본다(예, 오비드렐® 2앰플 투여 또는 듀얼 트리거링 또는 더블 트리거링)
- 난자채취 시 여러번 플러싱을 하여 최대한 난자를 회수하려고 노력한다. 보통 4-5회까지 해본다. 더글라스와에 있는 액체도 흡인하여 난자를 찾아본다.
- 정상난소반응군에서는 미숙난자에 대해서 크게 신경을 쓰지 않지만 미숙난자는 오히려 저난소반응군에서 중요하다. 저난소반응군에서는 미숙난자도 최대한 성숙시키려고 노력해야 하며 이를 위하여 평소 미숙난자 배양법을 마련해 놓고 있는 것이 좋다.
- 저난소반응군에서는 난자수가 적으므로 수정실패를 우려하여 수정법으로 ICSI를 사용하는 센터가 많다. 과학적 근거는 부족함에도 불구하고 수정실패가 되면 곤란한 환자군이라는 인식 때문에 흔히 사용한다. 현재 급여체계에서도 난소기능저하 항목을 적용하여 난자수가 적은 경우에 ICSI가 급여 가능하다.
- 난자수가 적으면 배아수도 적으므로 착상력을 증진시키는 전략을 많이 시도한다. 배아를 자궁내막에 부착시켜준다고 알려진 글루 제제를 사용하기도 한다(엠브리오글루®).
- 매주기마다 얻은 소수의 배아를 여러 주기에 걸쳐 동결해두었다가 나중에 한꺼번에 이식하는 전략을 사용하기도 한다(accumulation of embryo).

10) OHSS 예방법

OHSS는 과배란유도의 대표적인 합병증으로 VEGF의 증가, 다양한 사이토카인의 증가, 모세혈관 투과성 증가로 인하여 다량의 체액이 복수나 흉수로 고이며 혈관내 혈액은 농축되어 혈전증의 고위험군이 된다.

증상, 징후 및 검사실 소견으로 중증도를 분류하는 여러 방법이 있는데 중요한 것은 입원을 요하는 중증을 감별하는 것이다. 복부통증, 복부팽대, 과도한 난소비대, 호흡곤란, 심한 복수, 소변양 감소, 폐부종, 간장애, 신장애, 전해질이상, 혈전증, 다발성 장기부전 등이 중증 OHSS이다.

hCG 트리거링 9일째 이내에 발생하면 early type이며 트리거링한 hCG에 의하여 발생하고, hCG 트리거링 10일 후에 발생하면 late type으로서 임신되어 혈중 hCG가 상승하여 발생한다.

PCOS나 PCO를 가진 여성, 이전의 OHSS 병력이 확실한 OHSS 고위험군이다. 혈중 AMH >3.5-4.5 ng/mL가 OHSS 고위험군으로 간주되기도 한다. 이외 일반적으로 젊은 여성과 마른 여성은 OHSS 고위험군으로 간주한다.

PCOS 환자는 어떤 FSH 용량에 반응하지 않다가 일정 용량 이상의 FSH에 폭발적으로 반응하는 특징을 가지므로 난포발달에 있어 어떤 threshold를 가지는 것으로 생각되며 threshold는 환자마다 다르다. 또한 일정 용량으로 과배란유도를 시작하면 초기에는 난포가 다발성으로 천천히 성장하다가 어느 순간 갑자기 커지기도 한다. 따라서 고위험군은 난포감시를 자주 해야 하며 혈중 estradiol 치도 자주 측정해야 한다.

OHSS 예방에는 무엇보다 처음부터 과배란유도제를 적게 쓰는 것이 중요하다. PCOS 같은 고난소반응군은 150 IU로 시작하는 것이 보통이다. 같은 PCOS 환자라도 혈중 AMH 치가 7-8 ng/mL 이상으로 아주 높으면 150IU보다 더 많은 용량을 주어야 난포가 자라는 경우가 있다. 이는 증가한 AMH가 FSH 작용을 방해하기 때문으로 이해하고 있다.

Urinary 제제와 recombinant FSH 제제 간에 OHSS 발생율은 차이가 없어 딱히 선호되는 과배란유도제는 없다.

뇌하수체 억제법으로는 GnRH agonist 중기황체기 장기요법은 내재적인 OHSS 위험도 상승 우려 때문에 신중하게 사용해야 한다. 따라서 일반적으로 GnRH antagonist 단기요법이 편하며 GnRH agonist 중기황체기 장기요법에 비해 OHSS 빈도가 낮다는 보고가 많다. GnRH antagonist 단기요법을 사용하면 GnRH agonist로 트리거링도 가능하다.

만일 과배란유도 중 난포가 많이 자라면 아예 주기를 취소하기도 한다. OHSS는 원칙적으로 hCG 트리거링을 하지 않으면 발생하지 않는다.

난자채취를 진행하려면 트리거링을 보통의 18-19 mm 보다는 이른 시기, 즉 14-15 mm 정도에서 트리거링을 하든지 혈중 estradiol 2,000 pg/mL 전후에서 트리거링을 한다.

과배란유도제를 중단하고 뇌하수체 억제제만 계속 투여하면서 2-3일 기다려보는 'coasting' 방법은 혈중 estradiol 측정과 난포감시를 자주 해야 해서 실제 사용해보면 매우 번거롭고 언제 트리거링을 해야 하는지 시기를 잡기가 매우 힘들다. Coasting은 보통 혈중 estradiol 치가 3,000 pg/mL 이상일 때 시작하며 트리거링은 혈중 estradiol 치가 3,000-3,500 pg/mL 정도일 때 한다. 혈중 estradiol 치가 1,000 pg/mL 미만으로 감소하거나 coasting 기간이 4-5일 이상일 경우에는 예후가 좋지 않다고 한다(Fertil Steril 2006;85:547).

트리거링은 hCG 제제라면 절반 용량으로 투여하고(예, 오비드렐® 1/2 앰플) GnRH antagonist 단기요법이라면 GnRH agonist (예, 데카펩틸® 0.2 mg)로 트리거링을 한다. Recombinant LH는 hCG 제제와 비교하여 OHSS 발생율이 비슷하다고 알려져 있지만 트리거링 제제로서는 널리 이용되고 있지 않다.

난자채취 당일 난자가 많이 나오거나 난소가 매우 커서 OHSS 발생이 예상되면 배아는 모두 동결하고 이식주기를 취소한다(elective cryopreservation of all embryo, freeze-all method). 그러나 이 방법은 임신이 되지 않게 하여 late OHSS를 예방하기 위한 방편이고 early OHSS를 막지는 못한다.

따라서 early OHSS를 예방하려면 일단 모든 배아를 동결하는 것을 계획하고 트리거링일 또는 난자채취일부터 cabergoline (카버락틴®) 0.5 mg/d로 8일간 투여해보거나 난자채취일부터 GnRH antagonist (예, 세트로타이드 0.25 mg)를 2-4일을 투여해본다.

Cabergoline은 VEGF receptor-2 antagonist로 작용하여 early OHSS 발생을 낮추는 기전이 제시되었으나 그 효능에 대해서는 아직 확정적이지 않다.

Cabergoline 0.5 mg을 매일 먹는 것은 고프로락틴혈증 환자에서 cabergoline 0.5 mg 주1회 요법임을 감안할 때 상당히 고용량이다. 다만 임신 가능성에 영향을 주지 않는다고 하므로 배아이식을 하려는 경우에는 cabergoline을 사용해보고 만일 배아이식을 하지 않으려는 경우에는 GnRH antagonist를 투여해보는 것이 좋다.

카버락틴®은 D-code로 처방하며 인정비급여 기준은 다음과 같다.

Box

보조생식술을 위해 난소자극을 시행한 환자 중 중증 난소과자극증후군 발생 위험이 있는 환자로 다음을 모두 만족하는 군

- 다낭성난소증후군 확진 및 의심환자
- 임상적으로 난소과자극증후군이 발생할 것으로 의심되는 환자
- 배란유도 시 혈중 estradiol 농도가 3000 pg/mL 이상인 환자
- 배란유도 시 20개 이상의 난포가 자란 환자

0.5 mg/d로 투여, 배란유도 시점이나 닌자채취일로부터 연속적으로 8일 투여 (투여기간은 줄일 수 있음)

필자가 보고한 바에 의하면 이미 OHSS가 발생한 환자에게 입원 시부터 GnRH antagonist를 주는 것이 난소 크기를 빨리 줄이고 임상 증상을 완화하는데 상당히 도움이 되었다(Obstet Gynecol Sci 2017;60:449).

난자채취일에 알부민을 투여하는 것은 OHSS 예방을 위해서 권장되지 않으며(Gynecol Obstet Invest 2010;70:47), OHSS 발생 후 치료적인 목적으로도 잘 사용하지 않는다. 필자는 복수천자 시에도 알부민은 주지 않는다. OHSS 발생 환자에게 수액공급은 crystalloid 만으로 충분하다.

체외수정술에서 메트포민의 병용은 OHSS 위험도를 유의하게 낮출 수 있다고 하지만 그 투여 기간에 대해서는 의견이 분분하다. 대개 1,500 mg/d를 사용하며 과배란유도 3-6개월 전부터 미리 복용시키는 경우도 있고, GnRH agonist 장기요법이라면 GnRH agonist 투여일부터 난자채취일까

지, GnRH antagonist 단기요법이라면 과배란유도 시작일부터 난자채취일까지 단기간 투여하기도 한다.

11) 반복착상실패

반복착상실패란 양질의 배아를 이식하고도 임신이 안 되는 경우를 말하며 배아이식의 횟수 기준에 대해서는 의견이 분분하나 대체로 3회 이상 배아이식 후에도 임신이 안 되는 경우로 잡는다.

원인으로 배아 이상(염색체 이상, 투명대 경화, 정자 결함 등)과 자궁내막 수용성 이상(난관수종, 자궁강이상, thin endometrium, 면역학적 요인) 등을 생각해 볼 수 있다.

반복착상실패 환자에서 일단 난관수종이 있으면 난관수종의 제거를 먼저 고려해 본다. 원래 난관수종 환자에서 salpingectomy 효과는 prophylactic salpingectomy, 즉 체외수정술 전에 salpingectomy를 하면 임신율과 생아출생율이 2배 상승한다는 것이었지만 첫 체외수정술 전에 salpingectomy를 하는 것에 대해서 환자들이 동의를 하지 않는 경우가 많다. 따라서 대개 체외수정술을 1-3회 해보고 임신이 안 되면 salpingectomy를 권해본다.

반복착상실패 환자에서 검사와 이에 따른 전략 및 기타 전략은 표 10과 같다.

표 10. 체외수정술 반복실패 환자에서 전략

검사	전략
진단자궁경/자궁내막조직검사	- 각 진단에 따른 처치 - thin endometrium인 경우 에스트로겐 치료, platelet-rich plasma 자궁강내 주입(investigational) - G-CSF 자궁강내 주입[임의비급여]
갑상선호르몬 및 갑상선 자가항체 검사	- TSH ≥3.4 mIU/L 또는 갑상선 자가항체 양성인 경우 levothyroxine 0.05 mg/d
정자 DNA fragmentation 측정	- 높을 경우 항산화제 투여, PICSI/IMSI 수정, 고환정자 사용
NK 세포분율	12% 이상인 경우 IgG[D], 인트라리피드[S]
없음	- ICSI 수정 - 배아이식 시 adherence molecule 사용(예, EmbryoGlu®) - 배아이식 시 oxytocin antagonist 사용(자궁선근증일 경우)[임의비급여] - 5일배아이식 - 보조부화술 - endometrial stimulation (자궁내막조직검사) - 착상전배아유전검사 - cycle segmentation - ERA를 이용한 personalized ET

진단자궁경과 자궁내막조직검사를 시행하여 자궁강 이상을 찾는 것은 반복착상실패 환자에서 전통적인 전략이다. 자궁내막증식증, 자궁내막용종, 자궁내막염, 자궁강내유착, 점막하자궁근종 등 자궁강 이상이 발견될 수 있으며 반복착상실패 환자에서 이를 교정 시 임신율을 올릴 수 있다는 의견이 있다. 반복착상실패 환자에서 점막하자궁근종 제거에 관한 보고는 없지만 일반적으로 점막하자궁근종 제거 시 임신율이 상승한다고 하므로 고려해볼만 하다.

Thin endometrium은 난임 환자에서 아직 미해결과제로 자궁강내유착처럼 원인이 있는 경우도 있으나 대부분 원인불명이다. 자궁내막을 두껍게 하는 전통적인 방식은 에스트로겐을 투여하는 것인데 우선적으로 시도해 볼 만하며 이외 자궁혈류를 증진시킬 목적으로 저용량 아스피린, sildenafil (비아그라®) 질내 투여[S], vitamin E, pentoxifylline (anti-fibrotics)를 사용해 보기도 하나 큰 효과는 없는 듯하다.

Thin endometrium에서 G-CSF의 자궁강내 투여 또한 다분히 실험적인 방법으로 투여 시기나 투여 용량 등이 정립되지 않았으며 효과도 불분명하다(Clin Exp Reprod Med 2016;43:240). 자궁내막에는 CSF가 있고 배아에는 CSF 수용체가 있어 배아의 착상에 관여하는데 동물실험에서 CSF가 없으면 배아의 착상력이 감소하며 사람에서 배아착상 시기에 자궁내막에서 CSF 발현이 증가하고 혈중 CSF가 상승한다는 관찰들이 G-CSF를 자궁강내로 투여하면 착상에 이로울 수 있다는 이론적 배경이다. G-CSF는 항암환자에서 백혈구 수치가 감소했을 때 사용하는 제제로 급여화 이전에는 일부에서 S-code로 사용되기도 하였으나 급여화 이후에는 임의비급여 품목이다.

Thin endometrium이 있거나 또는 반복착상실패 환자에서 platelet-rich plasma의 자궁강내 주입의 효용성에 대한 보고들이 있는데 2020년 발표된 메타분석에서는 7개 연구(환자 311명, 대조군 314명)를 정리하여 임신율은 1.79배 상승(95%CI 1.37-2.32), 착상율은 1.97배 상승(95%CI 1.40-2.79)한다고 하였다(J Reprod Immunol 2020;137:103078). 유산율은 차이가 없었으며(0.72배, 95%CI 0.27-1.93), platelet-rich plasma 투여 후 내막 두께는 평균 1.79 mm 증가한다고 하였다. Thin endometrium 환자만을 대상으로 한 2개 연구에서 임신율은 2.26배 상승, 반복착상실패 환자만을 대상으로 한 5개 연구에서 임신율은 1.73배 상승하여 두 적응증 모두에서 효용성이 있는 것처럼 보이지만 아직은 더 연구가 필요한 단계로 생각된다.

정자 DNA fragmentation (SDF)은 난임 남성에서 높게 측정되며 높은 SDF 치(통상 30% 이상)는 자연임신율 저하, 인공수정시 임신율 저하, 고식적 체외수정술 시 낮은 수정률, 배아질 저하, 낮은 임신율, 높은 유산율과 연관된다고 알려졌다(ICSI 주기에서 낮은 임신율과의 연관성은 논란이 있음). 또한 반복유산에도 관여한다는 주장이 있다.

아직은 측정법이 다양하고 임신율에 미치는 영향이 각 측정법마다 다르게 보고되는 문제, 기준치에 대해서도 정해진 바가 없다는 문제 등이 있어 아직 정식 검사로는 자리 잡고 있지 못하다.

SDF 치가 높은 남성에서 초기 접근으로 lifestyle modification (금연, 금주, 체중감소), 항산화제 투여, appropriate duration of abstinence, underlying disease (varicocele)의 발견 및 교정이 요구되며, 체외수정술시 SDF 치가 높다면 가장 먼저 ICSI를 시도하고 이외 sperm selection 테크닉(PICSI, IMSI)이나 testicular sperm extraction을 시도한다(Clin Exp Reprod Med 2018;45:101).

항산화제 투여가 SDF 치를 낮추는지는 논란이 있으나 SDF 치가 높거나 정자수/운동성이 감소한 경우 vitamin C, vitamin E, zinc, selenium 등 여러 영양소가 함유된 엔지뉴트-맨®(엔지팜사)을 권하는 임상의도 있다.

2020년 발표된 MOXI trial에 의하면 정액 소견이 WHO 5판 기준에 맞지 않는 남성 또는 SDF >25%인 남성에서 항산화제 복합체(500 mg vitamin C, 400 mg vitamin E, 20 mg zinc, 0.2 mg selenium, 1,000 mg l-carnitine, 1 mg folic acid, 10 mg lycopene)를 3-6개월 투여하였을 때 플라시보군 대비 정자 지표에는 이득이 없었으며(부인은 40세 미만으로서 무배란 아니고 난관 정상) 3달간은 자연임신 시도, 4달-6달까지는 클로미펜 + 인공수정술을 시행하였을 때 6개월 누적 생아출생율도 플라시보군 대비 차이가 없었다(Fertil Steril 2020;113:552).

갑상선호르몬은 정상이지만 혈중 TSH 치가 높은(>4.2 mIU/L) subclinical hypothyroidism이나 TFT 모두 정상이지만 갑상선 자가항체(anti-peroxidase 항체, anti-TG 항체, anti-TSH receptor 항체)가 존재하면 약간의 hypothyroidism을 유발하며 체외수정술 시 임신율에는 영향이 없지만 유산율을 증가시킨다는 의견이 있다(Hum Reprod Update 2016;22:775). 따라서 반복착상실패 환자에서 TFT와 갑상선 자가항체 검사를 시행하고 subclinical hypothyroidism 또는 갑상선 자가항체 양성인 경우 levothyroxine

을 투여해볼 수 있다.

그러나 난임 또는 유산의 병력이 있는 여성에서 euthyroid이지만 anti-peroxidase 항체 양성자에서 levothyroxine 투여의 효과에 대하여 영국에서 이루어진 대규모 randomized placebo-controlled 연구에서는 levothyroxine 0.05 mg/d 투여가 생아출생율을 올리지 못하였다고 하였으며(37.4% 대 37.9%), 유산율이나 조산율도 비슷하였다(N Engl J Med 2019;380:1316). 이 연구 결과를 반영한 메타분석에서도 euthyroid 이지만 thyroid auto-immunity가 있는 경우 levothyroxine 투여는 생아출생율을 올리지 못하고 유산율도 감소시키지 못한다고 결론지었다(J Clin Endocrinol Metab 2020;105:dgz217).

혹자는 혈중 TSH 3.4 mIU/L 또는 2.5 mIU/L를 upper limit으로 잡기도 한다. 그러나 혈중 TSH 3.4-4.2 mIU/L, 또는 2.5-4.2 mIU/L 같은 소위 경계성 subclinical hypothyroidism에서도 levothyroxine 투여가 효과적인지는 확정적이지 않다.

반복유산 환자에서는 자가면역검사로서 lupus anticoagulant, anticardio-lipin 항체, anti-β2-glycoprotein 1 항체, 동종면역검사로서 NK 세포분율, 혈전성향증(thrombophilia) 검사로서 antithrombin III, protein S, protein C, homocysteine을 측정한다(제10장 반복유산 참조).

필자가 있는 병원에서는 anticardiolipin 항체와 anti-β2-glycoprotein 1 항체가 'antiphospholipid syndrome panel'로 묶여 있어 lupus anticoagulant + antiphospholipid syndrome panel로 오더 한다.

항인지질항체증후군으로 진단되면 저용량 아스피린 + 헤파린(또는 enoxaparin) 요법을 시행하는데 이는 어느 정도 정립된 치료법이다(제10장 반복유산 참조). 그러나 NK 세포분율 증가 시 IgG 투여는 아직 효과가 불분명하며, 혈전성향증으로 진단되면 헤파린(또는 enoxaparin)(+/- 아스피린)을 사용해 볼 수 있지만 아직 효과는 정립되지 않았다.

반복착상실패 환자에서 항인지질항체증후군의 진단 요건이 충족이 안 된 상태인데 일부 항체가 양성인 경우, 또는 혈전성향증 인자가 양성인 경우 경험적으로 저용량 아스피린 또는 enoxaparin을 투여하는 경우가 있는데 아스피린과 enoxaparin 사용에 대한 급여 기준이 제시되어 있으므로 이에 합당하게 사용하여야 한다(난임시술 급여화 참조).

체외수정술 후 딱히 원인이 없는 반복착상실패는 반복유산과 비슷한 기전으로 생각되어 상기 자가면역검사 또는 혈전성향증 검사를 시행하고 이상이 있는 경우 치료를 해볼 수는 있지만 상기 이상이 반복착상실패를 유발하는지, 치료가 효과가 있는지는 아직 불분명하다. 그럼에도 불구하고 상기 검사 및 치료는 딱히 원인이 없는 반복착상실패 환자에서 일부 임상의에 의하여 사용되고 있다.

아직 이에 대한 국내 가이드라인은 정립되지 못한 상태이며 오직 다음과 같은 NK 세포검사 관련 가이드라인만 제시되어 있다.

대한생식면역학회에서는 반복유산/반복착상실패 환자에서 다음과 같은 경우 IgG 투여를 권장한다(Clin Exp Reprod Med 2017;44:1).

- NK 세포분율 >12%
- NK 세포독성(cytotoxicity) 항진: >34.3% at effector-to-target cell (E:T) ratio of 50:1, 23.8% at E:T ratio of 25:1, 9.6% at E:T ratio of 12.5:1
- type 1 T helper immunity 이상: 즉, Th1/Th2 비율 증가로서 TNF-α/IL-10 >30.6 또는 >36.2, interferon-γ/IL-10 >20.5인 경우

IgG는 저·무 감마글로불린혈증, 길랑바레증후군, 중증패혈증, 특발성혈소판감소성자반증, 가와사키병 등에서 사용되며 NK 세포수 및 활성을 감소하는 작용도 있다고 알려져 현 급여체계에서는 반복착상실패 환자에서 NK 세포분율 12% 이상이면 200-400 mg/kg 용량으로 난자채취일 또는 배아이식일에 [D]로 투여 가능하다. 이후 임신 확인 날 투여하며 임신된 경우 3-4주 간격으로 임신 29주까지 투여한다. 반복유산의 경우에는 임신 확인한 날부터 임신 29주까지 투여한다.

SK사의 리브감마®, 녹십자의 IV Globulin SN® 등이 있으며 다양한 용량이 있어 조합하여 사용한다.

IgG 400 mg/kg 기준으로 볼 때 체중에 따른 투여량은 다음과 같다.

Box

- 50 kg 20 g
- 52.5 kg 21 g
- 55 kg 22 g
- 57.5 kg 23 g
- 60 kg 24 g
- 62.5 kg 25 g
- 65 kg 26 g

투여 시 드물게 fever, malaise, myalgia, headache 등이 있을 수 있으며 매우 드물게 myocardial infarction, renal failure, alopecia, aseptic meningitis, renal necrosis가 발생한 사례도 있으므로 투여 시 환자를 면밀히 관찰해야 한다.

인트라리피드®는 fat emulsion 형태의 영양제라 원래 [S]이며, 현 급여체계에서는 [S]로 난임환자에게 처방가능한 인정비급여이다. IgG 보다는 상대적으로 가격이 저렴하다는 장점이 있다. NK 세포수 및 활성, Th1 면역을 억제한다고 알려졌다. 인트라리피드®(20%, 50 g/250 mL 또는 10%, 50 g/500 mL)는 난자채취일에 투여하고, 임신이 확인되면 1주 이내에 재투여하며, 임신 14주까지 2-4주 간격으로 투여한다(Int J Gynecol Obstet 2016;135:324). 보통 kg 당 1 g 으로 투여하므로 성인여성에서는 1 bottle을 주면 되며 2 mL/min 속도로 투여한다. 비슷한 제제로 오마프원리피드®, SMOFlipid® 등이 있다. SMOFlipid®는 20%/250 mL 제형 1 bottle을 2시간 이상에 걸쳐 투여하며 부작용으로는 체온상승, 식욕부진, 오심, 구토, 오한, 저혈압, 고혈압 호흡곤란, 과민반응, 목, 등, 허리 등의 통증 등이 있다.

다음과 같은 경우 금기이다.

- 생선, 계란, 콩, 땅콩 단백질 등에 과민증이 있는 환자
- 심한 고지혈증 환자
- 심한 간기능 부전 환자
- 심한 혈액 응고 장애 환자
- 혈액 여과나 투석을 실시하지 않는 신기능 부전 환자
- 급성 쇼크 상태에 있는 환자
- 불안정상태(심한 외상 후 상태, 비보상성 당뇨병, 급성 심근경색, 뇌졸중, 색전증, 대사성 산증, 심한 패혈증, 저장성 탈수증)
- 수액요법의 일반적 금기: 급성 폐부종, 수분보급과다, 대상기능장애, 심부전

반복착상실패 환자에서 별다른 검사나 처치를 하지 않고도 다음 주기에 시행해볼 수 있는 방법으로는 ICSI 수정, 배아이식 시 adherence molecule 사용, 배아이식 시 oxytocin antagonist 사용(자궁선근증일 경우)[임의비급여], 5일배아이식, 보조부화술, endometrial stimulation (자궁내막조직검사), 착상전배아유전검사, cycle segmentation, ERA를 이용한 personalized ET 등이 있다. 배아이식 시 배양액 대신 adherence molecule (예, Embryo-Glu®)에 배아를 넣어 같이 자궁 안으로 넣어주는 것은 매우 간편한 방법이므로 시도해볼만 하고 급여도 인정된다.

배아이식 시 자궁수축으로 인하여 착상이 실패된다는 가정 하에 반복착상실패 환자에서 oxytocin antagonist를 사용하기도 한다. 특히 자궁선근증일 경우 자궁수축이 빈번하여 oxytocin antagonist 사용의 주 대상이 된다. 3개의 무작위연구를 종합한 메타분석에서는 착상율은 1.92배 상승하였으나 임신율과 유산율은 차이가 없었다(Clin Exp Reprod Med 2016;43:233). 3개의 무작위연구 중 한 개만이 반복착상실패 환자를 대상으로 한 연구였다.

몇 가지 투여 방식이 있으나 필자가 있는 병원의 프로토콜은 다음과 같다.

- 아토시반® 37.5 mg + 생리식염수 50 mL (=0.75 mg/mL) 믹스하여 처음 9 mL (=6.75 mg)를 bolus로 주고 이후 24 mL (=18 mg)/hr 속도로 1시간 투여 → 배아이식 → 8 mL (=6 mg)/hr 속도로 2시간 투여 (총투여량 49 mL/36.75 mg)

아토시반®은 급여화 이전에는 [S]로 사용하기도 하였으나 급여화 이후에는 임의비급여 품목이다.

5일배아이식은 난자수가 많아야 시도해 볼 수 있으며 포배기배아를 얻지 못하여 이식이 취소되기도 한다. 필자가 있는 병원에서는 포배기배아는 일단 난자수가 9개 이상일 경우 시도한다. 5일배아이식은 3일배아이식에 비하여 착상율과 임신율은 월등히 높으나 이식을 못하는 수도 있어 시작 환자당으로 따지면 3일배아이식과 비슷한 임신율을 보인다.

배아는 체외에서 수정 후 5일이 지나면 투명대 밖으로 나오게 되는데 이를 부화(hatching)라고 한다. 투명대 경화 또는 두꺼운 투명대로 인하여 부화가 제대로 일어나지 않아 착상이 되지 않는다는 개념 하에 보조부화술(assisted hatching)이 도입되었다. 반복착상실패 환자 또는 동결배아이식 시 보조부화술이 약간 도움이 된다는 보고가 있고 방법이 비교적 간편하므로 시도해볼만하다. 현 급여 체계에서는 40세 이상 여성, FSH ≥12 mIU/mL, 투명대 ≥15 μm 또는 검거나 비정형, 동결배아이식처럼 투명대 경화 현상이 일어나는 경우, 이전 체외수정술 시 배아의 부화가 일어나지 않았거나 양질의 수정란을 이식하였으나 2회 이상 착상 실패한 경우 급여이다.

자궁내막조직검사를 하듯이 자궁내막을 긁어주면 조직검사도 되면서 자궁내막이 자극이 되어(endometrial stimulation, endometrial injury, endometrial scratch) 반복착상실패 환자에서 임신율이 상승한다는 보고가 많았었는데 최근에는 별 이득이 없다는 보고들도 많아졌다. 체외수정술 1회 실패한 환자에서 endometrial scratch가 생아출생율을 올리는지를 보는 multicenter RCT가 이루어졌는데 RR 1.24배[95%CI 0.96-1.59]로 이득은 없는 것으로 나타났다(Hum Reprod 2021;36:87). 자궁내막이 비교적 좋은 환자만 대상이 되고, 기전이 불분명하며, 시행 시기나 시술 방법 등이 아직 정립되지 않은 문제점도 있다. Chemical stimulation이라 하여 배아이식 전에 배아배양액이나 저용량 hCG를 자궁강 안으로 넣어주기도 한다.

착상전배아유전검사(preimplantation genetic screening, PGS)는 배아의 염색체 이상(aneuploidy)을 확인하고 euploid 배아만 이식하는 방법이다. PGS는 착상전배아유전진단(preimplantation genetic diagnosis, PGD)과는 다른 개념으로 임신율을 극대화시키기 위하여 배아의 염색체 이상을 선별하는 검사이다. 이에 반해 PGD는 부부 중 염색체 이상 또는 단일유전자질환이 있는 경우 해당 부위의 이상이 없는 배아만을 선별하는 검사이다.

PGS는 포배기배아에서 일정 부분의 trophectoderm을 추출하는 생검 과정과 여기에서 얻어진 DNA를 분석하는 두 단계로 이루어진다. 8세포기배아에서 blastomere 한 개를 생검하는 것은 요새 잘 쓰이지 않는다. 분석 결과가 나오기까지는 일정 시간이 소요되므로 일단 배아동결을 하고 다음 주기에 배아이식을 하게 된다.

통상 배아생검은 체외수정연구실에서 이루어지며 DNA 분석은 진단검사의학과나 전문기관에 의뢰하여야 한다. Trophectoderm 생검은 사실 배아 자체가 아니라 태반 조직을 검사하는 것이다. 따라서 배아의 상태를 정확히 반영하지 못하며 모자이시즘 빈도가 높다는 점 등이 단점으로 지적된다.

PGS로 검사하여 염색체가 정상인 배아만을 이식하는 것이 반복착상실패 환자에서 도움이 되는가에 대해서는 회의적인 시각이 많다. 즉 PGS를 함으로써 임신율과 생아출생율을 올리지 못한다는 견해인데 반복착상실패의 원인이 배아의 염색체 이상이 주요인이 아닐 가능성, 모자이시즘의 존재, 생검한 trophectoderm 부위의 상태가 모든 trophectoderm 또는 배아의 상태를 반영하는 것은 아니라는 점, 염색체가 정상인 배아를 이식하여도 이후 분열과정에서 염색체 이상이 나올 가능성 등이 그 요인으로 작용한다고 본다.

대부분의 PGS 연구는 몇 개의 염색체 상태만을 파악하는 FISH 기법을 이용하였지만 최근에는 모든 염색체 상태를 파악하는 array CGH 기법으로 시행하므로 장차 긍정적인 결과가 나올 수도 있으리라 기대한다.

Cycle segmentation은 이번 주기에 배아이식을 하지 않고 일부러 모든 배아를 동결하였다가 다음 주기에 동결배아이식을 하는 것을 말하며 일명 'freeze-all' 전략이라고도 한다. 반복착상실패에 효과가 있는 것은 아니지만 특별한 원인 없이 착상이 안 되는 경우 시도해볼 수 있다. 이 방법은 과배란 유도 주기에 형성되는 높은 호르몬 치를 피할 수 있어 자궁내막 수용성을 증대시킨다는 가설에 근거한다. 이외 OHSS risk가 있는 경우, 트리거링일에 progesterone의 조기 상승, PGS를 하는 주기, 저반응군에서 소위 '배아의 accumulation' 전략 등에도 이용할 수 있다.

Endometrial receptivity analysis (ERA)는 아이지노믹스에서 236개의 착상관련 유전자를 NGS 기법으로 분석하여 환자마다 적절한 이식 타이밍을 정해주는 소위 'personalized ET' 기법이다.

일단 EPT를 하고 P+5일에 내막생검을 하여 의뢰하면 receptive, early 또는 late receptive, pre-receptive, post-receptive, non-receptive, 재검 등으로 결과가 오며 P+5일에 이식할건지 아니면 좀 더 이른 또는 나중 시기에 할 건지를 정해준다. 즉 receptive이면 통상 P+5일, 즉 120시간 전후(±3시간)로 정해지며, early이면 내막이 아직 착상기가 아니므로 조금 늦게(예, 133시간), late이면 내막이 착상기가 조금 지났으므로 조금 일찍(예, 110시간), pre- 이면 아예 하루를 늦추어 6일째 이식, post- 이면 하루를 당겨 4일째 이식한다.

ERA를 이용한 personalized ET에서는 원칙적으로 포배기배아의 동결배아이식을 해야 한다. 내막생검 후 다음 주기에 포배기배아를 생성하여 일단 동결하고 그 다음 주기에 동결배아를 결과에서 정해준 시기에 이식하거나 또는 내막생검 의뢰 전에 미리 배아를 생성하여 동결해 놓아도 된다.

자연주기라면 LH+7일에 내막생검을 한다. ERA는 포배기배아의 이식에 초점이 맞추어져 있는데 만일 3일배아라면 정해준 시기보다 48시간 전에 이식을 하면 된다고 한다.

2020년에 ERA를 이용한 personalized ET의 효용성에 대한 다기관 RCT

가 발표되었는데 처음으로 포배기배아를 이식하려는 37세 이하의 여성을 대상으로 personalized ET 대 frozen ET 대 fresh ET를 랜덤으로 배정하였다(Reprod Biomed Online 2020;41:402). 최종 per protocol 분석에는 각 군 80명, 82명, 94명이 포함되었으며 첫 이식 시 임신율은 72.5%, 54.3% (p=0.01), 58.5% (p=0.057)이었으며, 첫 이식 시 생아출생율은 56.2%, 42.4% (p=0.09), 45.7% (p=0.17)로 차이가 없었지만 12개월간의 누적 생아출생율은 71.2%, 55.4% (p=0.04), 48.9% (p=0.003)로서 personalized ET 군이 월등히 높았다. 첫 이식 시 생아출생율을 가장 중요한 효용성의 근거로 본다는 관점에서는 ERA를 이용한 personalized ET는 효용성이 없다고 볼 수 있다.

2021년에도 첫 이식을 하는 여성을 대상으로 ERA를 이용한 personalized ET의 결과가 발표되었는데 생아출생율을 올리지 못하는 것으로 보고하였다(Fertil Steril 2021;115:1001). 이 연구에서는 single euploid frozen ET 첫 주기반을 대상으로 하였고(즉 RIF 환자가 아님) ERA를 이용한 personalized ET 147주기, standard frozen ET 81주기를 포함하였는데 ERA를 이용한 personalized ET 147주기에서 receptive는 60주기, non-receptive는 87주기(대부분이 pre-receptive) 이었으며 생아출생율은 각각 56.5%, 56.6%로 차이가 없었다.

반복착상실패군에서 ERA를 이용한 personalized ET가 효용성이 있는지는 아직 보고가 적은데 2020년에 발표된 다기관 후향적 보고에 의하면 반복착상실패군에서 ERA를 이용한 personalized ET의 효용성은 없는 것으로 나타났다(J Assist Reprod Genet 2020;37:2989). 이 연구에서는 PGT-A, ERA, PGT-A + ERA를 받은 군과 검사를 하지 않은 standard 대조군을 비교하였는데 총 3개 이상 배아이식에도 반복착상실패이었던 2,110명 환자에서 PGT-A 군만이 착상율, 온고잉 임신율이 대조군에 비하여 월등히 좋았으며, 총 5개 이상 배아이식에도 반복착상실패였던 488명 환자에서는 PGT-A, ERA는 모두 효용성이 없었다.

11

난임시술 급여화

2017년 10월자로 난임시술, 즉 보조생식술 분야의 많은 항목이 급여화 되었다. 급여 대상자는 처음에는 법적 혼인상태에 있는 난임부부로서 부인 연령 기준은 치료시작 시점에서 만 44세 이하(즉, 45.0세부터 급여 안됨) 이었으나 2019년 7월부터 45.0세 이상에서도 급여 가능하며 2019년 10월부터는 사실혼 관계의 부부도 난임 부부에 포함되도록 하였다.

부인이 재혼하였다면 급여횟수는 처음부터 다시 적용한다. 부부 모두 급여 제도권 안에 있어야 한다.

급여인정 횟수는 애초에는 신선배아 4회, 동결배아 3회, 인공수정 3회 이었으나 2019년 7월부터는 각각 3회, 2회, 2회가 추가되었고 이후 2021년 11월부터는 각각 2회, 2회, 0회가 추가되었는데 단, 이 때 추가분은 따로 산정하지 않고 전체 급여횟수로 합쳐서 산정하게 되어(즉 추가 개념 삭제) 결국 급여횟수는 모든 환자에서 각각 9회, 7회, 5회가 되었다. 단 45세 이상 시술료는 여전히 선별 50%이다. 급여 비용의 기본개념, 본인부담율 및 공 난포 시 채취료는 표11과 같다.

표 11. 보조생식술 급여의 기본개념(괄호 안은 요율)

	급여환자	45.0세 이상	비급여 환자
기타 진료비용	급여(30%)	급여(30%)	급여(30%)
약제	급여(30%)	급여(30%)	[D]
시술료	급여(30%)	급여(50%) (단 배아배양 및 지속관찰은 80%)	[S]
*공난포 (급여횟수에는 미포함)	성숙난자채취료(30%)	성숙난자채취료(50%)	

기준 이외 시행한 보조생식술은 비급여[S]이며 비급여환자라도 난자채취 시 진정마취, 항생제 등 기타 진료 비용은 급여이다.

신선배아 이식 시 이전 동결한 배아를 같이 이식하고자 할 때는 신선배아의 급여횟수로 적용하고 동결배아 급여횟수는 적용하지 않는다.

잔여배아의 동결보관, 선택적태아감수술, 배아/태아 유전자검사는 [S]이다. 잔여배아 동결은 의학적으로 필요성이 적다고 하여 [S]이며, 일단 동결한 배아는 향후 사용 시 당연히 해동하여야 하므로 의학적 필요성이 인정되어 해동료는 급여이다. 배아유전자검사는 급여화 이전에는 어떤 규정이 없어 임의비급여로 간주되었으나 급여화 이후 비급여[S]로 적시되었다.

OHSS, 다태임신에 따른 치료는 급여이다.

적용기간은 과배란유도제 처방일 또는 자연월경시작 후 내원일부터 배아이식일 또는 인공수정술일 또는 시술중단일까지 이다.

보통 체외수정술 후 혈중 hCG 검사를 배아이식일에 미리 오더 하여 검사를 진행하였지만 급여화 이후에는 배아이식일에 급여가 끝나므로 혈중 hCG 검사는 시술중단일 이후에 하는 검사가 되어 배아이식일에 오더를 하지 못하고 다음날 따로 해야 한다. 필자는 배아이식일에 환자를 당일 외래로 띄워 혈중 hCG 검사를 따로 오더 한다.

또한 신선주기 도중에 정자를 미리 받아 얼릴 때 채취료는 급여이지만 만일 신선주기 시작 전에 정자를 미리 받아 얼릴 때는 [S]이며 정자의 동결/

해동 또한 모두 [S]이다.

이식배아수에 대해서는 따로 공고는 없지만 기존 정부지원제도 하에서의 기준을 준용하면 될 것으로 생각된다.

35세 미만: 2일-4일배아이식 = 2개, 5일배아이식 = 1개
35세 이상: 2일-4일배아이식 = 3개, 5일배아이식 = 2개

통계청 권고 사항은 남성에서는 남성에서 사용가능한 진단명만을 넣어야 한다는 것이다. 따라서 '남성요인'이라는 진단명을 여성에서는 사용하면 안 되며 '여성요인'이라는 진단명을 남성에서는 사용하면 안 된다. 확정 시까지는 다음과 같이 진단명을 기입하도록 한다. 단, 심평원 통계관리 난임원인 기재 가이드에서는 일측 난관폐쇄, 일측 난관수종, 일측 난관절제(결찰)술의 기왕력이 있는 경우는 다른 난임원인이 없는 한 원인불명으로 기재하라고 되어있다.

남성에서의 진단명은

- male factor면 male factor infertility (N46)
- 여성측 요인이면 unexplained male infertility (N46)

여성에서의 진단명은

- 여성측 요인이면 해당상병기재
- 남성측 요인이면 male factor of female infertility (N974)

과거 외국에서는 체외수정술의 적응증에 관하여 소수의 가이드라인이 나와 있기는 했지만 국내에서 체외수정술의 적응증은 발표된 적이 없었다. 난임 질환이 어차피 비급여 항목이라 임상의의 판단에 따라 적절히 인공수정술과 체외수정술을 비교적 자유롭게 시행해 왔다.

그러나 2017년 10월자로 난임 영역이 급여 체계로 들어오게 되면서 비

로소 공식적인 보조생식술의 적응증이 마련되었다(표 12). 따라서 난임전문의는 이 적응증을 숙지하면서 진료에 임해야 할 것이다.

표 12. 급여화 이후 제시된 보조생식술의 적응증

	인공수정술	체외수정술
난관요인		양측난관폐쇄(난관결찰 환자가 재건술한 경우에는 1년 이상 비임신) (유권해석으로서 한쪽만 막힌 경우도 적응증이다)
원인불명	3가지 기본 검사* 정상이고 1년 이상 비임신 (부인 35세 이상인 경우는 6개월 이상)	3가지 기본 검사* 정상이고 3년 이상 비임신 (부인 35세 이상인 경우는 1년 이상)
남성요인	정계정맥류 없고 비정상 정자, 사정장애 등, 기타 남성불임	ICSI 대상자 정계정맥류[1] 폐쇄성 무정자증[2] 비폐쇄성 무정자증[3] 저성선자극호르몬성 성선기능저히증[4] 정관절제술[5]
자궁내막증	수술: 6개월 이상 비임신 비수술: 1년 이상 비임신	중증인 경우
난소기능 저하		① 검사소견(전동난포수 ≤6, AMH ≤1.0 ng/mL, FSH ≥12 mIU/mL), ② 난소저반응 고위험군, ③난소저반응 경험자** 3가지 중 2개 이상에 해당
기타	기타 인공수정이 필요하다는 의학적 소견이 있는 경우	착상전배아유전진단, 체외수정 이외의 난임치료(난관성형술, 배란유도, 인공수정 등)로도 1년 이상 비임신, 기타 체외수정이 필요하다는 의학적 소견이 있는 경우

* 자궁난관조영술사진, 정자검사, 배란유무
** 첫 시술 시 3개 이하의 난자, 두 번째 이후 5개 이하의 난자(FSH 150 IU/d 이상 투여 시)
1) 수술 후 6개월내 정액검사 향상 없음, 수술 후 지표 향상이 있으나 1년내 비임신
2) 수술 실패 또는 불가능한 경우
3) 미세수술적 다중 고환조직정자추출에서 정자가 발견되어 체외수정 가능한 경우
4) 2년의 호르몬치료에도 비임신
5) 정관문합술 불가하거나 수술 2회 실패 시, 수술 후 3개월내 무정자 또는 유정자라도 1년내 비임신

난임 급여화가 진행하면서 많은 약제들이 급여, [D], [S]로 분리되었다. 환자가 급여 대상인지를 먼저 파악하고 이에 따라 약제의 급여 여부를 판단해야 하며 시간이 지나면 약제의 급여 여부가 변경될 수도 있으므로 매번 잘 숙지하여 삭감이 되지 않도록 해야 한다(표 13).

표 13. 난임 약제 급여 여부

	자연관계	PCOS 등 무배란 증에서 배란유도 (N970)	ART (Z311/Z312)	비급여 환자
진찰료	모두 급여			
초음파	단순(I)	단순(II)	급여 (주기 처음은 일반으로 내고 중간에는 난포모니터링으로 낸다)	
경구제	CC 2T x 5ds Letrozole 2T x 10ds[1]	좌동	좌동	D
경구제-기타		Metformin if PCOS Pioglitazone (D)	Metformin if PCOS Pioglitazone (D) ERT Doxy 1T bid x 5ds (D)	D D D D
주사제	S	hMG 제제 150 IU/d FSH 제제 225 IU/d (6주기까지)	hMG 제제, FSH 제제 (단일약제 450 IU/d 까지 병용은 600 IU/d 까지)*	D
		Pergoveris[2] Luveris (D) Menopur/Elonva (S)	Pergoveris[3] Luveris(4회까지)[3] Menopur/Elonva (S)	D D S
트리거링	IVF-C/Preg-nyl Ovidrel (S)	IVF-C/Pregnyl Ovidrel (S)	IVF-C/Pregnyl Ovidrel (S) GnRH agonist (D)	D S D
억제제	S	S	`Deca매일/leuprolide 매일/Deca데포/Zola데포/leuprolide 14 mg `leuprolide 3.7 mg (D) `cetrotide/ganilever	D

	자연관계	PCOS 등 무배란증에서 배란유도 (N970)	ART (Z311/Z312)	비급여 환자
황체기 보강	S	S	S	S
부가1			카버락틴(D) 아토시반(임의비급여)	임의비급여 임의비급여
부가2		Pd/Dexa (임의비급여) ASA (임의비급여)	GH (D)[4] Pd/Dexa (반복착상실패) 아스피린[5] Enoxaparin[6] IVIG (D)[7] Intralipid/Viagra (S) G-CSF (임의비급여)	D D D D D 임의비급여 임의비급여

1) CC로 자궁내막 <7 mm, PCOS에서 CC 실패/과도한 난소반응/다태 불원
2) 저성선자극호르몬성 성선부전증으로 hMG에 부적절반응/부작용우려
3) LH<1.2, 저성선자극호르몬성 성선부전증으로 hMG에 부적절반응/부작용우려
4) >40세, 저반응군
5) 아래 급여 기준 참고
6) 아래 급여 기준 참고
7) 반복착상실패 참조

Prednisolone (5 mg)과 dexamethasone (0.5 mg, 1.0 mg)은 면역억제치료제인데 반복착상실패에 딱히 효능이 입증된 것은 아니지만 일단 반복착상실패 시 급여로 가능하다.

아스피린은 혈전예방제인데 혈전성향증이 반복유산 또는 반복착상실패에 기여하는지는 아직 불분명하고 일반적으로 체외수정술 시 아스피린의 효능은 없다고 인식되고 있다. 2018년 6월 급여 기준에 의하면 아스피린은 항인지질항체증후군이나 선천성 안티트롬빈 결핍이 확인되면 급여 가능하나 선천성 안티트롬빈 결핍을 제외한 선천성 혈전성향증이 확인된 경우에는 [D]로 처방한다.

- 말초동맥성질환

- 절박유산과 관계가 있다고 추정되는 태반의 혈전생성 방지
- 전자간증 예방목적으로 임신 12주부터 투여한 경우: 이전 임신 시 고혈압성질환, 만성신장질환, 자가면역질환, 전신홍반루프스, 항인지질항체증후군, 제1/제2형 당뇨, 만성고혈압, 다태임신, 다음 중 2개 이상: 초산모, 만 40세 이상, 이전 임신과 간격이 10년 이상, 비만(BMI ≥30), 전자간증 가족력
- 항인지질항체증후군, 선천성 안티트롬빈 결핍, 임신 전 2회 이상 정맥혈전색전증(enoxaparin과 병용, 임신 기간 또는 보조생식술 시행일로부터 분만 후 6주까지)

*다음은 [D]임: 선천성 안티트롬빈 결핍을 제외한 선천성 혈전성향증으로 3회 이상 반복유산 또는 착상실패(enoxaparin과 병용, 배란일 또는 보조생식술 시행일로부터 임신확인일까지)

Enoxaparin (크렉산®)도 아스피린과 마찬가지로 혈전예방제인데 혈전성향증이 반복유산 또는 반복착상실패에 기여하는지는 아직 불분명하지만 2018년 6월 급여 기준에 따라 항인지질항체증후군이나 선천성 안티트롬빈 결핍이 확인되면 급여 가능하나 선천성 안티트롬빈 결핍을 제외한 선천성 혈전성향증이 확인된 경우에는 [D]로 처방한다.

정자 질 향상 목적의 엘칸®은 기존에 [D]로 처방했으나 급여화 이후 임의비급여가 되었다. 그러나 환자가 약국에서 구입 가능하므로 문제는 없다. 배아이식 시 adherence molecule (예, EmbryoGlu®)는 자유롭게 급여로 사용 가능하다.

보조생식술의 다양한 기법들에 대해서는 다음과 같은 경우 급여가 인정된다.

- 정자처리술: B형간염/C형간염/HIV 보균자, 농정액, 역행성사정 환자의 소변에서 정자, 운동성 촉진 처리를 하는 경우(운동성 20% 이

하 또는 진행성 10% 이하), 전기자극을 이용하여 채취한 정자

- ICSI 기준: 심각한 남성인자, 항정자항체, 척수손상, 사정장애, 역방향 사정, 무정자증, 미숙난, 동결보존된 정자/난자, 착상전배아유전진단, 중증 자궁내막증, 난소기능저하, 비ICSI 주기에서 수정실패 또는 배 발생률이 낮았던 경우, 이전 체외수정술 후 2회 이상의 임신 실패력
- 미세수술적 다중 고환조직정자추출: 비폐쇄성 무정자증인 경우
- 고환조직정자추출: 수술불가/수술실패인 폐쇄성무정자증, 사정장애가 약물치료로 교정 안 됨, 발기장애가 교정이 되지 않는 경우, 당일 사정 정액에서 운동성 정자가 없는 경우
- 고환조직정자흡인술: 수술불가 폐쇄성무정자증 중 고환조직정자추출이 불가능한 경우, 이전 고환의 염증성질환 및 반복적인 수술로 유착이 심한 경우, 고환암이 의심되는 경우
- 부고환정자흡인술: 고환의 백막에 접근이 불가능하여 고환조직 채취가 불가능한 경우, 고환의 악성종양이 의심되는 경우
- IMSI 기준(고배율현미경, 편광현미경 이용): 정자모양 1% 이하, 수술적채취 후 동결한 정자로 ICSI하는 경우, 이전 체외수정술 후 수정 실패, ICSI 수정율 ≤40%, 포배기발달률이 낮은 경우, 자연유산 2회 이상, ICSI 했으나 반복 임신 실패 또는 2회 이상의 화학적 임신
- PICSI 기준(히알루로난 코팅 정자 선별): 정자모양 1% 이하, 운동성 20% 이하 또는 진행성 10% 이하, 정자성숙도가 떨어지는 경우, ICSI 수정률 ≤40%, ICSI 했으나 포배기발달률이 낮거나 지연발육, 자연유산 2회 이상, ICSI했으나 반복 임신 실패 또는 2회 이상의 화학적 임신
- 타임랩스 기준: 배발달 속도가 불규칙하여 배발달 상태를 지속적으로 모니터링 해야 하는 경우(본인부담률 80%), 이전 체외수정술 후 반복 임신 실패 또는 2회 이상의 화학적 임신, 단일 배아이식을 예정할 경우, 기타 지속적 배아 관찰이 필요하다는 의학적 소견이 있는 경우

- 보조부화술: 40세 이상 여성, FSH ≥12 mIU/mL, 투명대 ≥15μm/검거나 비정형/경화현상, 이전 체외수정술 시 배아의 부화가 일어나지 않았거나 양질의 수정란을 이식하였으나 2회 이상 착상 실패
- 난자활성화 기준: 정자운동성 20% 이하 또는 진행성 10% 이하, 모두 미숙난인 경우, 성숙난 수정율 <70%, 이전 주기에서 수정실패 또는 수정율 <40%, 이전 주기에서 ICSI 했으나 비정상적 배발달 또는 배아질이 많이 떨어지는 경우
- 배아활성화 기준: 저반응군, 미숙난이 나온 경우(미숙난 비율 ≥70%, 미숙난 성숙 후 수정율 <30%), 배발달이 심하게 늦거나 정지된 경우

제 7 장

자궁선근증

1 병태생리

자궁선근증은 자궁근층 내에 자궁내막 조직이 있는 질환으로 40세 이상, 다산부에서 호발하며 무증상도 있지만 흔히 월경통이나 월경과다를 일으키는 대표적 부인과 질환이다. 이외 abnormal uterine bleeding, prolonged menstrual bleeding, inter-menstrual bleeding, pre-menstrual spotting, dyspareunia, chronic pelvic pain, local pressure symptoms, dysuria, dyschezia 등이 있다. 자궁선근증이 난임과 반복유산의 원인으로 분류되기도 한다(Hum Reprod Update 2020;26:392).

자궁선근증의 병태생리에 대해서는 아직 논란이 있으나 크게 3가지가 거론된다.

첫째는 자궁내막 조직이 변형된 또는 단절된 junctional zone (JZ)을 통하여 근층으로 invagination 된다는 가설로서 소위 'tissue injury and repair' (TIAR) 기전을 포함한다. TIAR 기전에서는 myometrial hypercontractility, increased intrauterine pressure 등으로 인하여 JZ 에 만성적인 auto-traumatization과 힐링이 반복적으로 발생하여 자궁내막 조직이 근층으로 파고든다는 것이다.

둘째는 근층 내에 있는 embryonic 또는 adult stem cell이 metaplasia를 일으킨다는 가설이다.

셋째는 retrograde menstruation이 복강 내로 일어나 이 안에 있는 adult endometrial / stromal stem cell이 자궁 바깥쪽에 부착하여 분화된다는 가설로서 자궁 바깥쪽으로부터 invasion 형태로 나타난다. 이 가설은 PCDS에 발생하는 자궁내막증과 더불어 자궁후방 근층에 발생하는 focal adenomyosis와 방광에 발생하는 자궁내막증과 더불어 자궁전방 근층에 발생하는 focal adenomyosis를 잘 설명한다.

JZ은 조직학적으로 자궁내막-근층 경계에서는 확인되지 않는 매우 특이한 구조로 MRI에서는 sub-endometrial halo 형태로 보이며 초음파에서는 endometrial basal layer 바깥으로 저에코성 형태로 보인다. MRI로 자궁선근증을 진단하기 위해서는 T2 이미지에서 JZ에 대하여 다음 3가지 요소가 필요하다(Insights Imaging 2017;8:549).

- JZ 최소 8-12 mm
- 총 근층 대비 최대 JZ 비율 >40%
- 최대 JZ 및 최소 JZ 차이 >5 mm

JZ >12 mm는 진단에 매우 특이적이며, JZ <8 mm이면 진단을 배제할 수 있다고 알려져 있다.

JZ을 판단함에 있어 고려할 요소는 월경주기, reproductive status, 약제, 연령이다.

- 월경8일-16일 사이에 가장 두꺼우며 월경 중에는 매우 다양하게 나타난다.
- 폐경이거나 임신 중에는 매우 얇거나 없다.
- 경구피임제, GnRH agonist 사용 시 얇아진다.
- 50세까지는 두꺼워지다가 이후로는 얇아진다.

간혹 transient uterine contraction을 JZ이 두꺼워진 것처럼 오인할 수 있다.

MRI에서 JZ 소견 외에 근층에 내막 조직이 확실히 보이거나 smooth muscle cell hypertrophy, intramyometrial cysts가 보이면 진단이 가능하다.

자궁선근증을 여러 아형으로 나누는 것은 여러 방법이 있으나 International Morphological Uterus Sonographic Assessment (MUSA) group에 의하면 diffuse type과 localized type으로 나누는데 diffuse type이란 total myometrial involvement가 corpus uteri의 50%를 넘는 경우이며 이 수치 미만이면 localized type이다.

2019년 11월부터 자궁근종은 MRI가 급여가 되었으나 자궁선근증은 선별80% 적용으로 되었다(단, 초음파검사에서 자궁선근증이 확인되어 치료방향 결정을 위해 자궁근종과의 감별이 필요한 경우에 한한다)(제9장 Box 참조).

2

난임 환자의 처치

난임 환자로서 자궁선근증이 있으면 체외수정술 후 임신율이 자궁선근증이 없는 환자에 비하여 낮으며 또한 임신이 되더라도 유산 가능성이 높다고 알려졌다.

2014년 보고된 메타분석에 의하면 자궁선근증을 가진 여성은 체외수정술 후 임신율이 0.72배로 감소하며 유산율은 2.12배 상승한다고 하였다 (Hum Reprod 2014;29:964).

2017년에 보고된 메타분석에 의하면 자궁선근증을 가진 여성은 체외수정술 후 생아출생율이 0.69배 감소하며 유산율은 2.12배 상승한다고 하였다(Acta Obstet Gynecol Scand 2017;96:715).

일반적으로 자궁선근증은 30대 후반에서 40대, 즉 가임력이 저하되고 유산율이 증가하는 시기에 다빈도로 나타나기 때문에 연령 자체로도 난임이나 유산과 연관이 있을 가능성이 있다.

자궁선근증 환자에서 배아 착상력이 저하되고 유산이 증가하는 기전으로는 distorted endometrial cavity, altered uterine muscular contraction (dysperistalsis), 자궁벽의 탄성 저하, 그리고 1/3 정도에서 동반되는 자궁내막증의 영향 등이 거론되고 있다.

자궁선근증을 가진 난임 환자에서 다른 난임 요인이 동반된 경우에는 그 요인에 대한 치료 권고안대로 진행하면 된다.

자궁선근증 외에 다른 난임 요인이 없는 환자는 일단 원인불명에 준해서 접근하되 체외수정술을 항상 고려하여야 한다.

체외수정술을 할 경우 depot GnRH agonist를 1-3개월 전처치하여 자궁의 크기와 증상을 줄이고 체외수정을 하는 초장기요법 또는 난포기 장기요법이 선호되고 있다. GnRH agonist를 1회만 투여하고자 할 때는 난포기에 1회를 투여하고 이후 월경3일째부터 과배란유도를 시작한다. GnRH agonist를 2회 이상 투여할 때는 월경이 없어질 수 있는데 이때는 마지막 투여 3-4주 후에 과배란유도를 시작한다. 동결배아이식을 할 때도 GnRH agonist를 전처치할 수 있다.

통상적인 과배란유도제 투여가 혈중 estrogen을 상승시켜 자궁선근증에 악영향을 줄 수 있으므로 혈중 estrogen을 덜 상승시키는 mild stimulation을 선호하는 임상의도 있으며 이 경우 GnRH agonist 전처치는 하지 않는다.

황체기보강 시 프로게스테론은 통상보다는 고용량으로 사용하는 것을 추천한다. 이는 자궁선근증이 프로게스테론-저항성(progesterone-resistant) 상태인 점과 국소적인 에스트로겐 과다 상태인 점을 감안한 것이며, 자궁수축의 감소 및 면역인자 조절에도 도움이 된다는 믿음에 근거한 것이다.

배아이식일에 oxytocin antagonist (아토시반®)를 투여하여 자궁수축을 줄이고자 하는 노력도 시도되고 있다.

배아를 일부러 모두 동결하고 다음 주기에 동결배아이식을 하는 소위 'elective all embryo cryopreservation'을 하자는 의견도 있지만 이는 어디까지나 반복착상실패의 해결책으로 접근해야 한다.

자궁선근증을 가진 난임 환자에서 처음부터 수술적 치료를 생각하지는 않지만 아주 젊은 경우, 증상이 심한 경우, 자궁이 너무 커서 난자채취가 곤란할 경우, 여러 번의 체외수정술로도 임신이 안 되는 경우에는 수술적 치료를 고려하기도 한다. 40세 이상에서는 수술적 치료가 임신에는 별반 도움이 안 된다는 의견도 있다. 수술적 치료 후에 만일 원인불명의 젊은 난임 환자라면 자연임신을 시도해 보는 것도 좋은 방법이다.

수술을 할 경우 크기가 큰 자궁선근증은 복강경으로는 절제하는데 한계가 있어 개복을 하는 편이 조직을 많이 제거하는데 유리하며 단단히 봉합을 하는 데에도 유리하다.

개복이든 복강경이든 수술시에는 lithotomy 자세로 하고 자궁 안에 소아폴리를 넣고 질초음파를 자주 보면서 감축수술(debulking surgery)을 진행하여 수술 동안 내막이 손상되지 않도록 주의한다. 감축을 너무 많이 하는 경우는 자궁이 너무 작아진다 거나 자궁근층의 혈류 공급에 장애가 와서 봉합 부위가 잘 아물지 않는 경우도 있으므로 너무 많이 감축을 하지 않도록 주의해야 한다. 또한 자궁과 후방의 직장 사이에 유착이 심할 수도 있으며 자궁내막종이 동반되어 자궁 후방 전체적으로 유착이 심할 수도 있어서 박리를 하는데 시간이 오래 걸리기도 한다. 따라서 자궁선근증의 감축수술은 매우 어려우며 경험이 많은 임상의에 의하여 시도되어야 한다.

자궁 절개는 세로로 일직선으로 넣는 방법, T자 모양으로 넣는 방법, 工자 모양으로 넣는 방법 등 다양하다. 선근증 조직의 제거는 electrosurgical device의 cut과 coagulation을 번갈아 적절히 사용하는 방법, scalpel로 절제하는 방법, 레이저로 절제하는 방법 등 다양한데 나중에 봉합하는데 필요한 장막 쪽 flap을 비교적 충분한 두께로 남겨야 하는 것이 중요하다. 봉합 시에는 장막 쪽 flap과 남은 자궁 조직 사이에 공간이 생기지 않도록 tight하게 봉합하는 것이 중요하며 통상 suture를 먼저 하고 나중에 일괄 tie를 하는 방법이 좋다.

수술적 치료 후 임신한 경우는 분만 중 자궁파열의 위험성이 있으므로 제왕절개를 권한다. 간혹 임신 중에 자궁파열이 오는 경우도 있으므로 주의를 요하며 이 때문에 37주 이전에 제왕절개를 권해야 한다는 의견도 있다.

Tan 등은 자궁선근증의 보존적 수술 후 임신율(자연임신 또는 보조생식술포함)을 정리하여 발표하였는데 diffuse type인 경우 임신율은 34.1% (range, 9.4%-100%), 유산율은 21.7% (range, 12.5%-33.3%), 자궁파열은 6.8%, 조산율은 4.5%라고 하였다(J Minim Invasive Gynecol 2018;25:608).

Focal type인 경우는 임신율 52.7% (range, 14.3%-77.5%), 유산율

21.1% (range, 0%-44.4%), 자궁파열은 0%, 조산율은 10.9%라고 하였다.

고강도초음파집속술(high intensity focused ultrasound, HIFU)을 한 경우에도 임신 중 또는 분만 중에 자궁파열의 위험성은 수술적 치료와 마찬가지로 존재하며 조직이 흐물흐물해지고 약해져서 자궁파열의 위험성이 수술적 치료보다 더 높다는 의견도 있다. 이 때문에 난임환자라면 HIFU를 꺼리는 경향도 있다. 2016년 대한산부인과학회 권고안에 의하면 HIFU 이후 가임력 및 임신의 안전성에 대한 근거는 불충분한 상태이므로 충분한 임상 근거가 확보되기 전에는 상대적 금기증으로 둔다고 하였다. 동일한 이유로 hysteroscopic excision, uterine artery embolization도 임신을 원하는 여성에서는 권고되지 않는다.

제 8 장

가임력보존

1 서론

항암제 투여 후 난소부전이 일어나는 빈도는 여성의 연령, 약제의 종류, 누적용량과 연관이 있다.

항암 후 난소부전은 연령과 항암 전 혈중 AMH와 연관된다고 하므로 혈중 AMH를 미리 측정하면 항암 후 어느 정도 난소 손상을 받을지를 가늠해볼 수도 있다. 유방암 환자에서 항암 시작 시 연령과 혈중 AMH 치를 이용하여 항암 종료 1년 후 난소 기능이 있을 확률이 노모그램으로 제시되어 있다(Oncologist 2015;20:1111).

약제에 따른 난소부전의 위험도를 분류하면 표 14와 같다(J Clin Oncol 2006;24:2917).

표 14. 항암치료에 따른 난소부전의 위험도

High risk (>80%)	Hematopoietic stem cell transplantation with cyclophosphamide/total body irradiation or cyclophosphamide/busulfan External RT to a field that includes the ovaries CMF, CEF, CAF x 6 in women ≥40
Intermediate risk	CMF, CEF, CAF x 6 in women 30-39 AC x 4 in women ≥40
Low risk (<20%)	CMF, CEF, CAF x 6 in women 〈30 AC x 4 in women <40 ABVD CHOP x 4-6 CVP
Very low or no risk	Methotrexate, 5-fluorouracil, Vincristine
Unknown	Taxanes, Monoclonal antibodies, Tyrosine kinase inhibitors

남성에서 약제에 따른 무정자증의 위험도를 분류하면 **표 15**와 같다(J Clin Oncol 2006;24:2917).

표 15. 항암치료에 따른 무정자증의 위험도

Prolonged azoospermia	Radiation (2.5 Gy to testis) Cyclophosphamide (19 g/m^2) Cisplatin (500 mg/m^2) Chlorambucil (1.4 g/m^2) Procarbazine (4 g/m^2) Melphalan (140 mg/m^2) Carboplatin (2 g/m^2) BCNU (1 g/m^2) CCNU (500 mg/m^2)
Azoospermia likely	Ifosfamide (42 g/m^2) Busulfan (600 mg/kg) BCNU (300 mg/m^2) Nitrogen mustard Actinomycin D

Temporary reductions in sperm count	Doxorubicin (770 mg/m^2) Vincristine Thiotepa (400 mg/m^2) Cytosine arabinoside Vinblastine (50 g/m^2) Amsacrine, Bleomycin, Dacarbazine, Daunorubicin, Epirubicin, Etoposide, Fludarabine, Fluorouracil, 6-mercaptopurine, Methotrexate, Mitoxantrone, Thioguanine
Unlikely to affect sperm production	Prednisone, Interferon

항암제 투여 후 난소부전 또는 난소기능 저하는 그 빈도를 정확히 산정하기 어려운 측면이 있는데 항암제 투여 후 난소부전이 되었다가 일부는 다시 회복되는 경우도 있고 월경을 잘 하다가도 난소부전이 뒤늦게 되는 경우도 있다. 항암제 투여 후 규칙적인 월경을 하면 일단 난소기능이 돌아온 것으로 해석하지만 꼭 난소기능이나 가임력이 정상이라고는 볼 수 없다.

암 치료 시 난소부전이나 무정자증에 대한 위험도가 낮다고 판단되어도 해당 환자에게 발생하면 가임력을 잃어버리는 중대한 상황이 발생하므로 가임력보존 상담은 꼭 해주는 것이 좋다.

부인암 영역에서 전통적으로 널리 사용되는 가임력보존 전략은 초기 자궁경부암(stage IA1-IB1)에서 자궁경부만 절제해주는 conization 또는 trachelectomy, 초기 자궁내막암에서 고용량 프로게스틴 치료, 일측성 난소암에서 반대측 난소 보존, 복부 방사선 치료 중 골반 부위 shielding, 골반 방사선 치료 전 난소전위술 등이 있다.

Trachelectomy를 받은 환자는 일종의 자궁경부 요인의 난임(cervical factor infertility)이 되는데 자연임신도 가능하지만 빠른 임신을 위하여 인공수정술을 시행할 수 있고 임신이 안 되면 체외수정술을 시행한다.

한 메타분석 보고에 의하면 conization 후 임신율은 36%, 유산율 15%, 조산율 7%이며, trachelectomy 후 임신율은 20%, 유산율 24%, 조산율 26%이었다(Oncotarget 2017;8:46580).

또 다른 보고에서는 수술 방법 별로 conization, simple trachelectomy, vaginal/abdominal/laparoscopic radical trachelectomy를 나누어 분석하였는데 임신을 원하는 환자 중 임신율은 전체적으로 55.4%이었으며 vaginal radical trachelectomy가 67.5%로 가장 높았고, conization/simple trachelectomy (65%), abdominal/laparoscopic radical trachelectomy (53.6%), abdominal radical trachelectomy (41.9%) 순이었다(Fertil Steril 2020;113:685). 임신된 환자 중 생아출생율은 전체적으로 67.9%이었으며 conization/simple trachelectomy가 86.4%로 가장 높았고, vaginal radical trachelectomy (63.4%), laparoscopic radical trachelectomy (56.5%) 순이었다. 조산율은 전체적으로 31%이었으며 radical trachelectomy가 32%로 가장 높고 conization/simple trachelectomy는 25.1%이었다. 전체 임신중 20%가 보조생식술에 의한 임신이었으며 재발률은 전체적으로 3.2%, 암사망율은 전체적으로 0.6%(평균 40개월 추적)인데 수술 방법간 차이는 없었다.

소산 예방을 위하여 대개는 복부접근으로 cervical cerclage를 하며 출산시에는 제왕절개분만을 한다.

일반적인 암환자에서 가임력보존법으로는 GnRH agonist를 투여하여 난소 기능을 억제하는 요법이 있는데 논란에도 불구하고 과거부터 꾸준히 사용되는 전통적인 방법이다. 그리고 남성에서는 기혼/미혼 무관하게 정자동결보존(sperm banking)이, 기혼 여성에서는 배아동결보존이 확립된(established) 가임력보존법이다. 미혼 여성에서는 난자동결과 난소동결 전략을 사용할 수 있는데 최근 난자동결은 확립된 가임력보존법으로 간주하는 추세다.

2 GnRH agonist

GnRH agonist를 투여하면 왜 항암제에 의한 난소 손상을 덜 받는지에 대한 기전은 불명확하다. 성장하는 난포는 원시난포에 비하여 항암제에 더 취약한데 GnRH agonist 투여가 일단 난소를 휴지기에 들어가게 하여 항암제에 덜 손상을 받는다고 추측하고 있다. 항암제 자체가 휴지기에 들어간 난포를 활성화시키는 작용이 있는데(follicular activation) GnRH agonist 투여가 이 과정을 막으며, 이외 anti-apoptosis 작용을 하는 sphingosine-1-phosphate의 증가, 자궁-난소 혈류 감소 등이 기전으로 제시되고 있다.

항암 치료 시 GnRH agonist를 투여하면 항암 종료 후 무월경 또는 조기폐경 빈도를 줄일 수 있다는 주장과 그렇지 못하다는 상반되는 주장이 공존한다.

대부분의 연구는 월경 재개를 primary end-point로 간주하는 경우가 많은데 월경이 돌아오면 보통 난소 기능의 회복을 의미하나 일부는 혈중 FSH가 높게 측정되어 내재적인 난소 기능 저하 상태이며 일부는 월경을 잘 하다가도 소실되기도 한다. 또한 월경이 돌아오지 않더라도 자연임신을 하는 경우도 있어 월경 재개를 primary end-point로 간주하는 것에 대하여 의문이 제기되고 있는 실정이며 관찰 시점도 다양하여 항암 치료 시 GnRH agonist 병합이 난소기능 유지 및 회복에 효과적인지는 불확실하다. 또 다른 변수로는 항암치료 시점의 연령, 난소독성 위험도가 다른 다양한 항암제의 복합사용 등이 거론된다.

난소기능의 정확한 마커인 AMH를 측정하여 GnRH agonist가 항암 후 AMH 저하를 막지 못한다는 일부 보고가 있으나 AMH가 낮아도 임신이 가능하기 때문에 최종 임신율까지를 보는 연구가 더 필요하다.

그럼에도 불구하고 암환자에서 항암제 투여 전에 GnRH agonist 사용은 종양내과의나 산부인과의에 의하여 널리 사용되고 있다. 이는 주사만 주면 되므로 비교적 사용이 편리하고, estrogen receptor 양성인 유방암에서는 내인성 estrogen 억제를 위하여 치료적인 목적으로 투여되는 경우도 있으며, 난자채취나 난소동결 등의 침습적인 과정을 원하지 않는 환자도 많기 때문이다.

현재까지 GnRH agonist는 유방암에서는 어느 정도 난소 기능 보호효과가 있으나 lymphoma에서는 효과가 없다는 것이 중론이다. Estrogen receptor 양성 유방암에서는 보호효과가 없어 estrogen receptor 음성 유방암에서만 사용해야 한다는 주장도 있지만 대체적으로 estrogen receptor 유무에 무관하게 GnRH agonist 사용을 권하는 추세이다. 남성에서 GnRH agonist 제제 투여는 무정자증의 예방에 효과가 없다고 알려졌다.

GnRH agonist 제제는 항암제를 투여하기 2-3주 전에 투여되어야 성선기능 저하를 유도할 수 있다. 가임력 보존목적으로 데카펩틸데포® 3.75 mg, 졸라덱스데포® 3.6 mg이 D-code로 사용 가능하며, 2017년 12월부터는 추가로 루프린® 3.75 mg, 루프린DPS® 3.75 mg, 루크린데포® 3.75 mg, 루크린데포PDS® 3.75 mg도 D-code로 처방 가능하다. 3달짜리 제제로서 루프린DPS® 11.25 mg, 졸라덱스LA데포® 10.8 mg는 허가 품목이 아니다.

GnRH agonist처럼 항암제에 의한 난소 손상을 막는 제제를 fertoprotective agent라 부르는데 현재 연구 중인 제제는 다음과 같다.

- anti-apoptosis 제제: imatinib, sphingosine-1-phosphate, thyroid hormone (T3), granulocyte colony-stimulating factor, tamoxifen
- follicle activation 저해제: AS101, rapamycin, melatonin

3 정자동결

대개 수음으로 3-4회 정도 정액을 채취하여 동결보존한다. 암 치료 전에 채취할 것이 권고되는데 암 치료 자체가 정자의 질을 나쁘게 하거나 DNA integrity를 손상시킬 수 있기 때문이다. 고환암이나 Hodgkin lymphoma 같은 경우 치료 전에 채취하더라도 정자 질이 저하되어 있는 경우가 많다고 하며 의외로 원인 없이 정자 질이 저하된 경우도 있으므로 동결하기 전에 기본적인 정액검사를 반드시 시행한다.

향후 무정자증이 확인되면 동결한 정자를 해동하여 만일 정자 질이 정상이라면 인공수정술을 시도할 수 있으며 정자 질이 나쁜 경우라면 체외수정술을 시도한다. 동결정자 양이 많지 않은 경우에는 보다 임신 확률이 높은 체외수정술을 바로 시도할 수도 있다.

정자생성의 시작(spermarche)은 사춘기에 들어서 13-14세경에 시작되는데 너무 어리면 수음에 의한 사정이 어려울 수도 있다. 이때는 고환조직을 채취해서 동결하는 것이 하나의 해결책일 수 있으나 다분히 실험적이며 부모의 동의가 필요하고 IRB 인증을 받아야 한다.

4 배아동결

기혼자에서 암 치료 전에 과배란유도 및 난자채취를 하여 난자를 얻고 남편의 정자로 수정을 시켜 얻은 배아를 동결보존한다. 난임 여성에서 과배란유도는 전통적으로 월경에 맞춰서 시작하는데 가임력보존 시 과배란유도는 월경과 무관하게 아무 때나 시행하여도 무방하다(random start). 따라서 환자가 동의만 하면 바로 과배란유도를 시작할 수 있다.

기존의 월경 초 시작법은 다음 월경까지 기다려야 하므로 항암 스케쥴이 2-6주 정도 지연된다고 환자나 종양내과의에게 얘기하였으나 random start + GnRH antagonist 단기요법을 사용하면 2주 정도면 충분히 과배란유도 및 난자채취가 가능하다.

난소에는 항상 준비된 난포 집단이 있어 월경 주기 아무 때나 과배란유도제를 투여하여도 난포가 성장하며 실제 성숙난자가 채취된다는 것이 random start의 이론적 배경이다. 또한 얻은 배아는 전부 얼리고 이식을 하지 않으므로 내막 상태와는 무관하게 진행하여도 된다는 것이다.

보통 난자/배아동결을 위한 과배란유도는 기회가 많지 않은 관계로 난자공여에서와 마찬가지로 고용량의 과배란유도제를 사용하는 경향이 있다. 배아이식을 하지 않으므로 late OHSS가 생길 염려는 절대 없으나 early OHSS 예방을 위하여 GnRH agonist 트리거링을 고려해볼 수 있고 보통의

hCG 제제로 트리거링 후 난자채취일부터 cabergoline (카버락틴®) 0.5 mg/d 8일, GnRH antagonist (예, cetrotide 0.25 mg)를 2-4일을 투여해볼 수 있다.

트리거링으로 아예 GnRH agonist 데포를 주고 이후 매달 주사를 하는 방식도 있으며 이는 트리거링, early OHSS 예방, 장기적인 난소기능 억제의 3가지 목적을 동시에 이룰 수 있다. 또는 트리거링을 보통의 hCG 제제로 하고 난자채취일부터 GnRH agonist 데포를 시작하는 경우도 있다.

황체기에 과배란유도를 시작하더라도 LH surge 억제제와 트리거링 제제는 보통의 난임 환자들처럼 투여한다. 황체기에는 혈중 progesterone이 이미 증가하여 있지만 난자의 질에는 큰 영향을 주지는 않는 것 같다.

유방암 같은 hormone-sensitive tumor의 경우 과배란유도 시 letrozole을 병합하면 혈중 estrogen 치를 덜 증가시키므로 자주 이용된다. 이론적으로는 estrogen receptor 양성 유방암에서 사용하는 것이 맞는데 estrogen receptor 음성 유방암에서도 사용이 권고된다(Clin Exp Reprod Med 2021;48:1). Letrozole 병합 과배란유도를 한 유방암 환자의 생존율은 가임력보존을 하지 않은 유방암 환자와 비슷하다고 보고되었다(Hum Reprod 2017;32:1033).

Letrozole 병합, 또는 tamoxifen 병합 과배란유도 시 표준 과배란유도에 비해 난자수(14.2 대 12.5 대 13.6) 및 성숙난자수(11.2 대 11.2 대 10.5)는 차이가 없다고 보고되었다(Hum Reprod 2022;37:1786).

채취된 난자는 보통 수정률을 극대화시키기 위해 ICSI로 수정한다.

동결된 배아로 이식 시 생아출생율은 Dolmans 그룹에서 22% (J Assist Reprod Genet 2015;32:1233), Oktay 그룹에서 45%로 보고하였다(J Clin Oncol 2015;33:2424).

5 난자동결

암 치료 전에 과배란유도 및 난자채취를 하여 난자를 얻고 일괄 동결보존한다. 원칙적으로 미혼자에서 시행하나 기혼자에서도 배아형성을 원치 않으면 시행 가능하다. 과배란유도는 앞서 얘기한 random start도 적용 가능하다.

꼭 암환자가 아니더라도 다음과 같은 경우 난자동결을 고려할 수 있다.

- 난소에 손상을 줄 위험이 있는 수술 전, 또는 수술 후 또는 원인불명의 난소기능 저하가 있는 경우
- 터너증후군, fragile X syndrome 및 기타 조기폐경의 위험이 있는 경우
- SLE, 베체병 등으로 항암제를 투여받는 경우
- BRCA carrier로 난소적출이 예견되는 경우

이외 결혼을 미루는 여성에서 시간이 지나면 난소기능이 저하될 수 있으므로 난자동결을 하는 경우도 있다. 이 경우를 보통 사회적 난자동결(social oocyte cryopreservation)로 부르는데 엄밀하게는 비의학적 난자동결(non-medical oocyte cryopreservation) 또는 자발적 난자동결(elective oocyte cryopreservation)로 부르는 것이 타당할 것이다. 최근에는 계획적 난자동결

(planned oocyte cryopreservation)로 부르기도 한다.

계획적 난자동결 시 너무 젊은 시기에 난자동결을 하면 향후 자연임신 가능성도 있으므로 불필요한 시술이 될 수 있고, 너무 늦은 나이에 시행하면 난자질 저하, 임신율 저하로 난자동결로 얻는 이득이 감소할 수 있다. 대개 나이는 25세-38세까지로 제한하는 것이 보편적이다.

37세에 난자동결을 시행하는 것이 비용-효과 대비 가장 큰 이득을 볼 수 있다는 보고가 있다(Fertil Steril 2015;103:1551). 이 보고에서는 비용을 고려하지 않았을 때 34세 미만이 적정 연령이고, 비용을 고려하고 결혼을 고려하지 않을 때는 35세 미만, 비용 및 결혼까지 고려 시에는 37세 미만을 기준으로 제시하였다. 난자동결 시에는 당연히 비용 및 결혼까지 고려하는 것이 좋으므로 따라서 37세 미만을 기준으로 보는 것이 좋을 듯하다.

Cobo 그룹에서는 비의학적 난자동결 또는 비 암환자에서 난자동결 후 생아출생율은 35세 이하가 50%, 36세 이상이 23%라고 하였다(Fertil Steril 2016;105:755).

Mascarenhas 등은 여러 가지 이유로 본인의 난자동결 시 생아출생율은 18%라 하였으며 이는 동결난자를 공여 받은 군의 30.7%에 비하여 유의하게 낮은 수치라 하였다(Hum Reprod 2021;36:1416).

한편 동결난자당 생아출생율은 다음과 같이 제시되었다(Fertil Steril 2016;105:459).

- 전체적으로 6.4%
- 30세 미만 8.6%
- 30-34세 8.2%
- 35-37세 7.3%
- 38-40세 4.4%
- 41-42세 2.4%
- 43-44세 1.0%

성경험이 없는 여성에서는 과배란유도를 할 때 난포감시는 항문초음파로 하면 될 것이나 난자채취를 할 때에는 필연적으로 처녀막(hymen)의 손상이 따른다. 성경험이 없는 여성에서 질경이나 초음파프로브를 질 안으로 넣으면 대개 3시나 9시 방향의 처녀막이 손상되는데 매우 가는 흡수성 봉합사로 봉합을 해준다(예, 4-0 vicryl). 성경험이 없는 여성에서 난자채취를 할 때는 사전에 이러한 과정을 충분히 설명하고 동의를 얻어야 한다.

난자의 동결방법으로는 약간의 논란은 있지만 유리화동결(vitrification)이 완만동결(slow freezing)보다 약간 더 좋다는 보고가 많다.

특수한 경우로 양측난소에 종양이 있고 경계성 또는 악성이 의심되어 시험적 개복술을 통하여 양측 난소 적출이 예정되어 있는 환자에서 사전에 과배란유도를 하고 수술 시에 종양 제거와 더불어 난자채취를 같이 하는 경우가 있다. 이때 난자채취는 개복 상태에서 난소 적출 전에 주사기를 난포에 찔러 난자를 흡인한다. 이때 난소를 파우치 안에 넣고 진행하여 암세포의 누출을 예방하며, 난소 적출 후에도 ex vivo로 난자채취를 시도하여 최대한의 난자를 얻는다.

최근에는 자궁내막종 환자의 수술 전에 미리 난자동결을 권하는 경우가 많다. 난소 양성 혹 중 자궁내막종이 수술 후 난소기능 저하가 가장 뚜렷하다는 근거 하에서 시행하고는 있으나 수술 후 난소기능 저하가 없는 환자도 있고 수술 후 난소기능 저하가 발생할지를 사전에 아는 방법이 없으므로 모든 환자에서 일괄 시행하여야 하는지는 의문이다. 2022년 에쉬레 가이드라인에서도 내막종 수술 전 난자동결의 이득은 불분명하다고 하였다.

Somigliana 등은 자궁내막종의 여러 상황을 8가지로 세분하였다(Hum Reprod 2015;30:1280).

- 양측성 내막종
- 일측성 내막종
- 내막종 없이 deep infiltrating endometriosis 만 있는 경우
- 이전 한쪽 수술 + 같은 쪽 재발

- 이전 한쪽 수술 + 반대쪽 재발
- 이전 양쪽 수술 + 재발없음
- 이전 양쪽 수술 + 한쪽 재발
- 이전 양쪽 수술 + 양쪽 재발

이들 경우에 만일 수술을 한다면 난소기능이 저하되는지, 가임력보존을 했을 경우 난자를 많이 얻을 수 있는지, 그리고 향후 동결난자를 사용할 가능성이 있는지를 따져서 이 중 '양측성 내막종'인 경우와 '이전 한쪽 수술 + 반대쪽 재발'인 경우가 가장 가임력보존의 적응증으로 타당하다고 하였다.

예를 들어 '일측성 내막종'에서 가임력보존을 했을 경우 난자는 많이 나오겠지만 수술로서 난소기능 감소 가능성이 적고 향후 동결난자 사용 가능성은 떨어져 가임력보존의 적절한 대상자는 아니라는 것이다. 또한 '이전 양쪽 수술'은 (현재 재발 여부에 상관없이) 난자 자체가 잘 안 나오므로 가임력보존의 타당성이 떨어진다는 것이다.

6
난소동결

난소를 적출하여 동결보존하였다가 재이식을 해주는 전략은 만일 난소가 기능만 제대로 회복이 된다면 자연배란과 더불어 여성호르몬 상태가 완전히 정상으로 돌아오는 이득이 있다.

난소동결을 몇 세까지 시행할 것인지에 대한 구체적인 가이드라인은 없으나 에딘버러 기준에서는 35세 미만이다(Lancet Oncol 2014;15:1129).

일단 복강경수술로 일측 난소를 적출하여 동결보관하고 암 치료 종료 후 반대측 난소부전이 확인되고 환자가 자연 월경 재개나 임신을 원하면 난소를 해동하여 이식해 준다.

난소 조각의 동결방법으로는 아직 확정적이지는 않지만 완만동결(slow freezing)이 유리화동결(vitrification) 보다 약간 더 좋아 보인다.

복강경수술로 원래 있던 난소 자리에 이식해주면 orthotopic transplantation, 팔(antecubital arm)이나 전복벽에 이식해주면 heterotopic transplantation이라 부른다.

Orthotopic transplantation에서는 해동난소 조각이 큰 편이고 난소가 원래 있던 자리에 일부 남아 있으면 해동난소 조각을 난소에 연결하여 봉합해준다. 만일 해동난소 조각이 작으면 난소인대(ovarian ligament)와 난관 사이 복막에 파우치를 만들어 해동난소 조각을 넣고 파우치 입구를 봉합해준다(J Korean Med Sci 2018;33:e156).

동결 또는 해동 시에 각각 한 조각으로 조직검사를 내어 암세포가 없음을 확인한다. 난소 적출 시에 만일 방사선치료 예정이라면 반대측 난소의 위치를 이동시키는 난소전위술을 병행하며 난소 이식 시에는 다시 제자리로 환원시켜 준다.

이후 월경 재개나 자연임신을 주기적으로 관찰하고 난소 기능이 돌아왔는지를 보기 위하여 혈중 FSH/estradiol/AMH 검사를 한다. 임신이 안 될 경우 체외수정술을 시도한다. Heterotopic transplantation인 경우에는 필연적으로 체외수정술을 시도해야 한다.

환자가 자연임신을 한 경우 배란이 이식한 난소에서 이루어졌는지 아니면 원래 남아있던 난소에서 이루어졌는지는 난포감시를 하지 않는 한 알 수 없다.

아직은 임신성공율이 낮아 일반화되어 있는 시술은 아니며 2004년 동결난소이식 후 첫 분만이 보고된 이래로 2017년 보고에 따르면 전 세계적으로 약 90건의 분만이 이루어졌다(Fertil Steril 2017;107:1206). 이들 중 상당수는 체외수정술을 한 경우이며 동결방법 중 완만동결(slow freezing)을 사용한 경우이다.

Donnez 그룹에서는 난소동결-이식 후 생아출생율은 환자 당 29%로 보고하였다(Fertil Steril 2015;104:1097).

한 리뷰 논문에 의하면 49명에서 동결난소이식 후 총 195회의 보조생식술을 통하여 25명이 임신하였으며 20명이 생아출생에 성공하였다(Fertil Steril 2019;112:908). 주기당 임신율은 3.9%-19.3%, 주기당 생아출생율은 3.9%-14.0% 이었으며, 대부분은 저난소반응을 보여 주기당 평균난포수는 1.5개, 평균성숙난자수는 1.0개이었고 난자가 나오지 않는 empty follicle syndrome도 23%-35%에 달하였다.

동결한 난소를 그대로 이식해주면 혹시라도 잔존해 있던 암세포로 인하여 암 재발이 되지 않을까 하는 우려가 있다. 이 현상을 피하기 위하여 적출한 난소조직에서 원시난포(primordial follicle), 전동난포(preantral follicle)를 분리하여 동결보존하고 향후 체외성숙시켜 성숙난자를 얻거나 난포 자체를 이식해주는 방법들이 연구개발 중에 있다. 난소로 잘 전이되는 암으로는 백혈병, neuroblastoma, 버킷 림포마 등이 있다.

7

가임력보존에 관한 가이드라인

암 환자에서 가임력보존에 관한 권고안으로 2006년 처음으로 American Society of Clinical Oncology(ASCO)에서 가이드라인이 발표되었고(J Clin Oncol 2006;24:2917) 2013년에 개정판이 출시되었으나(J Clin Oncol 2013;31:2500) 내용은 이전 판과 대략 비슷하다.

ASCO의 가이드라인에서는 암환자의 가임력보존에 있어 부인암전문의의 역할을 강조하고 있고 암 치료의 결과로 야기될 수 있는 난임 가능성과 가임력보존이 암 치료 자체를 방해하지는 않는지, 향후 임신 시 본인과 자녀에게 합병증은 없는지, 그리고 그 자녀의 건강에 악영향은 없는지에 대하여 환자와 상담하고 적절한 시기에 생식내분비전문의에게 의뢰해야 한다고 권고하고 있다.

대부분의 가임력보존법은 질환 자체의 재발률을 증가시키지는 않는 것 같고 암 병력 자체나 암 치료 또는 가임력보존법이 태어난 자녀들에서 암이나 기형 발생을 증가시킨다는 증거는 아직 없다고 한다(J Clin Oncol 2006;24:2917). 그러나 암 병력이 있는 여성은 일반적으로 고위험임신군으로 간주해야 하는데 암이나 암 치료로 인한 장기 기능 저하, 유산이나 조산의 증가, 체외수정술로 인한 다태임신의 가능성 때문이다.

ASCO 가이드라인의 2013년 개정판에서는 배아동결과 난자동결을 모두 확립된 가임력보존법으로, 난소동결과 GnRH agonist는 확립되지 않은 가임력보존법으로 규정하고 있으며, 이는 2013년 ASRM practice committee에서 발표한 의견과 같다(Fertil Steril 2013;100:1214).

2009년에는 International Society of Fertility Preservation (ISFP) 학회가 결성되었으며 2012년에 유방암, 백혈병, 림포마 환자에서의 가임력보존에 관한 가이드라인을 발표하였다(J Assist Reprod Genet 2012;29:465).

2017년에는 ESHRE, ASRM, ISFP가 공동으로 가이드라인을 발표하기에 이르렀으며(Fertil Steril 2017;108:407) 요약하면 다음과 같다.

- 가임력보존 대상자는 다양한 암환자 및 비 암환자, 임신을 미루는 여성이다.
- 사춘기 이후 여성은 배아동결, 난자동결이 일차적인 가임력보존법이다.
- 난소동결 후 이식 여성에서 난소기능의 회복, 자연임신 또는 보조생식술 후 임신 등에 대한 자료가 점점 축적되어 미래의 가임력보존법으로 유망하다.
- 남성에서는 정자동결이 유일한 확립된 가임력보존법이며, 사춘기 이전에는 고환조직동결이 추천되나 효능과 안전성에 대해서는 더 연구가 필요하다.

2013년에는 국내에서도 Korean Society of Fertility Preservation (KSFP) 학회가 결성되었으며 2017년에 가임력보존에 관한 가이드라인을 발표하였다(Clin Exp Reprod Med 2017;44;171).

이후 자궁내막암 환자에서 가임력보존(Clin Exp Reprod Med 2020;47:237), 유방암 환자에서 가임력보존을 위한 과배란유도법(Clin Exp Reprod Med 2021;48:1), 여성 암 환자에서 GnRH agonist의 역할이 종설논문으로 출간되었다(Clin Exp Reprod Med 2021;48:11).

제 9 장

자궁근종

1 서론

자궁근종은 나이가 들면서 서서히 자라고 폐경이 되면 더 이상 자라지 않거나 줄어들게 된다. 자궁근종은 대개 42세경에 갑자기 크기가 커지는 경우가 흔한데 그 이후로는 오히려 천천히 자라므로 42세경에 갑자기 크기가 커졌다고 할 때는 관찰하는 것도 한 가지 방법이다.

일반적으로 월경과다 및 이로 인한 빈혈이나 아랫배 압박감 등의 불편감, 기타 불편 증상이 있는 경우 수술의 대상이 된다. 자궁근종이 월경통을 유발하는 것은 드문 현상이므로 자궁근종이 있는 환자에서 월경통을 호소하면 다른 원인을 찾아보는 것이 좋다. 그러나 드물게 점막하자궁근종에서 월경과다와 더불어 월경통을 호소할 수 있으며, 근층내근종이 근층 중앙에 자리 잡고 있는 경우 월경통을 유발할 수 있다.

비만은 전통적으로 자궁근종의 위험도 상승인자로 지목되어 왔으며 알코올, 카페인, 붉은 고기 및 햄의 섭취, 비타민 D 부족은 발생 증가 요인으로 야채나 과일, 유제품, 칼슘 섭취는 발생 감소 요인으로 지목된다.

자궁근종의 분류에 대하여 전통적으로 subserosal, intramural, submucosal, subendometrial, pedunculated, intraligamentary 등의 분류를 사용했으며, submucosal의 경우 내막과의 관계에 따라 type 0, 1, 2의 분류가 동시에 사용되었다.

좀 더 세분하여 FIGO 분류가 새로이 도입되었으나 불편하여 필자는 잘 사용하지 않는다. Type 3부터 type 6까지는 intramural type을 내막, 근층, serosa에 어느 정도 위치하는가에 따라 분류한 것인데 예를 들어 type 5라고 하면 어느 위치인지 빨리 떠오르지 않는 경우가 많고 type 4는 내막과 serosa에 닿지 않는 완전한 근층내 근종인데 이런 근종은 단지 임상적으로 의미 없는 소근종일뿐이다. 필자는 기존 분류에 더하여 내막을 미는 정도와 serosa에서 튀어나온 정도를 %로 기술하여 사용한다.

2019년 11월부터는 자궁근종도 MRI 급여 가능하다. 단, 가임능력 보전을 위한 자궁근종절제술 시행 전 근종의 개수 또는 위치 확인이 필요한 경우이다. 가임능력 보전과는 무관한 환자에서 적용하면 안 된다. 단 만일 근종 수술을 계획하였으나 환자 상태 변화로 수술하지 못한 경우에는 진료기록에 수술 시행하지 못한 사유를 적시하면 된다. 또한 만일 근종절제술을 계획했으나 전자궁적출로 전환 시에는 진료기록에 전자궁적출로 전환하게 된 불가피한 사유를 석시하면 된다. 2019년 11월부터 급여 가능한 MRI 항목은 다음과 같다.

Box

- 자궁근종: 단, 가임능력 보전이 필요한 환자
- 유착태반
- 심부자궁내막증(증상 - 월경과 연관되거나 또는 만성적 혈변, 복통, 배변통, 항문통 - 또는 초음파검사로 자궁후벽, 직장, 방광 등의 심부자궁내막증이 의심되는 경우)
- 자궁 또는 자궁경부 또는 질 선천기형
  - 의증 상병 기재 시에도 급여 대상이다.
  - 추적검사는 선별80% 적용한다.
- 자궁선근증은 선별80%이다(초음파검사에서 자궁선근증이 확인되어 치료방향 결정을 위해 자궁근종과의 감별이 필요한 경우).

간혹 폐경이 되었는데 근종이 줄어들지 않았다 또는 자란다고 오는 경우가 있다. 이 경우 여성호르몬제제나 다른 약제를 먹지 않았는지 세심하게 살핀다. 폐경이 되더라도 근종이 줄어들지 않는 경우도 흔하므로 수술까지 가는 경우는 극히 드물다.

필자가 흔히 경험하는 것 중 대표적인 증례는 다음과 같다.

만 53세 여자가 2.5년 전 근종이 5.8 cm이었고 1년 전부터 월경이 없어 본인은 폐경으로 간주하였으며 이번에 근종이 6.5 cm로 확인되어 '폐경인데 근종이 자랐다'고 MRI를 권유 받아 추가상담을 위해 내원하였다. 이 경우 필자는 초진 시 MRI를 권하지 않았는데 이유는

① 1년 전 근종 크기 측정이 안 되어 정확히 알 수는 없으나 예를 들어 2.5년 전 근종이 5.8 cm이었다가 1년 전 7 cm 대로 커진 후 폐경이 되고 이후 6.5 cm로 줄어들었을 가능성도 있고,
② 설사 폐경이 되더라도 근종이 당장 줄어들지 않을 수도 있기 때문이다.

초진초음파에서 근종은 6.2 cm 정도였으며 내막 두께가 11.9 mm이어서 폐경이 아닐 가능성을 염두에 두고 폐경 유무 검사와 프로게스테론 투여를 우선적으로 진행하였다. FSH 11.5 mIU/mL, estradiol 319 pg/mL로 측정되어 아직 폐경이 아님을 알 수 있었으며 프로게스테론 투여로 월경이 유도되었고 결국 근종은 관찰하기로 하였다.

2
처치

증상이 없는 경우 자궁근종이 얼마 이상이면 수술하여야 하는가에 대해서는 의견이 분분하나 대체적으로 8 cm 이상이면 악성 가능성을 고려하여 수술을 권하는 것이 좋다. 임상의에 따라 7 cm을 기준을 잡는 경우도 있다.

증상이 없는 경우 수술을 결정하는데 있어 환자의 연령도 중요 변수이다. 즉, 나이가 젊은데 5-6 cm 근종이 있으면 장차 계속해서 자랄 수 있기 때문에 수술적 치료를 고려하여야 한다. 똑같이 5-6 cm 근종이 있더라도 45세 이상이면 관찰 가능하다.

장차 애기를 가져야 하는 여성에서 근종이 있을 경우 산과적 예후를 좋게 하기 위하여 근종 제거를 하여야 하는지가 항상 고민이다.

① type 0의 점막하자궁근종은 태아가 착상하거나 성장하는 것을 방해할 수 있으므로 제거를 고려하여야 한다. 더욱이 월경과다가 동반되면 더더욱 제거를 고려하여야 한다. 태아의 착상/성장을 방해하는 점막하자궁근종의 크기에는 의견이 분분하나 일반적으로 자궁강 길이의 절반 이상이면 영향을 줄 것으로 간주한다. 일반적으로 가임기 여성의 자궁의 바깥길이는 8 cm이며 자궁강 길이는 5-6 cm 이므로 2.5-3 cm 이상의 점막하자궁근종은 태아 착상/성장에 영향을 준다고 간주한다. 자궁강과

근층에 걸쳐 있는 type 1 또는 type 2 점막하자궁근종도 마찬가지로 자궁강 길이의 절반 이상을 자궁근종이 밀고 있다면 영향을 준다고 간주한다.

② 근층내근종이라도 자궁내막을 과도하게 밀고 있으면 제거를 고려한다. 월경과다가 동반되면 근종이 확실히 자궁내막에 영향을 준다고 판단할 수 있다. 일반적으로 자궁내막을 휘게 만드는 근층내근종 크기가 4 cm 이상이면 수술을 고려한다.

③ 크기가 8-9 cm 이상인 근층내근종이 자궁 하절에 있으면 질식 분만을 저해할 수 있으므로 제거를 고려한다.

④ 장막하근종은 대부분 태아나 출산에 영향을 주지 않는다. 보통 자궁근종은 임신 중에 자궁과 더불어 동반 성장하는데 출산 후에는 크기가 줄어드는 경우가 많으므로 만일 임신 전이나 임신 중 근종이 발견되고 출산 후 근종 수술에 대한 상담차 환자가 오면 일단 크기 변화를 잘 관찰해 보자고 권하는 것이 좋다. 그러나 만일 다음 임신을 계획하는 경우라면 다음 임신 시 근종의 크기가 커져 산모가 불편해 할 수 있어서 비록 수술할 정도의 크기가 아니라 하더라도 제거할 수 있다.

⑤ 수술할 정도의 크기가 아닌 근층내근종이나 장막하근종이 간혹 임신 5개월경에 red degeneration을 일으키면서 통증과 열감을 유발할 수 있다. 대개는 보존적 요법으로 치유 가능하므로 이 때문에 수술을 권하지는 않는다. 그러나 그러한 상황을 두려워하는 환자도 있으므로 잘 상의하여 결정한다.

⑥ 수술할 정도의 근종은 아니라고 판단되지만 간혹 그런 환자가 유산을 경험하면 근종이 원인으로 지목되어 제거를 하게 되는 경우도 있다.

⑦ 석회화된 자궁근종은 거의 자라지 않으므로 관찰하는 것이 원칙이다.

자궁근종이 자궁경부에서 기원한 경우는 대개 조직검사가 cellular leiomyoma로 나오며 성장 속도가 상당히 빠른 편이고 폐경이 되더라도 성장 가능하다. 수술적 제거 시에는 자궁내경관이 손상 받지 않도록 하는 것이 중요하며 이를 위하여 소아폴리를 자궁 안에 삽입하고 진행하는 것이 좋다. 만일 자궁내경관이 열렸다면 세심하게 봉합해준다. 자궁내경관의 처리를 잘못 하면 환자는 지속적인 질분비물을 호소하게 된다.

근종 중 lipoleiomyoma 타입은 폐경이 되어도 자라는 수가 있는데 초음파로는 대개 고음영, 즉 흰색으로 보인다. 또한 난소의 섬유종(fibroma, fibrothecoma)을 근종으로 오인하여 알고 지내다가 폐경이 되었는데 근종이 자란다고 오는 경우가 있다. 난소의 섬유종은 초음파에서 꼭 근종처럼 보여 오진의 가능성이 있으며 폐경이 되어도 자랄 수 있다.

근종을 가진 폐경여성에서 여성호르몬 치료를 하면 근종의 크기가 다소 커지는 경향이 있으나 전반적으로 별 문제는 안 된다. 걱정이 되면 여성호르몬 치료를 중단하고 크기가 감소하는 것을 확인한 다음 여성호르몬 치료를 재개해도 무방하다. 원래 크기가 큰 근종인데 여성호르몬 치료를 중단하지 못하고 계속 해야만 하는 상황이라면 근종을 제거한 후 여성호르몬 치료를 받는 것도 한가지 방법이므로 환자와 잘 상의한다.

수술할 정도의 크기가 아닌 자궁근종이 있는 여성에서 경구피임제, 프로게스틴 제제, GnRH agonist, 미레나® 등으로 증상 완화를 시도해 볼 수 있다. 그러나 경구피임제, 프로게스틴 제제들은 호르몬제제로서 자궁근종을 계속 성장케 할 수 있다. 비록 복합경구피임제 사용으로 자궁근종이 커진다는 증거는 없다고는 하나(Berek&Novak 부인과학 교과서 16판, pp226) 자궁근종은 에스트로겐과 프로게스테론 의존성 종양이라는 점을 명심해야 한다. 미레나®는 자궁강이 근종에 의하여 굴곡되어 있는 경우 자연배출의 위험성이 있다.

최근 selective progesterone receptor modulator의 일종으로 ulipristal acetate(이니시아®)가 도입되었는데 자궁근종에 대해서는 antagonist 역할을 하므로 자궁근종의 성장 염려 없이 증상완화를 위하여 흔히 사용된다. 비록 2020년에 식약처 권고로 처방이 중단되기는 하였지만 필자의 경험으로는 상당히 좋은 약제라 생각된다.

이니시아®는 월경 시작 시부터 복용을 시작하는데 일단 12주를 복용하고 이후 온전한 월경을 한 번 확인한 이후 그 다음 월경 때부터 다시 12주를 복용한다. 이렇게 복용하는 이유는 이니시아®가 자궁내막에 대해서는 약간의 증식 작용을 가지기 때문이다. 12주씩 4주기 투약이 급여로 가능한데 중간에 약 두 달을 휴약하므로 4주기 완료에 총 1.5년이 소요된다. 이후 더 복용하려면 비급여로 처방해야 한다. 처음 처방 시에는 8주만 처방하여 이후 방문 시 부작용 유무를 평가해보고 더 먹을지를 판단하는 것이 좋다.

필자의 경험으로 흔한 부작용은 무월경(43%), 체중증가, 피로, 복부 불편감, 월경혈 감소, 어지럼증, 눈건조증, 질분비물 증가, 두통, 안면홍조, 유방불편, 입마름, 탈모 등이었다. 이니시아®는 다음 약제와 같이 복용하는 것은 금한다.

- P당단백기질제: 디곡신, 다비가트란, 에텍실레이트
- CYP3A4 억제제: 자몽주스, 에리트로마이신, 베라파밀, 케토코나졸, 이트라코나졸, 리토나비어, 네파조돈, 텔리트로마이신, 클래리트로마이신
- CYP3A4 유도제: 리팜피신, 리바부틴, 카르마바제핀, 옥스카르바제핀, 페니토인, 포르페니토인, 페노바비탈, 프리미돈, 성요한풀, 에파비렌즈, 네비라핀

근종절제술은 요새는 복강경으로 하는 비율이 점차 증가 추세인데 근종의 enucleation과 suture 사이에 시간이 개복보다는 오래 걸려서 수술 중 출혈을 어떻게 줄일 것인지에 대해 관심이 많다. GnRH agonist를 수술 전에 투여하는 전통적인 방법이 있고 이외 수술 중 자궁경부를 토니켓으로 묶거나 vascular clamp를 이용하여 자궁동맥을 일시적으로 차단하는 방법, vasopressin을 절개 부위에 주입하는 방법 등이 있다.

최근에는 400 μg misoprostol을 수술 1시간 전에 질내로 넣는 방법, 600 μg misoprostol을 수술 30분 전에 항문으로 넣는 방법, 400 μg misoprostol을 수술 1시간 전에 항문으로 넣는 방법들이 소개되어 있다.

근종절제술 후 출산 시에는 자궁파열의 위험성 때문에 자궁선근증 디벌킹 수술 후와 마찬가지로 제왕절개를 권한다. 자궁파열의 빈도는 non-scarred uteri 0.005%, scarred uteri 0.04%-0.02%, VBAC 후 0.27%-0.7%, 근종절제술 후 0.26%로 보고되었다(Fertil Steril 2018;109:406). 참고로 자궁선근증 디벌킹 후 자궁파열의 빈도는 ~6% 정도로 높은 편이다.

제 10 장

반복유산

1 서론

반복유산은 전통적으로 3회 이상의 연속적인 자연유산(임신 20주 이전 또는 태아 체중 500 g 이전)을 겪는 경우를 말하는데 최근에는 꼭 연속적이 아니어도 되며 2회 연속 자연유산 시에도 여성의 나이나 아기를 갖고자 하는 열망, 난임 여부 및 기타 상황을 고려하여 검사 및 치료를 하자는 추세이다.

검사는 반복유산의 요인별 분류를 생각하면서 진행하는 것이 좋다. 반복유산의 요인은 유전적, 해부학적, 면역적, 내분비적, 감염, 환경요인으로 나눌 수 있으며 이에 상응하는 검사는 표 16과 같다. 그러나 절반 이상은 검사가 모두 정상, 즉 원인불명으로 나온다고 하므로 사전에 이를 잘 설명하는 것이 필요하다.

표 16. 반복유산의 요인별 검사

요인	검사
유전적	부부 염색체검사, 유산물 염색체검사
해부학적	자궁난관조영술, 식염수주입자궁초음파, 진단자궁경검사, MRI
면역적	- 자가면역: lupus anticoagulant, anticardiolipin 항체, anti-β2-glycoprotein 1 항체 - 동종면역: NK 세포분율 - 혈전성향증: protein S, protein C, antithrombin III, homocysteine, 돌연변이 검사로서 factor V Leiden, prothrombin, methylene tetrahydrofolate reductase (NK 검사와 혈전성향증 검사는 권하지 않는 가이드라인도 있음)
내분비적	갑상선검사, 필요 시 당뇨검사
감염	박테리아/바이러스 검사

2
유전적 요인

반복유산 부부의 4%-8%를 차지하며 balanced translocation이 가장 흔하다.

- balanced reciprocal translocation: 두 염색체 사이에 일부 조각이 교환되어 발생하며 염색체 소실이 없으므로 본인은 문제가 없지만 생식세포를 형성하는 감수분열 과정에서 염색체의 불균등한 분리가 일어난다.
- balanced Robertsonian translocation: 염색체 단완이 매우 짧은 acrocentric type의 염색체(13, 14, 15, 21, 22) 두 개가 상호 융합하여 발생하며 두 염색체가 마치 한 염색체처럼 붙은 채로 분리가 되어 역시 불균등한 분리가 일어난다.

Balanced reciprocal translocation에서 두 상동염색체는 감수분열을 거치면서 3가지 형태의 분리가 일어날 수 있다(그림 17).

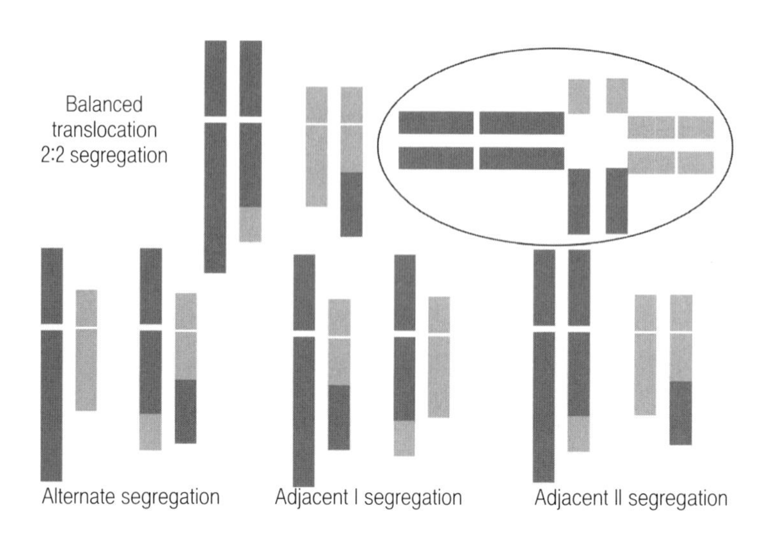

그림 17. Balanced reciprocal translocation에서 감수분열 시 염색체의 분리

Alternate 분리 형태는 내각선 방향에 있는 염색체끼리 짝을 이루면서 분리되는데, translocation이 일어난 두 염색체가 같은 생식세포로 분열되므로 완전 정상 및 balanced translocation의 생식세포가 나온다. 그러나 adjacent I, II 분리 형태는 필연적으로 unbalanced translocation으로서 partial trisomy 및 monosomy를 야기하게 된다. 따라서 부부 중 어느 한쪽에 balanced translocation이 있다면 이론적으로 4/6, 즉 2/3에서 unbalanced translocation이 있는 배아가 형성되며, 이러한 unbalanced translocation을 지닌 태아는 특정 유전자의 중복, 혹은 소실을 보이므로 생존하지 못하고 유산된다.

상기한 설명은 2:2 분리를 설명한 것이며, translocation이 있는 염색체는 3:1 분리도 가능하다. 즉 한 생식세포로 3개의 염색체가 이동하고, 다른 생식세포로는 1개의 염색체만 들어가게 된다. 이 경우 8가지 형태의 조합이 생길 수 있는데 100%에서 unbalanced translocation이 발생하게 된다. 2:2 분리는 translocation이 일어난 두 염색체의 크기가 비슷할수록, metacentric 염색체일수록 잘 일어나며, 3:1 분리는 서로 다른 크기의 염색체일수록, acrocentric 염색체일수록 잘 일어나는 것으로 알려져 있다.

만일 염색체의 분리가 무작위로 일어나고, 염색체 간의 cross-over가 없다면 unbalanced translocation을 가진 배아가 형성될 확률은 이론적으로 2/3 이상이 된다. 혹자는 alternate 및 adjacent I 분리가 주로 발생하므로 50%에서 정상 또는 balanced translocation, 50%에서 unbalanced translocation이 나온다고 보기도 한다. 그러나 양수검사를 통한 결과를 보면 부부 어느 한쪽에 balanced translocation이 있을 경우 태아의 unbalanced translocation 확률은 이보다 낮은 11%-12% 정도라고 한다.

Balanced Robertsonian translocation에서는 유전 양상이 약간 다르다. 예를 들어 부부 중 어느 한쪽에 14;21 balanced Robertsonian translocation이 있다면 생식세포는 6가지 형태의 핵형이 나올 수 있다(그림 18). 만일 정상 생식세포와 수정된다면 1/6에서 정상, 1/6에서 balanced Robertsonian translocation, 4/6에서 trisomy 또는 monosomy가 나오게 된다. Trisomy 21이 생존 출생한다고 가정하면 유산의 확률은 이론적으로 3/6, 즉 1/2이 되며, 생존 출생아 중 Down 증후군이 나올 확률은 이론적으로 1/3이 된다. 그러나 여러 보고에 의하면 실제적인 Down 증후군 환아의 출생율은 모계가 carrier일 때 10%-15%, 부계가 carrier일 때 1%-2% 정도로서 매우 낮다고 한다.

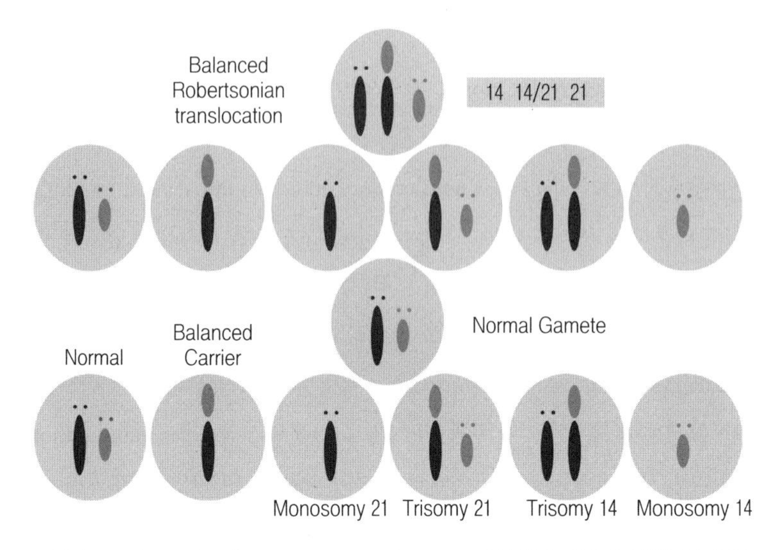

그림 18. Balanced Robertsonian translocation에서 감수분열 시 염색체의 분리

Balanced Robertsonian translocation의 특이한 형태로서 예를 들어 t(13;13), t(21;21) 등과 같이 같은 염색체 사이에 Robertsonian translocation이 일어난 경우에는 항상 trisomy, 혹은 항상 monosomy를 가진 배아만 생성되므로 정상아를 출산할 수 없다.

Inversion 자체는 유전자의 소실이 없다면 본인은 문제가 없지만 생식세포를 형성하는 감수분열 과정에서 cross-over가 일어나면서 unbalanced genotype을 가진 생식세포가 나타나게 된다.

Pericentric inversion (centromere를 포함하여 inversion이 일어난 경우)이 있는 염색체는 감수분열 시 상동염색체에서 pairing이 일어날 때 loop 형태를 취해야 한다. 이때 loop 내에서 1회의 cross-over로 4가지 형태의 서로 다른 genotype이 생성되는데 절반은 부모와 똑같은 형태, 즉 정상과 inversion 형태이며, 나머지 절반은 inverted segment 바깥쪽에 있던 염색체 절편이 중복되거나 소실된 형태로 나타난다. Inversion 부위가 짧을수록 이러한 중복, 혹은 소실 부위는 오히려 더 커지는 반비례 관계가 형성된다. 그러나 실제 빈도는 이론적인 확률에 비하여 훨씬 낮아 여성이 carrier인 경우 7%-8%,

남성이 carrier인 경우 4%-5%의 unbalanced genotype 위험성이 있는 것으로 알려져 있다.

Paracentric inversion의 경우 감수분열 시 cross-over의 결과로서 절반은 부모와 똑같은 형태, 즉 정상과 inversion 형태이며, 나머지 절반은 inverted segment 바깥쪽에 있던 염색체 절편이 중복되거나 소실되는 형태로 나오는 것은 pericentric inversion과 같지만 이때 중복, 혹은 소실되는 절편에 centromere가 포함되는 관계로 중복은 dicentric 형태, 소실은 acentric 형태가 된다. Acentric 형태는 감수분열에 참여하지 못하고 소실되므로 이론적으로 unbalanced genotype을 가진 생식세포가 생성될 확률은 2/4가 아닌 1/3이라고 할 수 있다.

반복유산의 경우 부부의 염색체가 정상인 경우에도 태아 염색체의 수적 이상(aneuploidy)이 반복하여 나타나는 경향이 있다. 즉 첫 유산아의 염색체가 비정상이었을 경우 두번째 유산아의 염색체도 비정상일 확률은 80%에 달하며, 일반적으로 trisomy 태아를 한번 가진 경우 그 재발율은 1/100로 증가한다. 부부의 염색체가 정상인 경우에도 그 자손에서 염색체의 수적 이상을 야기하는 어떤 유전적 소인을 지니고 있어 반복적으로 염색체의 수적 이상이 있는 태아를 갖는다고 추측된다.

반복유산 부부에서는 염색체 이상에 대한 진단이 향후 치료 및 관리에 큰 영향을 주므로 염색체검사는 우선적으로 시행하는 것이 좋다. 또한 사산아(stillbirth), 혹은 기형아를 출산한 경우, 반복유산에 대한 가족력이 있는 경우도 부부 염색체검사를 시행하는 것이 좋다.

유산아의 염색체를 확인하는 것은 임상적으로 의미가 있다. 만일 유산아의 염색체가 aneuploidy라면 유산의 원인을 알 수 있고, unbalanced translocation으로 나오면 부부의 balanced translocation을 의심할 수 있으며, 정상이라면 다른 요인이 있음을 시사한다.

유산아에서 염색체검사를 할 때는 태아 조직의 체외배양이 실패할 수도 있음을 알아야 하며 유산물에는 태아 조직뿐만 아니라 모체의 조직도 포함되므로 만일 46,XX로 나올 경우 모체 조직이 배양되었을 가능성도 염두에 두어야 한다.

Balanced translocation이 있는 경우 착상전배아유전진단을 시행하면 unbalanced translocation을 가진 배아를 배제할 수 있어 효과적이다. 그러나 특별한 조치가 없어도 다음 임신 시(유산율은 비교적 높지만) 정상아를 출산할 확률은 30%-40% 정도로 알려져 있다. 자연 임신을 시도할 경우에는 융모막검사, 양수검사를 통한 태아 염색체의 확인이 필요하다.

부부 염색체가 정상이고 다른 검사도 모두 정상인 소위 원인불명 반복유산에서 착상전배아유전진단이 유효한가에 대해서는 논란이 있다. 원인불명 반복유산에서 착상전배아유전진단 시 생아출생율 53%, 유산율 7%이며, 특별한 조치가 없이 다음 임신 시도 시 생아출생율 67%, 유산율 24%로 보고된 바 있다(Fertil Steril 2015;103:1215). 일반적으로 원인불명 반복유산이거나 혹은 여성의 나이가 많은 경우 착상전배아유전진단은 유산율은 낮추지만 생아출생율에는 도움이 안 된다고 알려져 있다.

같은 염색체 사이에 Robertsonian translocation이 있는 경우에는 100% unbalanced genotype을 가진 배아로 나오므로 생식세포 공여가 필요하다.

3

해부학적 요인

해부학적 요인에는 선천적 또는 후천적 자궁 이상이 포함된다. 선천적 자궁기형에는 제2장에서 서술한 바와 같이 격막자궁, 쌍각자궁, 중복자궁, 단각자궁 등이 있으며 후천적 자궁 이상으로는 자궁근종(제9장 참조), 자궁내유착(제3장 참조) 등이 있다.

참고로 유전적인 원인의 유산은 주로 임신 초기에 일어나는데 반하여 선천적 자궁기형으로 인한 유산은 주로 임신 제2삼분기 즈음에 일어난다. 선천적 자궁기형으로 인하여 왜 유산이 일어나는 지는 잘 모르지만 자궁내용적의 감소, 자궁내막 이상, 혈액공급 장애 등이 거론된다.

쌍각자궁, 단각자궁에서는 임신 시 cervical cerclage가 필요할 수도 있다. 선천적 자궁기형이 발견된다고 해서 무조건 교정수술을 하는 것은 아니지만 반복유산 환자라면 수술적 교정이 필요하다.

자궁내유착으로 반복유산이 초래될 수도 있지만 더 흔히 월경량감소, 무월경, 난임의 원인으로 작용한다. 자궁내유착의 수술적 치료 후에도 유산율은 86.5%에서 42.8%로 상당히 감소한다고 알려졌다(Hum Reprod 1995;10:2663). 그러나 효용성은 중증도에 따라 다를 것이다.

4

면역적 요인

자가면역(autoimmune)과 동종면역(alloimmune) 모두 반복유산의 원인이 될 수 있다.

자가면역질환의 대표격인 SLE에서 테아소실율은 20% 정도이며 주로 임신 제2-3분기에 일어나고 항인지질항체가 원인 인자로 지목된다. 활동성 상태이거나 신장침범이 유산의 확률을 높이므로 이 경우 피임을 권해야 한다.

항인지질항체증후군의 진단은 임상적기준 중 최소 하나와 검사실기준 중 최소 하나를 만족해야 한다. 2006년에 제시된 국제 진단 기준은 표 17과 같다. 임신 10주 이전의 반복유산이나 10주 이후의 유산을 경험한 여성은 표 16에 있는 3가지 항인지질항체 검사를 시행하는 적응증이 된다.

표 17. 항인지질항체 증후군의 진단

임상적기준	- 혈전증 - 3회 이상의 임신 10주 이전 반복유산 - 1회 이상의 임신 10주 이후 유산 - 1회 이상의 임신 34주 이전 자간증, 태반부전으로 인한 조산
검사실기준	- lupus anticoagulant 양성 - anticardiolipin 항체(IgG/IgM) medium or high titer (>40 GPL or MPL, or >99th percentile) - anti-β2-glycoprotein 1 항체(IgG/IgM) 99th percentile (최소 12주 간격으로 2회 이상 시행)

항인지질항체는 태반에 혈전증을 일으키거나 자궁-태반 혈관발달을 방해하여 태아소실을 유발하는 것으로 알려졌다.

항인지질항체증후군으로 진단되면 저용량 아스피린 + 헤파린 요법을 시행한다. 아스피린(75-85 mg/d)은 임신 시도 시부터 투약하며 임신이 되면 unfractionated heparin 5,000-10,000IU를 하루 두 번 투여한다. 생아출생율은 70%-80%로 알려졌다. Unfractionated heparin 대신 low molecular weight heparin인 enoxaparine을 사용해도 비슷한 효과를 보인다고 하며 출혈부작용, 혈소판감소증, 골감소증의 빈도도 낮다는 장점이 있다.

반복유산 환자에서 항갑상선항체, 항핵항체가 높다고는 하지만 반복유산과의 연관성 및 치료 시 이점 등은 불분명하다.

태아는 부계에서 유래한 항원도 가지고 있으므로 모체가 이를 적절히 인식하여야 하는데 만일 모체의 동종면역에 이상이 생기면 반복유산을 초래할 수 있다. 가장 대표적인 것이 NK 세포로서 모체의 탈락막에 있는 다수의 NK 세포가 여러 사이토카인을 분비하여 trophoblast를 공격한다는 것이다. 그러나 검사를 하게 되는 말초 혈액내 NK 세포수와 실제 탈락막내 NK 세포수가 항상 일치하지 않으며 탈락막내 NK 세포가 반복유산의 원인인지 결과인지가 불분명하다.

한편 T-helper lymphocyte-1(Th1)이 T-helper lymphocyte-2(Th2) 보다 우세하여 반복유산을 초래한다는 기전도 제시되었다. Th1 면역반응은 interferon-γ, TNF-α, IL-2, IL-12 등과 연관되며 Th2 면역반응은 IL-4, IL-5, IL-6, IL-10 등과 연관된다. 따라서 Th1/Th2 비율을 interferon-γ/IL-10 비율 또는 TNF-α/IL-10 비율로 산정한다(제6장 반복착상실패 참조).

동종면역 이상 관련 반복유산에서 소위 면역치료가 시도되었는데 면역증강요법으로서 paternal leukocyte immunization은 효과가 없는 것으로 판명되었고 면역억제요법으로서 IgG 투여 효과는 아직 증명되지 못하였다. Speroff 교과서 9판에서는 NK 세포검사, Th1/Th2 검사 및 IgG 투여는 권하지 않고 있다.

혈전성향증 검사로서 protein S, protein C, antithrombin III가 있는데 이들은 평소 혈전을 예방하는 작용을 하므로 이들이 감소하면 혈전 경향이 생긴다. 필자가 있는 병원에서 정상치는 protein C 및 S 70-140, antithrombin III 80-120이다.

Homocysteine은 비타민 B12, 엽산이 결핍된 경우 증가하여(hyperhomocysteinemia) 혈전형성의 고위험군이 된다.

유전자 돌연변이 검사로 다음 3가지가 있다.

- factor V Leiden (G1691A): activated protein C resistance와 연관되며 혈전증 위험도가 heterozygote면 5배, homozygote면 80배 상승한다.
- prothrombin (G20210A)
- methylene tetrahydrofolate reductase (MTHFR)(C677T, A1298C): homozygote일 때 hyperhomocysteinemia가 유발되어 혈전 경향이 생긴다. 이 경우 비타민 B12, 고용량 엽산을 투여하기도 한다.

그러나 혈전성향증이 반복유산을 유발하는지에 대해서는 아직 불분명하여 반복유산 시에 혈전성향증 검사를 권고하지 않는 가이드라인도 있다(ASRM 2012). 이들 검사는 혈전증이 있거나 혈전성향증의 가족력이 있을 때 정당화된다(Fertil Steril 2021;115:561).

그럼에도 불구하고 일부 임상의들이 반복유산에서 protein S, protein C,

antithrombin III, homocysteine 측정과 세가지 돌연변이 검사를 시행한다. Homocysteine 측정은 호모시스틴뇨증 의심 또는 확진 환자, 비타민 B군 결핍 의심 또는 확진 환자에서 급여이며 이외는 본인부담률 80%이다.

Speroff 교과서 9판에서는 protein S, protein C, antithrombin III, homocysteine 측정과 activated protein C resistance, factor V Leiden 돌연변이, prothrombin 돌연변이를 권한다. 혈전성향증으로 진단되면 헤파린(+/- 아스피린)을 사용해 볼 수 있지만 아직 효과는 정립되지 않았다. 아스피린 단독은 효과가 없는 듯하다.

5 내분비적 요인

갑상선이상과 당뇨가 반복유산 또는 유산과 연관된다. 갑상선기능저하증은 확실히 유산을 유발할 수 있고 levothyroxine 투여가 정당화 된다. Subclinical hypothyroidism은 갑상선호르몬은 정상이지만 혈중 TSH 치가 높은 경우인데 한 메타분석에서는

- 반복유산은 subclinical hypothyroidism과는 무관하며 thyroid antibody 유무와 상관없이 levothyroxine 투여가 생아출생율을 올리지 못한다(Fertil Steril 2020;113:587-600.e1).
- 반복유산 환자는 thyroid autoimmunity 빈도가 1.94배로 확실히 높기는 하나 euthyroid with thyroid autoimmunity 군에서 levothyroxine 투여는 이득이 없다고 하였다.

반복유산 환자에서 혈중 TSH 2.5-4.0 mIU/L인 소위 보더라인 subclinical hypothyroidism에서 levothyroxine을 투여하는 것 또한 임신 예후에는 영향이 없었다는 보고가 있다(Reprod Biomed Online 2020;40:582).

일반적으로 임신이 되면 thyroxine 요구량이 늘어나므로 levothyroxine 용량을 늘려야 한다. 혈중 TSH 치를 모니터링하면서 제1삼분기 때는 2.5

mIU/L 미만, 이후에는 3.0 mIU/L 미만으로 유지시킨다.

당뇨는 잘만 조절되면 임신유지에 문제가 되지 않으나 임신 초기에 혈당이 높거나 당화혈색소(A1c)가 높으면 유산을 유발할 수 있다.

6 감염

생식기계통에 세균성 또는 바이러스 감염과 반복유산 사이의 연관성은 사실 약한 편이다. Bacterial vaginosis 만이 유산과 어느 정도 연관이 있는 것으로 보고되고 있다. 항클라미디아 항체와 유산과의 연관성은 불분명하다. 현재까지의 증거로 볼 때 반복유산에서 항클라미디아 항체검사, 자궁경부 분비물검사, 자궁내막검사를 루틴으로 할 필요는 없으며, 다만 증상이 있는 경우 또는 의심이 되는 경우 시행하는 것이 좋다. 한편 클라미디아, 유레아플라즈마, 마이코플라즈마가 의심되는 경우에는 검사를 생략하고 바로 항생제를 투여하는 것도 좋은 방법이다.

균종별 항생제는 2021년 CDC 가이드라인에 의하면 다음과 같다.

* N. gonorrhoeae : ceftriaxone 500 mg IM 1회 (클라미디아 배제 못하면 doxycycline 100 mg BID for 7 days 추가)
  또는 gentamicin 240 mg IM 1회 + azithromycin 2 g PO 1회 또는 cefixime 800 mg PO 1회
* C. trachomatis: doxycycline 100 mg BID for 7 days 또는 azithromycin 1 g PO 1회 또는 levofloxacin 500 mg QD for 7 days

* M. genitalium: 2021년 가이드라인에서 많이 변경되었다.
  - if M. genitalium Resistance Testing Is Available, and If macrolide sensitive: doxycycline 100 mg BID for 7 days, then azithromycin 1g PO 1회, then 500 mg QD for 3 days (4일간 총 2.5 g)
  - If macrolide resistant, 또는 Resistance Testing 불가: doxycycline 100 mg BID for 7 days, then moxifloxacin 400 mg QD for 7 days
* 아래 3가지 균은 2010년, 2015년, 2021년 가이드라인에서 딱히 치료에 대한 언급이 없으나 과거 사용하던 치료제는 다음과 같다.
  M. hominis: doxycycline, levofloxacin, moxifloxacin
  U. urealyticum: doxycycline, azithromycin, levofloxacin, moxifloxacin
  U. parvum: doxycycline
* Bacterial vaginosis: metronidazole 500 mg BID for 7 days (금주해야 함) 또는 metronidazole gel 0.75%/5 g for 5 days 또는 clindamycin cream 2%/5 g at bedtime for 7 days
* T. vaginalis: metronidazole 500 mg BID for 7 days (겔 및 1회 요법은 권하지 않음) 또는 tinidazole 2 g PO 1회 (metronidazole 2 g PO 1회는 남성에게)

임신 중 이들 항생제 금기 사항은 다음과 같다.

* metronidazole: 제1삼분기는 금기 [FDA; B]
* doxycycline: 태아 치아 변색을 유발하므로 임신 중 금기 [FDA; D]
* azithromycin: 임신 중 사용 가능 [FDA; B]
* levofloxacin/moxifloxacin: 동물실험에서 기형 가능성 있어 임신 중 금기 [FDA; C]

7

환경요인 및 원인불명

일반적으로 BMI 25 이상은 유산의 고위험군이다. 흡연은 유산과 연관이 있으며 용량-의존적으로 알려졌다. 음주는 잘 알려진 teratogen으로서 역시 유산과도 연관된다. 과도한 커피 섭취 또한 유산과 연관된다고 한다(특히 300 mg/d 이상, 하루 3잔 정도). 환경 독성물질과 유산과의 연관성은 많은 경우 불분명한데 마취가스, 드라이크리닝제인 perchlorethylene, 수은/납이 유산의 원인으로 지목되었다. 컴퓨터모니터, 운동은 원인인자가 아니라고 한다. 약물중 isotretinoin은 명확히 유산과 연관된다.

반복유산의 요인에 대한 검사를 하더라도 절반 이상은 모두 정상, 즉 원인불명으로 나온다. 그러나 다음 임신 시 2/3에서 3/4 정도는 성공적이라 하므로 이에 대한 조언 및 정서적지지, 다음 임신 시 면밀한 관찰이 필요하다.

원인불명의 반복유산 시 다음 임신에 프로게스테론, 아스피린을 투여하는 임상의도 있으나 효과가 있다고 밝혀지지는 않았다.

8 가이드라인

2018년 ESHRE에서는 반복유산의 진단 및 치료에 대한 가이드라인을 발표하였다(Hum Reprod Open 2018;2:hoy004).

권고 강도는 다음과 같다.

S = strong

C = conditional

GPP = good practice point

Evidence 강도는

4+ = high

3+ = moderate

2+ = low

1+ = very low이다.

- 정의: 임신 24주 이전에 2회 이상의 자연유산(자연임신 또는 보조생식술 임신 포함)(이때 ectopic, molar pregnancies, implantation failure

는 포함하지 않음)

- 부부에게 흡연이 생아출생율에 부정적인 영향이 있음을 알려주어야 하며 금연을 권함(GPP)
- 부부에게 과도한 음주가 유산의 위험인자이며 태아알코올증후군의 잘 알려진 위험인자임을 알려주어야 함(S2+), 부부 모두 음주를 줄여야 함(GPP)
- 모체의 비만 또는 저체중이 생아출생율에 부정적인 영향을 주고 산과적 합병증과 연관됨을 알려주어야 함(S2+), 정상 BMI를 유지하여야 함(GPP)
- 부부에게 과도한 운동이 생아출생율에 부정적인 영향이 있음을 알려주어야 하며 적당한 운동을 권함(GPP)

Box

- 추천하는 검사: lupus anticoagulant, anticardiolipin 항체, TSH, thyroid peroxidase 항체, 자궁의 해부학적 검사
- 고려해볼만한 검사(원인을 설명하기 위한 목적 또는 연구적 목적): genetic test, antinuclear antibody, 혈전성향증, 정자 DNA fragmentation
- 비추천 검사: HLA, 항HLA 항체, NK, cytokine, homocysteine, fasting insulin/glucose, prolactin, ovarian reserve test, LH, androgen, luteal phase insufficiency test, 비타민 D

- 부부 염색체검사는 루틴은 아니며 개별화하여야 함(C2+)
- 유산물 유전검사는 루틴은 아니며 필요 시 시행하고(C2+) 한다면 array CGH 기법을 권함(S2+)
- 자궁의 해부학적 검사는 우선 3D초음파를 시행하며 없다면 MRI 가능함(C2+)
- lupus anticoagulant, anticardiolipin 항체는 2회 유산 후 검사를 권함(S2+), anti-β2-glycoprotein 1 항체는 2회 유산 후 검사를 고려함

(GPP), 혈전성향증 검사는 위험인자가 없다면 비추천(C3+).

- NK 세포검사(말초혈액 또는 자궁내막)는 증거가 부족하여 비추천(S1+)
- homocysteine 루틴 측정은 불필요함(S1+)
- TSH, thyroid peroxidase 항체 검사는 권하며 비정상이면 T4를 측정함(S3+)
- 남편의 흡연, 음주, 체중을 평가함(GPP), 정자 DNA fragmentation은 원인을 설명하기 위한 목적으로 시행할 수 있음(C2+)

- 반복유산에서 혈전성향증이 있을 경우 예방적 혈전예방은 불필요함(C2+)
- 항인지질항체 증후군으로 진단되고 3회 이상 반복유산이면 임신 전 저용량 아스피린(75-100 mg/d) + 임신 확인 후 unfractionated 또는 low molecular weight heparin 요법이 추천됨(C1+)
- 항인지질항체증후군으로 진단되고 2회 이상 반복유산이면 위 치료를 시행할 수는 있으나 연구적 목적임(GPP)
- 명확한 hypothyroidism이면 levothyroxine 치료함(S2+)
- subclinical hypothyroidism에서 levothyroxine 치료의 의미는 controversial, 치료 시 유산율을 낮춘다는 보고도 있지만 risk도 잘 따져야 함(C2+)
- subclinical hypothyroidism 또는 thyroid autoimmunity 양성일 때 다음 임신 시 TSH를 추적하여 hypothyroidism 발견 시 levothyroxine 치료함(GPP)
- euthyroid이면서 thyroid autoimmunity 양성일 때 치료해야 하는지는 증거 부족(C2+)
- luteal phase insufficiency일 때 프로게스테론(C3+), hCG(C2+) 투여는 증거 부족
- glucose metabolism defect에서 메트포민 투여는 증거 부족(C1+)

- hyperprolactinemia에서 bromocriptine 투여를 고려함(C1+)
- 예방적 비타민 D 투여에 대하여 상담해야 함(GPP)

자궁의 해부학적 원인에서

- septate uterus에서 hysteroscopic septum resection이 이로운 지는 surgical trial에서 정해야 함(C1+)
- bicornuate uterus에서 metroplasty는 비추천(S1+)
- didelphys에서 metroplasty가 이로운 지는 증거 부족(C1+)
- hysteroscopic removal of submucosal fibroids or endometrial polyp: 증거 부족(C1+)
- intramural fibroid 제거는 비추천 / uterine cavity를 distort하는 intramural fibroid 제거는 증거 부족 (C1+)
- hysteroscopic removal of intrauterine adhesion: 예후 향상에 대한 증거 부족 / 수술 후에는 유착 재발 방지에 유의해야 함(C1+)
- 제2삼분기 유산이 있고 cervical weakness가 의심되면 serial cervical sonographic surveillance 해야 함(S2+)
- cervical weakness로 인한 제2삼분기의 반복유산 병력이 있다면 단태아라도 cerclage를 고려할 수 있으나 예후를 좋게 하는지는 증거 부족 (C2+)
- sperm selection은 비추천(GPP)
- 남편에게 항산화제 투여가 생아출생율을 향상시킨다는 보고는 없음 (C1+)

원인불명일 때

- lymphocyte immunization은 효과 없으며 부작용 크므로 사용하지 말아야 함(S2+)
- intravenous IgG은 비추천(S2+)
- intralipid는 증거 부족(S1+)

- glucocorticoid는 immunological marker가 양성이더라도 비추천(S2+)
- 저용량 아스피린, 헤파린은 생아출생율을 증진시키지 않는다는 증거가 있으므로 비추천(S3+)
- 저용량 엽산은 neural tube defect 예방을 위하여 임신 전부터 루틴으로 복용하나 유산을 예방한다는 보고는 없음(S2+)
- 프로게스테론 질투여는 생아출생율을 증진시키지 않음(C3+)
- G-CSF는 증거 부족(C2+)
- endometrial scratching은 증거 없음(GPP)
- multivitamin 복용은 가능하다(GPP)
- 생활인자 개선, tender loving care를 항상 고려한다

제 11 장

유전학

1 서론

일반적으로 birth defects의 원인은 다음과 같다.

unknown or multifactorial	65-75%
genetic	10-25%
fetal infection	3-5%
maternal disease	4%
drug, medication, radiation	<1%

유전성 질환(genetic disorder)은 전체 인구의 약 5% 정도이며 다음과 같이 세 가지 분류가 있다.

- 단일 유전자 질환(single gene disorder): 단일 유전자의 돌연변이(mutation)로 인하여 발생, 약 6,000개
- 염색체 질환(chromosome disorder): 단일 유전자가 아닌 염색체 수준에서의 변화로 그 내부에 포함되는 수많은 유전자의 과잉, 혹은 소실로 인하여 발생, 예) 21번 염색체가 한 개 더 있으면 다운증후군
- 다인자성 질환(multifactorial disorder): 한 개 이상의 유전자와 환경

적 인자(environmental factor)가 관여한다고 생각되는 질환, 대부분의 선천성기형(congenital malformation)이 속함, 가족내에서 반복 출현하는 경향이 있지만 단일 유전자 질환처럼 특징적인 가계내 유전 방식은 없다.

기타 원인불명의 선천성기형도 있다.

2

단일 유전자 질환

1) Mendelian 유전 법칙

제 1 유전법칙: 유전자의 쌍(pair)은 서로 다른 gamete로 분리된다.

제 2 유전법칙: 서로 다른 유전자의 쌍은 서로 독립적으로 유전된다.

형질(trait)이 heterozygote에서 발현되면 우성, homozygote에서만 발현하면 열성이다

= Autosomal Dominant의 예)

Achondroplasia

Familial hypercholesterolemia

von Willibrand disease

Adult polycystic disease

Huntington disease

Neurofibromatosis

Myotonic dystrophy

Tuberous sclerosis

Polyposis coli

Inherited colon cancer

= Autosomal Recessive의 예)

Albinism

Congenital adrenal hyperplasia

Cystic fibrosis

Congenital deafness

Familial mediterranean fever

Friedrich ataxia

Hemochromatosis

Hereditary emphysema

Homocystinuria

Phenylketonuria

Sickle cell anemia

Tay-Sach disease

α-Thalassemia

β-Thalassemia

Wilson disease

= X-linked Dominant의 예)

Vitamin D resistant rickets

Incontinentia pigmenti

Rett syndrome

= X-linked Recessive의 예)

Color blindness

Fragile X syndrome

Muscular dystrophy(Duchenne, Becker)

Hemophilia A(factor VIII), B(factor IX)

2) 상염색체 유전

우성: 표현형은 모든 세대에 걸쳐 나타나며 이환된 부모로부터 자손에게 유전될 확률은 50%(vertical transmission)

열성: 표현형은 모든 세대에서 나타나지 않으며 이환된 사람의 자손에서 재발율은 1/4(horizontal transmission).

열성 질환에서 heterozygote는 carrier가 된다.

- 상염색체 유전의 특징

아들과 딸에게 모두 동등하게 유전

부계 또는 모계로부터의 유전이 모두 가능

male-to-male, female-to-female 유전이 가능(성염색체 유전과 다른 점)

- 상염색체 우성 유전의 특징

Penetrance: 어떤 유전형의 형질이 발현되는 정도. 'all or none' 으로서 발현되거나 아니면 전혀 발현이 되지 않는 것을 말한다. 예를 들어 우성유전자를 가진 100 가계 중 95 가계에서만 질환이 발현되었다면 이 우성유전자의 penetrance는 95%가 된다.

Expressivity: 우성유전자가 발현되었더라도 그 증상은 다양할 수 있는데 정도를 expressivity라고 한다. 즉 중증도의 다양성(variation in the severity)을 말한다.

Non-penetrance: 상염색체 우성 질환 중 inherited colon cancer는 mutant gene을 가지고 있으면서 증상이 발현이 되지 않는 경우가 있으며 이를 'non-penetrance'라고 부른다. 즉, 한 세대를 건너 질환이 발현될 수 있으며, 이는 모든 세대에 걸쳐 나타나는 상염색체 우성 유전 법칙의 예외적인 현상이다.

Age of onset: Huntington's disease 같은 상염색체 우성 질환은 일정한 연령에 도달해야 그 증상이 출현하므로 임상 증상이 없다고 해서 이환이 안 되었다고는 말할 수 없다. 상염색체 우성의 유전상담 시 상기한 non-penetrance와 연령에 따른 다양한 expression을 반드시 고려해야 한다.

Codominant: 질환을 전달하는 유전자가 두 가지 종류의 대립유전자(allele)로 구성된 경우를 말하며, ABO blood group이나 DNA polymorphism의 유전이 이에 속한다.

예를 들어 외관상 정상인 부부가 3년 전 분만한 아기가 achondroplasia인데 다음 아이가 이 병에 이환될 확률은 우선 부부 중 누가 mutant gene을 가지면서 non-penetrance 되지는 않았는지 확인해야 하며 일단 부부 모두 정상인이고 첫애는 new mutation에 의하여 발생하였다고 가정하면 재발율은 일반인과 같다.

- 상염색체 열성 유전의 특징

표현형은 모든 세대에서 나타나지 않으며 부부 모두 carrier라고 할 때 정상 자녀가 1/4, heterozygous carrier가 2/4, homozygous로서 이환된 자녀가 1/4에서 발생한다. 즉, 자녀가 이환될 확률은 1/4, 정상아일 확률은 3/4이다. 만일 형제가 이환되었다면 다른 정상인 형제가 carrier일 확률은 2/3로 계산한다.

만일 부부가 모두 carrier이고 자녀를 둘만 두었다면 자녀 모두 이환될 확률은 1/16(1/4 × 1/4), 자녀 모두 정상일 확률은 9/16(3/4 × 3/4), 한 자녀만 이환될 확률은 6/16(1/4 × 3/4 × 2)이 된다.

상염색체 열성 유전 질환에서 일반인의 질환 빈도와 carrier의 빈도는 밀접한 관계가 있다.

*Hardy-Weinberg 법칙: p를 정상유전자의 빈도, q를 변이유전자의 빈도로 볼 때 이 질환의 일반인에서의 빈도는 q^2이 되며, p+q=1 이므로 여기에

서 carrier의 빈도인 2pq를 계산하면 된다.

예를 들어 cystic fibrosis 질환 빈도는 1/2,500 인데 q = 1/50 이므로 일반인 carrier 빈도는 2 x 49/50 x 1/50 = 1/25 이다. 사실 정확히 계산하면 1/25.5 이지만 대개 p는 거의 1에 가까우므로 약식으로 2q로 계산하면 된다. 즉 질환 빈도에 루트를 씌워 2를 곱하면 carrier 빈도가 된다.

예를 들어 어떤 부인의 유일한 남동생이 아주 드문 상염색체 열성 유전 질환에 걸려 있는데 이 질환의 빈도는 1/14,400 이라고 한다. 만일 carrier 검사는 따로 불가능하다고 할 때 이 부인이 결혼하여 난 아기가 이 병에 걸릴 확률은 다음과 같이 접근하여 계산한다.

부인이 carrier일 확률 = 2/3

미래의 남편이 carrier일 확률(Hardy-Weinberg 법칙) = 1/60

부부 둘 다 carrier일 확률 = 2/3 x 1/60 = 1/90

아이가 이환될 확률 = 1/90 x 1/4 = 1/360

Quasidominant: 근친결혼의 경우 유전자를 공유하는 확률은 당연히 높아지는데 세대가 내려갈수록 $(1/2)^n$ 만큼의 유전자를 공유하게 된다. 만일 이러한 근친결혼의 가계에서 이환된 사람이 carrier와 결혼을 하게 되면 마치 우성유전 질환과 같이 수직적으로 유전된다.

3) X 염색체 유전

인간에서 성염색체 유전은 전적으로 X 염색체 유전을 말한다. Y염색체 유전 질환은 아직 없다.

여성에서는 두 개의 X 염색체 중 한 개가 소위 Lyonization에 의하여 random하게 inactivation 되지만 남성에서는 X가 하나이므로 X 염색체에 돌연변이가 있으면 항상 질환이 발현된다.

부로부터 X는 딸에게만 전달되고, Y는 아들에게만 전달된다. 따라서 X 염색체 유전에서 부는 아들에게 질환을 전파하지 못한다. 즉, male-to-male 유전이 불가능하다.

- X 염색체 우성 유전의 특징

자녀 모두 성에 관계없이 유전 → 이러한 방식은 상염색체 우성과 비슷하지만 male-to-male 유전이 없다는 것이 X 염색체 우성 유전을 추정하는 단서가 된다.

남녀가 모두 이환 되지만 보통 남성이 여성에 비하여 증상이 심한데 이는 여성에서의 Lyonization 효과 때문이다. 즉, 여성은 변이유전자와 정상 유전자의 상대적 발현 정도에 따라 증상이 결정된다. 그러나 incontinentia pigmenti, Rett syndrome에 이환 된 남성은 대부분 유산되므로 여성에서만 증상이 생긴다.

- X 염색체 열성 유전의 특징

X 염색체 유전은 대부분 열성 유전에 속하는데, 대부분 남성에만 이환되고 여성은 질환을 전파하는 carrier 역할만 한다.

Duchenne muscular dystrophy 같은 중증 질환에서 이환 된 남성은 사춘기 이전에 보통 사망하므로 질환을 전파하지 못하며, 여자 형제의 아들이 이환 되는 가계도를 보인다. 이 모양은 장기에서 馬가 움직이는 행로와 비슷하다.

Carrier인 여자와 정상 남성 사이에서 아들의 1/2은 이환 되고 1/2은 정상이며, 딸의 1/2은 carrier가 되고 1/2은 정상이 된다.

이환 된 남성이 생식이 가능한 경우는 드물지만 정상 여성과 결혼하게 되면 아들은 모두 정상이며, 딸은 모두 carrier가 된다.

여성에서 X 염색체 유전 질환이 발현되는 경우는 다음과 같다.

① atypical Lyonization: 정상 X 염색체만 우선적으로 inactivation

② carrier 여성에서 다른 쪽 X 염색체의 새로운 돌연변이(new mutation)

③ 45,X의 터너증후군

④ X-상염색체간 전이(X-autosomal translocation): 정상 X염색체가 우선 inactivation

예를 들어 28세 부인의 오빠가 Duchenne muscular dystrophy로 15세에 사망하였는데 이 부인이 결혼하여 난 아기가 이 병에 걸릴 확률은 다음과 같이 산정한다.

부인이 carrier일 확률 = 1/2
정상 남성과 결혼 시 자녀중 이환될 확률 = 1/2 x 1/4 = 1/8
아들이 이환될 확률 = 1/2 x 1/2 = 1/4
첫애가 이환되었다면(부인은 carrier가 맞으므로) 둘째 아들은 = 1 x 1/2 = 1/2

4) Non-classical single gene inheritance

멘델의 유전법칙을 벗어나는 단일 유전자 질환으로 다음과 같은 종류가 있다.

Mitochondrial inheritance: 이 유형에 속하는 질환들은 남녀 모두 이환되나 pedigree를 그려보면 환자는 모두 모계선상에 있는 것이 특징이며, 이환된 남성은 질환을 전달하지 않는다. 이 분류에 속하는 질환들은 모계를 통하여 아들과 딸에게 동등하게 유전되며, 이환된 딸에서 다시 그 자손에게 유전되고, 이환된 아들은 질환을 전파시키지 않는다. 이 같은 현상은 근본적으로 수정 후 배아 내에 있는 mitochondria가 대부분 난자에서 유래하기 때문에 일어난다. 또한 이 질환은 다양한 expressivity를 보이는데 이는 수천 개의 mitochondria 중 정상유전자와 변이유전자의 상대적 비율로써 증상이 발현되기 때문이다.

Mosaicism: 조직이나 개체가 최소한 두 개 이상의 cell line을 갖는 것을 말하는데 두 cell line은 동일한 배아에서 유래하기는 하지만 유전적으로는 서로 다른 조성을 갖는다. Mosaicism은 선천적 또는 후천적으로 발생할 수 있으며, 유사분열(mitosis)이나 생식세포의 감수분열(meiosis) 시 모두 일어날 수 있다. Mosaicism은 또한 염색체 수준에서나 단일 유전자 수준에서 모두 일어날 수 있는데 염색체 수준에서는 염색체의 비분리현상(nondisjunction)이나 anaphase lag가, 단일 유전자 수준에서는 단일 유전자의 돌연변이가 주요한 원인이다.

Germ-line mosaicism: 일반적으로 정상인 부모와 사손 간에 상염색체 우성인 돌연변이가 새로 발생하면(new mutation) 다음 임신에서 재발율은 일반 인구에서와 같은 것이 원칙이나 가끔 자손에서 반복적으로 출현하는 경우가 있다. 첫아이에서 상염색체 우성인 새로운 질환이 생겼다면 다음 아이가 이 질환에 걸릴 확률은 1-7% 정도이다.

Genomic imprinting: 질환의 발현이 부계유전이냐 모계유전이냐에 따라 차이가 나는 것을 말한다.
Myotonic dystrophy는 모계유전일 때, Huntington's disease는 부계유전일 때 질환이 일찍 발생한다(early onset form). 또한 neurofibromatosis I(Von Recklinghausen)은 모계유전일 때, spinocerebellar ataxia는 부계유전일 때 증상이 더 심하다. Genomic imprinting은 염색체 수준에서도 나타날 수 있다. 15번 염색체 장완의 결손이 부계로부터 유전되면 Prader-Willi syndrome, 모계로부터 유전되면 Angelman syndrome이 된다. 즉, 같은 부위의 염색체 결손이지만 그 기원에 따라 서로 다른 증상으로 나타난다.

Uniparental disomy: 부모의 어느 한쪽으로부터 한 쌍의 염색체를 모두 전달받은 경우를 말한다. 이전까지 우리가 가진 23쌍의 염색체는 부모로부터 각각 절반씩 받는다고 알려져 있었지만 그 임상적 의미는 모르는 상태였다. Cystic fibrosis에 이환된 여아에서 7번 염색체가 모두 보인자인 모계로부터 유전되면 CF allele을 갖고 있던 모계의 염색체가 복제되어 전달되므로 결국 CF에 대한 homozygosity를 갖게 되어 질환에 이환된다. 성염색체에서도 일어날 수 있는데 hemophilia A가 부계로부터 아들에게 유전되었다는 보고가 있다. 이 경우 부계의 XY가 아들에게 그대로 전달된 것으로 보인다.

3 염색체 질환

1) Numerical

① Euploidy: 염색체 숫자가 n or 2n인 경우

② Aneuploidy: 염색체 숫자가 23 또는 46개보다 많거나 적은 것

- trisomy: 대부분의 autosomal trisomy는 abortus에서만 발견되고, live-born infants에서 볼 수 있는 경우는 trisomy 21, 13, 18 정도이다. 추가의 염색체는 대부분 maternal origin이다.
- monosomy: chromosome pair 중 하나가 없는 것으로, sex chromosome monosomy를 제외하면 embryonic period에 lethal 하므로 live-born에서는 발견하기 어렵다.

◆ Trisomy 21

Down syndrome에서 가장 많이 보는 핵형, Down의 95%를 차지(나머지는 mosaicism, translocation)

산모 나이에 비례(Turner syndrome을 제외한 모든 aneuploidy)

2/3는 태어나기 이전에 loss

recurrence in subsequent children of a young mother: 1-2%

trisomy 21 아이를 가진 부모에 대한 염색체 검사는 필요하지 않다. 그러나 translocation에 의한 Down일 경우는 carrier 부모로부터 유전될 수 있기 때문에 반드시 부모의 염색체를 검사해야 한다.

Trisomy 21 여성에서 임신은 매우 드물지만 임신한다면 아이의 Down 빈도가 높다. 남성에서는 거의 임신이 불가능하다.

※염색체 이상에 있어서 paternal age의 영향: 상염색체 우성 유전 질환을 일으키는 new mutation의 발생, 전체적인 birth defect와 관련

◆ Sex chromosome aneuploidy

Turner syndrome(45,X)

Klinefelter syndrome(47,XXY)

Extra X syndrome(47,XXX, 48,XXXX, 49,XXXXX)

Extra Y syndrome: tall, severe acne, learning disability

※monosomy Y는 생존이 불가능하므로 발생할 수 없다.

③ Polyploidy: more than 2n, complete sets of extra chromosome이 더 있는 것, survival이 불가능

2) Structural

① Deletion: interstitial, terminal

del(4p): Wolf-Hirschhorn syndrome

del(5p): Cri du chat syndrome

② Rings, inversion: 한 chromosome 내에서의 rearrangement

③ Translocation: 임상적으로 가장 중요한 rearrangement, meiosis 동안에 정상적인 chromosome의 분리를 방해

◆ Robertsonian translocation

- acrocentric chromosome 사이에 발생하는 것으로 satellite region이 소실된 후 centric fusion이 일어난다.
- satellite region에는 ribosomal DNA만이 포함되어 있어 중요한 유전자의 소실이 없기 때문에 carrier는 대개 정상이다.
- 다음 세대에 meiosis 시 chromosome의 분리를 방해하여 trisomy or monosomy가 발생
- 21번과 다른 chromosome과의 translocation에 의해 Down이 발생한다: 주로 14번이지만 13, 15, 21, 22 모두 가능
- Down syndrome의 재발률
  spontaneous translocation에 의한 경우: 약 1%
  inherited translocation: 어떤 chromosome, 어느 쪽 부모인가가 중요, maternal carrier인 경우 재발률이 높다.

◆ Reciprocal translocation

- 서로 다른 chromosome 사이에 breakage & reunion이 일어나서 새로운 chromosome product를 만드는 것
- Robertsonian과는 달리 balanced carrier의 경우는 46개의 chromosome
- 자녀에서 46개의 염색체를 가지기는 하지만 unbalanced meiosis를 보여 partial trisomy, partial monosomy 상태가 된다.
- embryonic death에서 minor physical & development abnormality에 이르기까지 발현이 다양하다.

※Empiric risk for unbalanced offsprings

	♀ carrier(%)	♂ carrier(%)
13;14	1	1
14;21	10	2
21;22	10	5
21;21	100	100
reciprocal	5-10	5-10

3) Mosaicism

한 개인에 2개 이상의 cell line이 존재하는 것으로 zygote의 early mitosis 시 nondisjunction에 의해서 발생하는 것으로 생각된다. 어떤 운명을 가진 cell을 침범했는가에 따라 placenta, fetus or both를 involve하게 된다.

4) Nomenclature

특정 band를 표기하려면 네 요소가 필요하다; chromosome number, arm symbol, region number, band number(그림 19)

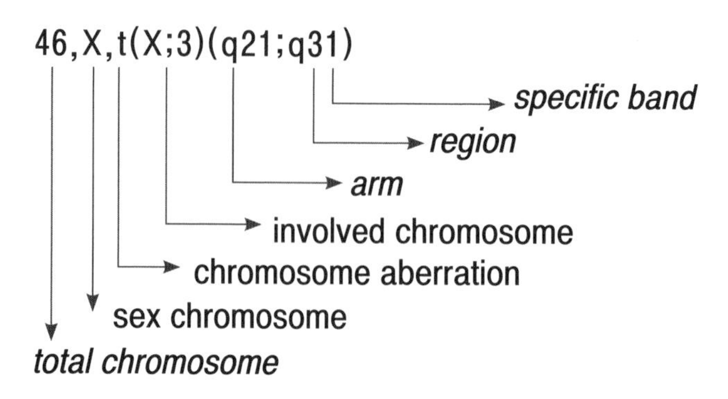

그림 19. 염색체 핵형 band 표시

Sub-band를 표시할 때는 소수점을 찍고 sub-band 번호를 쓴다(예:1p31.1).

만일 그 이하의 sub-band를 표기하고 싶으면 1p31.11 등으로 쓴다. 이때 더 이상 소수점은 찍지 않는다.

Region이나 band는 centromere로부터 arm 쪽, 즉 바깥쪽으로 numbering을 한다.

Centromere 자체는 p10 또는 q10으로 표시한다.

'Landmark'로 이용되는 band는 그 band 로부터 distal 쪽에 있는 region에 속한다.

대표적인 염색체 핵형 표시법을 표 18에 나타내었다.

표 18. 염색체 핵형 표시와 설명

47,XX,+21	female Down syndrome
47,XY,+21/46,XY	male mosaic of trisomy 21 cells and normal cells
46,XY,del(4)(p14)	male with distal deletion of the short arm of chromosome 4 band designated 14
46,XX,dup(5p)	female with duplication of the short arm of chromosome 5
45,XY,t(13q;14q)	a male with a balanced Robertsonian translocation of chromosomes 13 & 14
46,XY,t(11;22)(q23;q22)	a male with a balanced reciprocal translocation between chromosomes 11 & 22. Breakpoints are at 11q23 & 22q22
46,XX,inv(3)(p21;q13)	an inversion of chromosome 3 that extends from p21 to q13. because if includes the centromere, this is a pericentric inversion
46,X,r(X)	a female with one normal X chromosome and one ring X chromosome
46,X,i(Xq)	a female with one normal X chromosome and an isochromosome of the long arm of the X chromosome

4

다인자성 질환

Mendelian inheritance를 따르지 않는다. 그러나 같은 family에 많이 나타나는 경향을 지닌다.

environmental factor와 여러 gene이 동시에 작용할 것으로 생각된다.

한 자녀가 이환되었을 때 재발율은 보통 1-5%

두 명 이상이 이환되었을 때 가능성이 더욱 높아진다.

한쪽 성에 많이 나타나는 다인자성 질환일 때 만일 다른 쪽 성에 involve되면 재발율이 더 높아진다.

먼 친척일수록 가능성이 떨어진다.

1) neural-tube defects: embryonic life 26-28일 경에 일어나는 tubal closure에 장애가 있어 발생, anencephaly, spina bifida, meningomyelocele 등.

◆ Anencephaly

adrenal gland size의 감소, hydramnios: impaired fetal swallowing, breech or face presentation

oxytocin에 반응하지 않는 경우가 많다.

pregnancy duration이 길어진다.

therapeutic amniocentesis를 시행하면 placenta abruption을 줄일 수 있고, myometrial contraction을 효과적으로 유도할 수 있다.

첫 번째 아이가 이환된 경우 재발률은 10배 정도 증가, folate 투여에 의해 70% 이상 줄일 수 있다.

female은 anencephaly, upper spine defect의 빈도가 더 높고, male은 lower spine defect의 빈도가 더 높다.

예방: 엽산을 임신하기 3개월 전부터 시작하여 first trimester 동안 복용해야 한다(prior affected infant: 4 mg/d 복용, no history: 400 μg/d 복용)

2) congenital heart disease: 재발은 질환의 종류와 family history에 달려 있는데, isolated defect 인지 다른 syndrome의 일환인지를 아는 것이 재발률을 예측하는 데 매우 중요하다(표 19)(Med J Aust 2012;197:155).

표 19. Congenital heart disease의 일반적인 재발율

	Father	Mother	1 Sibling	2 Siblings
VSD	2-3	9-10	3	10
ASD	1-2	6	2-3	8
TOF	1-2	2-5	2-3	8
PS	2	6-7	2	6
AS	5	12-20	2	6
COA	2-3	4	2	6

3) orthopedic disease

- clubfoot(talipes equinovarus): 1/1,000, 자궁 내에서의 position이 genetic cause보다 더 많이 관련되는 것 같다.
- congenital hip dislocation: 여아에서 많다. monozygous twin에서 40%로 많으며, dizygous에서는 3%, 남자 형제에서는 1%만 재발하나 여자 형제에서는 5%에서 발생한다.

4) cleft palate, lip
   - second child of unaffected parents: 4%
   - 한 부모가 cleft일 때 첫 번째 아이가 cleft일 확률: 4%
   - third child if both children are affected: 10%

5) pyloric stenosis: male에 흔하다. 그러나 엄마가 이환되어 있을 때 자녀에게 이환될 확률이 높다. 이는 아마도 여성에서 질환을 일으키려면 더 많은 abnormal gene이 필요하기 때문일 것으로 생각된다.

5 원인불명의 선천성기형

1) Hydrocephalus(ventriculomegaly)

- 원인: unknown, genetic, infection, neoplasm
- 10%에서 chromosomal abnormality와 동반된다.
- aqueductal stenosis를 동반한 male의 25%에서는 X 염색체 열성 유전 양상을 나타냄
- Dandy-Walker malformation: 상염색체 우성 또는 열성 유전 양상, major chromosomal anomaly와 동반될 가능성이 높다.
- 다른 anomaly와 동반: 83%

2) Potter sequence

- renal agenesis는 male에 더 많다.
- oligohydramnios에 의해 발생하는 결과: prominent epicanthal folds, low-set ear, flattened nose, loose skin, large hand
- 예후: 1/3에서 stillborn, lung hypoplasia로 인해 아무리 길어도 48시

간을 넘기지 못한다.

3) Urinary tract obstruction

- 15%에서 chromosomal aberration, multiple organ anomaly와 동반된다.
- 다른 동반 기형 없고 oligohydramnios 만 있으면 intrauterine urinary diversion
- mortality의 원인: pulmonary hypoplasia, chromosomal abnormality, renal dysplasia

4) Abdominal wall defect

- omphalocele
  defect: umbilical ring
  sac: amnion & peritoneum으로 싸여 있다
  동반 기형: 70%
  염색체 이상: bowel만 포함되어 있는 경우 87%, liver가 포함되어 있으면 9%
  mortality: 60%
- gastroschisis
  defect: 주로 umbilicus의 right side
  sac: thickened inflammatory exudate로 덮여 있으며 sac은 없다.
  동반 기형: 1/3
  염색체 이상: 대개 동반하지 않는다
  mortality: 40%

두 경우 모두 preterm labor가 오는 경우가 반 이상이며, c/sec을 하는 것이 예후를 좋게 하지 못한다.

제 12 장

폐경

1 폐경의 진단

폐경은 폐경기에 해당하는 여성으로서 6개월 이상 무월경이거나 폐경기 증상이 있는 경우 임상적으로 진단 가능하다. 기존 자궁 크기가 감소하였거나 질위축이 확인되는 경우에도 임상적으로 진단 가능하다. 기존에 있던 자궁선근증이나 자궁근종의 크기가 감소하였다면 임상적으로 폐경을 강력히 의심해 볼 수 있다.

혈중 FSH를 측정하여 40 mIU/mL 이상을 확인하면 더욱 진단이 확실해진다. 폐경 진단 목적으로 급여 기준은 FSH만 인정되며 진단이 불확실한 경우 1회 재검이 가능하다. 혈중 LH, estradiol 검사는 폐경 진단 검사로 부적합하며 급여 인정도 안 된다. 단, 조기폐경인 경우에는 혈중 estradiol 측정이 급여이다.

폐경 후 호르몬치료(menopausal hormone therapy, MHT) 중에 FSH 검사는 무의미하며 급여도 안 된다. 다만 MHT를 함에도 불구하고 폐경기 증상이 지속되는 경우 혈중 estradiol 치를 급여로 검사해 볼 수 있으며 낮다고 판단되면 에스트로겐 용량을 증가할 수 있다. 간혹 폐경이 확실하여 FSH를 내고 그날 바로 호르몬치료를 시작하는 경우도 있는데 이 때 FSH 검사는 호르몬치료 중에 검사한 것으로 간주되어 삭감된다.

미레나 사용자에서는 월경이 거의 없는데 만일 50세 이후에 폐경 여부를 판단하려고 할 때도 혈중 FSH를 측정하는 것이 좋다. 미레나의 프로게스틴 성분에 의해서 혈중 FSH는 거의 영향을 받지 않는 듯하다.

폐경 전 유방암 환자에서는 타목시펜 복용 중 흔히 월경이 소실되는데 장기 사용하는 타목시펜이 혈중 FSH에는 영향을 거의 주지 않는다 하므로 혈중 FSH로 폐경 여부를 판단해 볼 수 있다.

간혹 혈중 AMH 측정으로 폐경 여부를 판단하기도 하는데 애매한 경우가 많아 통상의 폐경 검사로는 추천되지 않는다. 보통 0.01 ng/mL이면 폐경이 1-2년 남은 것으로 해석하는데 경우에 따라서는 3년 후 폐경이 되기도 한다.

아직 폐경이 아닌 것 같은 상황이면 호르몬 검사 대신 우선 프로게스틴 소퇴성출혈을 유도해도 된다. 프로베라® 5-10 mg으로 7-10일을 투여해본다. 소퇴성출혈이 있다면 아직 폐경은 아니다. 단 자궁내막이 얇으면 프로게스틴 소퇴성출혈 유도보다는 혈중 FSH를 측정하는 것이 좋다.

폐경이 되기 진에 자주 무월경이 나타난다. 이때는 2-3개월 간격으로 프로게스틴을 투여해보고 소퇴성출혈을 확인한다. 소퇴성출혈이 매번 있다가 없으면 폐경을 의심해볼 수 있다.

2

폐경여성의 호르몬치료

폐경이 되면 안면홍조와 더불어 skin dryness, vaginal dryness, insomnia, depression, instability, dyspareunia, urinary difficulty, painful joint/arthritis 등이 발생하며 장기적으로는 골다공증, 심혈관질환등이 문제가 된다.

폐경이 확진되고 폐경기 증상이 심하면 호르몬치료를 권해볼 수 있다. 자궁이 있는 여성에서 에스트로겐만 주면 자궁내막증식증, 자궁내막암이 증가하므로 이의 예방을 위하여 에스트로겐에 프로게스틴을 추가하여 EPT를 시행하며 자궁이 없는 경우에는 에스트로겐만 투여한다(ET).

EPT에는 소퇴성출혈이 유도되는 주기요법(sequential regimen)과 소퇴성출혈이 없는 지속요법(continuous regimen)이 있다. 보통 폐경이 얼마 안된 여성에게는 주기요법이 권고된다는 얘기가 있지만 환자가 월경을 원하지 않는 경우도 있으므로 환자와 잘 상의하여 처방한다.

대표적인 약제는 다음과 같다.

〈ET 제제〉

프로기노바®: estradiol valerate(EV) 2 mg(표준용량), 1 mg(저용량)

프레미나®: conjugated equine estrogen(CEE) 0.625 mg(표준용량), 0.3 mg(저용량)

프레다®: estradiol hemihydrate 1 mg

디비겔®: 바르는 경피(transdermal) 제제로 estradiol hemihydrate 1.033 mg (1 mg as estradiol)

에스트레바겔®: 바르는 경피(transdermal) 제제로 estradiol hemihydrate 1.0325 mg (1 mg as estradiol)

참고) 골밀도 보존 측면에서는 원래 CEE 0.625 mg, EV 1 mg을 등가로 보나 폐경 증상 완화를 위한 혈중 estradiol 측면에서는 CEE 0.45 mg, EV 1 mg을 등가로 본다. 따라서 대개 CEE 0.625 mg, EV 2 mg을 등가로 보며 이 표준용량 사용 시 혈중 estradiol 치는 대개 40-60 pg/mL 정도이다.

〈EPT-주기요법 제제〉

크리멘®: EV 2 mg + cyproterone acetate 1 mg

페모스톤2/10®: estradiol hemihydrate 2 mg + dydrogesterone 10 mg

페모스톤1/10®: estradiol hemihydrate 1 mg + dydrogesterone 10 mg

디비나®: EV 2 mg + MPA 10 mg (21일형)

〈EPT-지속요법 제제〉

크리안®: estradiol hemihydrate 2 mg + norethindrone acetate 1 mg

페모스톤콘티®: estradiol hemihydrate 1 mg + dydrogesterone 10 mg

안젤릭®: EV 1 mg + drospirenone 2 mg

리비알®: tibolone 2.5 mg

〈Tissue selective estrogen complex (TSEC) 제제〉

듀아비브®: CEE 0.45 mg + bazedoxifene 20 mg

Tibolone은 체내에 들어오면 estrogenic, progestogenic, weak androgenic activity를 모두 갖는다고 알려져 일부 임상의는 리비도가 감소한 여성에서 사용하기도 한다.

TSEC 제제는 프로게스틴 성분 대신 bazedoxifene 같은 selective estrogen receptor modulator(SERM) 제제가 들어가는 것이 특징이며 프로게스틴이 없더라도 자궁내막을 자극하는 작용은 없다고 알려졌다. 또한 유방밀도 증가도 없어 유발불편감을 호소하는 경우 사용하면 좋을 것으로 보인다. 그러나 폐경 후 호르몬 치료제 중 유일하게 비급여이다[S].

질건조증, 질위축, 성교통 등 소위 폐경생식비뇨기증후군(genitourinary syndrome of menopause)이 있는 경우 일반적으로 표준용량의 경구 호르몬 치료가 효과적이다. 이외 오스페미펜(ospemifene) 경구제(60 mg/d)가 있는데 SERM 계열로 질점막에는 agonist이지만 자궁내막과 유방에는 무해하다고 알려졌다. 그러나 유방암 병력, 심혈관계 질환이 있는 환자에서는 금기이다. 오스페나®라는 상품명으로 2013년 미 FDA 승인을 받았으며 조만간 국내에도 도입될 예정이다.

국소요법으로 에스트로겐 질정제(오베스틴®, 지노프로®), DHEA 질정 투여도 사용 가능하다. 오베스틴®은 estriol 500μg, 지노프로®는 estriol 30 μg을 함유한다. 질정제 등 국소적인 방법은 질점막 자극, 가렵증, 질분비물 증가 등의 부작용이 나올 수 있으며 드물게 자궁내막을 증식하는 작용도 있다.

유방암 환자 또는 고위험군에서는 lubricants, moisturizers를 우선 사용한다.

경피 제제는 흔히 쓰는 방법은 아니나 스페로프 교과서 9판에 다음과 같은 경우에 이롭다고 제시되었다.

- 정맥혈전증 위험도가 있는 여성
- 고중성지방혈증
- 대사증후군을 가진 비만 여성
- 당뇨, 고혈압
- 흡연자

- hypoactive sexual desire, decreased libido

자궁적출술을 한 경우 원래는 ET를 투여하지만 스페로프 교과서 9판에서는 다음과 같은 경우에 EPT를 권고한다.

- 자궁내막증으로 자궁적출술을 한 경우
- 난소의 endometrioid tumor로 수술받은 경우
- residual endometrium이 있는 경우: supracervical hysterectomy, 자궁이 있는데 endometrial ablation을 한 경우

열성홍조의 치료에 있어 estrogen 외의 다른 약제들에 대해서는 다음과 같이 정리할 수 있다(스페로프 교과서 9판).

- Bellergal: belladona alkaloid, ergotamine titrate, phenobarbital의 혼합물로 위약에 비해 비슷하거나 약간 더 효과가 있는 편이나 강력한 진정 효과가 있는 것이 단점
- Veralipride: 도파민 길항제로서 하루 100 mg의 용량으로 위약에 비해 확실히 효과적이나 유루증(35%), 유방통 등의 부작용이 있다.
- Vitamin E: 하루 800 IU의 용량으로 위약에 비하여 약간 더 나은 효과를 보인다.
- MPA 10-20 mg/d 또는 megestrol acetate 20 mg/d로 투여하는 것도 효과적이다.
- clonidine, bromocriptine, naloxone의 경구 투여는 효과가 별로다.

SSRI로서

- paroxetine: 열성홍조 치료로 미 FDA 승인을 받았다. 열성홍조 감소는 12.5 mg 에서 62%, 25 mg 에서 65%이었다. 금기가 아니라면 가장 먼저 사용한다. 그러나 타목시펜 사용자에서 SSRI 사용은 타목시

펜과 같은 대사효소를 이용하므로 타목시펜 혈중 농도를 감소시켜 금기이다.

- 이외 citalopram, fluoxetine, sertraline은 위약과 비슷하였다.

SNRI로서

- venlafaxine: 열성홍조 감소는 75 mg, 150 mg 에서 모두 61%, half dose인 37.5 mg 에서는 37%로 위약보다 못하지만 mouth dryness, anorexia, nausea, constipation 등의 부작용 때문에 보통 37.5 mg으로 시작하고 1-2주 사이에 용량을 올리는 것이 좋다. 저자의 경험으로는 어지럼증 등의 부작용이 있어 약을 안 먹는 경우가 많았다.
- desvenlafaxine succinate: 열성홍조 감소는 100 mg/d 용량에서 64%.

항전간제로서

- gabapentin: GABA 유사체로 열성홍조 감소는 900 mg/d 에서 50%. 부작용으로 somnolence, dizziness.
- pregabalin: 열성홍조 감소는 150 mg/d 에서 65%.

열성홍조의 치료에 있어 estrogen을 사용 못하는 경우는 대개 유방암 환자인데 필자는 paroxetine(단 타목시펜 사용자는 금기) → venlafaxine 37.5 mg → venlafaxine 70 mg → gabapentin 순서로 시도해보고 있다.

3

호르몬치료 중 관리

표준용량의 호르몬치료 시 폐경증상의 호전이 없는 경우에는 혈중 estradiol 치를 측정해본다. 만일 60 pg/mL 이하면 에스트로겐을 증량 시킨다. 특히 안면홍조가 지속되면 TFT를 체크해 본다. 인면홍조는 갑상선질환 이외에도 pheochromocytoma, carcinoid syndrome, 알코올 금단증상, 불안, 공황장애, 간뇌간질의 일환으로 나타날 수 있으며 약물 사용의 부작용으로 나타날 수도 있다(예, raloxifene, tamoxifen, nitroglycerin, nifedipine, calcitonin).

상당수 폐경여성이 호르몬치료를 하다가 중단하는데 다빈도 원인은 암에 대한 걱정과 부작용이다.

단기 부작용으로 질출혈, 유방통, 체중증가, 종아리 통증이 있으며 장기적인 문제로 유방암이 있다. 질출혈은 주로 프로게스틴 성분 때문이며 종아리 통증은 주로 에스트로겐 성분 때문이고 유방통과 체중증가는 에스트로겐, 프로게스틴 성분이 모두 관여한다고 생각된다.

질출혈은 지속요법에서 흔하며 최근 폐경 된 여성에서 더욱 흔하다. 따라서 폐경 되고 2년 이내의 여성에게는 주기요법을 우선적으로 권한다. 그러나 간혹 환자가 월경을 원치 않는 경우도 있으므로 환자와 잘 상의하여 정한다.

지속요법 도중에 질출혈이 있다면 일단 시간이 지나면 좋아진다는 것을 주지시킨다. 만일 질출혈을 불편해하면 타회사 제품의 지속요법으로 변경, 주기요법으로 변경, 저용량 제제로 변경 등을 고려한다.

질출혈이 있을 때 tibolone 제제(리비알®) 또는 TSEC 제제(듀아비브®)로 변경해 보는 것도 좋은 방법이다. TSEC 제제는 호르몬치료 중 질출혈, 유방통, 유방밀도증가 등의 프로게스틴 성분으로 인한 부작용이 있을 때 좋은 대체제가 된다.

질출혈이 있을 때 에스트로겐 증량, 미레나 삽입 등은 잘 쓰이지 않는 방법이다.

질출혈이 있을 경우 당연히 자궁내막 평가는 필수이다. 질초음파검사로 자궁내막 두께를 재고 필요 시 자궁내막생검이나 자궁경검사를 하도록 한다. 자궁이 있는 폐경여성에서 EPT를 하는 것이 ET만 하는 것에 비해 자궁내막암의 발병을 낮추기는 하지만 생기지 않는 것은 아니다. EPT 도중 자궁내막증식증이 생길 수도 있으며 미처 발견하지 못했던 자궁내막용종 때문에 질출혈이 오는 수도 있다.

폐경 후 여성에서 출혈이 있을 때 자궁내막두께가 4 mm 이하면 생검은 불필요하다(스페로프 교과서 9판, pp597). 5 mm 부터는 생검을 고려해야 한다. 폐경학회 홈페이지에 있는 '폐경호르몬요법 치료 지침 2019'이나 폐경학회지에 출간된 'The 2020 Menopausal Hormone Therapy Guidelines'에는 내막 생검의 기준은 제시되어 있지 않다.

호르몬치료 중 체중증가를 호소하면 우선 적절한 운동을 권하고 TSEC 제제나 drospirenone 성분이 함유된 안젤릭®으로 변경해보는 것도 좋은 방법이다. 그러나 안젤릭®은 EV 1 mg + drospirenone 2 mg 제제로 상대적으로 에스트로겐 성분이 적고 프로게스틴 성분이 많아 질출혈 빈도가 높다.

종아리 통증은 대개 투약 초기에 발생하는데 대개는 일시적이며 큰 문제가 되지 않는다.

기왕에 자궁근종을 가지는 여성은 호르몬치료 중 근종의 크기가 커질 수 있다. 그러나 대개는 1-2 cm 정도 커지고 이후에는 그대로 유지되므로 너무 크게 걱정할 필요는 없다. 만일 환자가 불안해하면 한 달 정도 휴약하고 근종 크기가 감소함을 확인하고 다시 복용을 시작하는 것도 좋은 방법이다.

*저용량 제제가 선호되는 경우는
 표준용량의 호르몬치료 시 부작용,
 자궁근종이 있는 여성,
 자궁내막증식증 병력,
 유방암에 대한 고위험군,
 심혈관계 영향을 최소화하고 싶을 때 등이다.

*심혈관계 영향을 최소화하기 위하여 권고되는 방법으로는
 지속요법보다는 주기요법,
 저용량 제제,
 비경구 투여(transdermal, vaginal, or intrauterine),
 androgenic potency가 낮은 프로게스틴 성분 사용 등이 있다.

사실 지속요법보다는 주기요법이 프로게스틴 사용량이 당연히 적으므로 프로게스틴으로 인한 부작용을 최소화하고 싶다면 주기요법을 사용하는 것이 낫다.

2002년과 2004년 발표된 WHI 연구는 폐경 후 호르몬치료가 만성질환 예방에 미치는 영향을 분석하였는데 ET는 관상동맥질환, 정맥혈전증, 유방암의 증가가 없는데 반하여 EPT는 이 질환들이 증가하므로 이 질환들은 주로 프로게스틴 성분에 의하여 생겼을 가능성이 있다. 단 stroke은 ET와 EPT 시 모두 증가하므로 이 질환은 주로 에스트로겐 성분의 영향이 크다고 본다.

2007년에 발표된 WHI 후속 연구에 의하면 폐경 후 10년 내 여성 또는 50대 여성은 EPT를 하더라도 관상동맥질환은 오히려 약간 감소한다고 하

여 일부 그룹은 소위 'timing hypothesis'를 주장하기도 한다.

유방암은 WHI 연구의 EPT 군에서 1.2배 정도 상승한다고 하였으며 후속 연구에서도 여전히 발생빈도가 높아진다고 하였다. 그러나 여러 유방암 위험인자 중 EPT의 위험도는 비교적 낮은 편에 속하며 EPT로 인한 추가적인 유방암 발생은 만명당 8명 정도로 매우 낮으며 EPT 중 발견된 유방암은 비교적 예후가 좋다는 점을 기억해야 한다.

호르몬치료를 언제까지 해야 하는지에 대한 답은 없다. 과거에는 위험 대 이득을 주기적으로 잘 평가하여 이득이 위험도를 상회하면 계속 사용 가능하다고 했다. 그러나 WHI 연구 이후로는 호르몬치료는 일차적으로 폐경증상의 완화 목적으로만 이용하며 장기적인 건강 문제(예, 골다공증, 심혈관계질환)를 위해서는 사용하지 않는다는 것이 중론이다. 따라서 호르몬치료를 중단해도 폐경증상이 없다면 언제든지 중단해도 된다. 대개 폐경 후 1-2년 호르몬치료를 해보고 이후에는 언제든지 중단할 생각을 해야 한다. 골다공증이 문제가 된다면 골다공증 전문치료제를 투여하면 된다. 비뇨생식계 위축만이 문제라면 국소요법도 고려한다.

좀 더 자세한 폐경 후 호르몬치료에 대한 정보는 대한 폐경학회 홈페이지에 있는 '폐경호르몬요법 치료 지침 2019'를 참고하면 된다.

4

골다공증

골다공증은 dual energy X-ray absorptiometry(DEXA)로 측정하여 T-score -2.5 이하인 경우 진단한다. 이때 기준은 central bone 즉, 요추/대퇴 부위인데 Ward's triangle, trochanteric region은 제외한다.

뼈는 trabecular type과 cortical type으로 구성되는데 AP spine에서는 그 비율이 66:34, femur neck에서는 25:75이다. Ward's triangle, lateral spine, QCT spine에서는 그 비율이 100:0 으로서 골다공증 진단에 이용하지 않는다. Trochanteric region은 그 비율이 50:50 인데 역시 골다공증 진단에 이용하지 않는다.

DEXA 촬영에서 lowest BMD를 산정하기 위해서는 hip 쪽에서는 trochanteric과 Ward's triangle을 제외한 부위, 또는 요추 4군데 중 최소 2군데 이상의 평균값을 이용한다.

요추에서 단독으로 제일 낮은 값은 퇴행성 변화 등의 가능성이 있으므로 그 값은 산정하지 않으며 또한 요추에서는 가장 높은 값과 가장 낮은 값이 1.0 이상 차이가 날 때 그 제일 낮은 값은 빼고 산정한다. 예를 들어 어떤 환자의 DEXA 촬영 시 BMD가 다음과 같을 때

Neck	-3.3
Troch	-2.2
Inter	-2.3
Total	-2.6
Ward's	-3.3
L1	-1.8
L2	-2.0
L3	-2.1
L4	-2.6
L1-L2	-1.9
L1,L3	-2.0
L1,L4	-2.3
L2-L3	-2.1
L2,L4	-2.3
L3-L4	-2.4
L1-L3	-2.0
L1-L2,L4	-2.2
L1,L3-L4	-2.2
L2-L4	-2.2
L1-L4	-2.2

일단 hip 쪽에서는 Toch와 Ward's를 제외하고 가장 낮은 부위는 Neck으로 -3.3이다.

요추 4군데에서 일단 가장 높은 값과 가장 낮은 값이 1 이상 차이가 안 나므로 4가지를 모두 적용하되 두가지 조합, 또는 세가지 조합, 또는 네가지 조합에서 가장 낮은 값은 -2.4 이므로 요추 부위 lowest BMD는 -2.4이며 이때 단독으로 제일 낮은 L4 -2.6으로 읽지 않도록 한다. 결과적으로 이 환자의 lowest BMD는 femur neck -3.3이다.

그러나 급여 기준으로는 어떤 항목이든 T-score ≤-2.5이면 가능하다.

정량적 QCT로 측정 시에는 80 ㎎/㎤ 이하가 기준이며 초음파로 측정 시에는 T-score -3.0 이하가 기준이다. 일반적으로 골다공증 진단은 단순 X-ray로는 절대 하지 않지만 골다공증성 골절이 확실한 경우 진단 가능하다. WHO에 의한 중증 골다공증(severe osteoporosis)의 정의는 골밀도가 T-score ≤-2.5이고 한 부위 이상의 골절이 있는 경우이다.

골밀도검사의 급여 기준은 2019년 2월에 다음과 같이 개정되었으며 간격은 골밀도가 비정상인 경우는 1년에 1회(±30일 인정), 정상인 경우는 2년에 1회이다.

- 65세 이상 여성 및 70세 이상 남성
- 65세 미만 여성에서 고위험요소 1개 이상
  (BMI <18.5, 비외상성골절의 과거력이나 가족력, 조기폐경, 양측난소적출)
- 폐경 전 여성으로 1년 이상 무월경
- 비외상성골절의 과거력
- 골다공증 유발 질환
- 골다공증 유발 약물을 복용 중이거나 3달 이상 투여 계획이 있는 경우
- 기타 골다공증 검사가 반드시 필요한 경우

골다공증과 연관된 약물은 다음과 같다.

- glucocorticoid
- excessive thyroxine
- heparin(long term use)
- anticonvulsants
- immunosuppressants(methotrexate, cyclosporine)
- cytotoxic drugs

- proton pump inhibitors
- 산부인과에서는 GnRH agonist 사용이나 프로게스틴 제제의 장기 사용

10년 후 골절 위험을 예측하기 위한 FRAX 시스템에서는 다음 변수를 이용하여 골절위험도를 산정한다:

대퇴골 T-score,
연령,
과거 저충격 외상 골절(low trauma fracture),
낮은 체질량지수,
과거 스테로이드 복용력,
대퇴 골절의 가족력,
현재 흡연,
과다한 음주(1일 2 unit 이상)

상기 요인들이 골다공증의 고위험군이므로 환자 진료 시 참고하면 좋다.

골다공증 치료제의 급여 기준은 T-score ≤-2.5, QCT ≤80 ㎎/㎤, 이외 기계로 측정 시에는 T-score ≤-3.0이다.

투여기간은 일단 1년이며 1년 후 골밀도를 재평가하여 추가 투여 여부를 판단한다. 만일 골절이 있거나 steroid 사용 중이어서 계속 투여가 필요한 경우는 반드시 사유를 기록해야 한다.

골다공증 치료제는 매우 다양하며 크게 골흡수를 막는 제제와 골형성을 촉진하는 제제로 나누어 볼 수 있는데 대부분은 골흡수를 막는 제제이다.

〈골흡수를 막는 제제〉

- MHT: 매일 복용

- 칼시토닌: 근주 또는 정주
- Bisphosphonate 제제:

  ① alendronate 계열로 포사맥스(Fosamax®) 등 다양한 제품이 있으며 5-10 mg은 매일, 70 mg은 매주 복용한다.

  ② risedronate 계열로 악토넬(Actonel®) 등 다양한 제품이 있으며 5 mg은 매일, 35 mg은 매주, 150 mg은 매달 복용한다.

  ③ ibandronate 계열로 본비바®, 이바본®은 150 mg을 매달 복용하고 본비바® 3 mg 주사 제품은 3개월마다 정주한다.

  ④ zoledronic acid 계열로 졸레드론산®은 5 mg을 1년 1회 정주한다.

  (주사 제품은 모두 칼슘 또는 비타민 D와 병용을 권장하며 경구 제제는 이미 cholecalciferol이 병합된 제품이 나와 있다)
- 에비스타(Evista®): raloxifene 60 mg 매일 복용
- 라본디(Rabone D®): raloxifene + cholecalciferol 매일 복용
- 비비안트(Viviant®): bazedoxifene 20 mg 제제
- 프롤리아(Prolia®): denosumab 60 mg 6개월마다 상완, 허벅지 위쪽, 복부에 피하 주사. 칼슘 또는 비타민 D와 병용한다.
- Evenity®: romosozumab 210 mg 매달(105 mg씩 다른 투여 부위로) 피하주사, 총 12회, 칼슘 또는 비타민 D와 병용한다.

〈골형성을 촉진하는 PTH 제제〉

- 포스테오(Forsteo®): teriparatide 20μg 1일 1회 피하주사, 2년
- 테리본(Teribone®): teriparatide 56.5μg 1주 1회 피하주사, 72주
- strontium ranelate

Bisphosphonate 제제는 일반적으로 식전 30분에 복용하며 부작용으로 식도염이 발생할 수 있어 바로 앉은 자세에서 200 cc 정도의 물과 함께 복용하고 30분 정도는 몸을 기울이지 않는다. 칼슘, 마그네슘, 철, 알루미늄 등을 함유한 약물이나 물 이외의 음료수는 흡수를 방해할 수 있으므로 같이

복용하지 않는다. 따라서 칼슘을 따로 병용하고자 할 때는 칼슘은 식후에 따로 복용한다.

Calcium carbonate 복용 시 간혹 소화불량을 호소하는데 이때는 calcium citrate 제제로 변경해 본다. 칼슘은 T-score ≤-1.0이면 일단 처방 가능하다. 사실 많은 제제들이 활성형 비타민 D인 cholecalciferol과 병합되어 나와 있으므로 그런 제품을 선택하면 따로 칼슘을 처방할 필요가 없다.

골다공증에 호르몬제제와 비호르몬제제를 병용 투여하는 것은 과학적 근거가 없으며 급여도 인정되지 않는다.

국내에서 애용되는 bisphosphonate 제제에는 **표 20**에서 제시한 약제들이 있으며 대부분 척추 및 비척추 골절에 예방 효과를 가지나 ibandronate의 '비척추골절' 예방 효과는 증명되지 않았으며 이는 raloxifene도 마찬가지이다. 따라서 hip 부위의 골밀도가 낮아 약제를 사용하고자 할 때는 ibandronate와 raloxifene은 피하는 것이 좋다. 보통 alendronate의 척추골절 예방 효과가 risedronate 보다는 약간 더 우수하다고 알려져 있다. 그러나 alendronate는 매일, 매주 투여만 가능하다는 단점이 있다.

표 20. Bisphosphonate 제제들의 효과

	alendronate	risedronate	ibandronate	zolendronate
척추골절예방	yes	yes	yes	yes
비척추골절예방	yes	yes	no	yes
투여형태	매일,매주	매일,매주,매월	매월, 3개월마다 정주	년1회정주

Raloxifene 제제는 SERM 계열의 약물로 특히 뼈에만 에스트로겐 작용을 나타내고 다른 부위에는 에스트로겐 작용이 없는 골다공증 치료제이다. 특히 유방암 발생을 낮추는 것으로 알려져 골다공증 환자 중 특히 유방암 걱정이 많은 환자에게 투여하면 좋다. 비척추골절 예방 효과는 증명되지 않았으므로 주로 척추골밀도가 감소된 경우에 사용한다.

기존의 bisphosphonate가 파골세포의 기능만을 저해하여 골흡수를 억제하는 것에 비하여 denosumab(프롤리아®)은 파골세포의 생성, 기능, 생존에 필수적인 RANK ligand와 결합하여 파골세포의 생성, 기능, 생존을 두루 저해하여 골흡수를 억제하는 새로운 표적치료제이다.

Denosumab은 처음에 급여 기준이 bisphosphonate 제제를 1년 이상 충분히 투여했음에도 새로운 골절이 발생하거나 또는 1년 이상 투여 후 골밀도검사에서 T-score가 이전보다 감소한 경우, 또는 신부전, 과민반응 등으로 bisphosphonate 제제에 금기인 경우(1년 2회, 필요 시 추가 2년, 4회까지 인정) 이었으나 2019년 4월에 다음으로 변경되었다.

① T-score -2.5 이하

② 방사선 촬영 등에서 골다공증성 골절이 확인된 경우

투여기간은 기본적으로 ①인 경우 1년 2회, ②인 경우 3년 6회인데 추적검사에서 T-score -2.5 이하로 약제 투여가 계속 필요한 경우는 급여가 된다. 쉽게 애기하면 골절이 없더라도 T-score -2.5 이하이면 급여가 가능하게 되어 결국 기존 bisphosphonate 제제와 같아졌다.

Denosumab 사용 시에는 신기능이 정상이라는 것이 중요하며 저칼슘혈증을 유발할 수 있으므로 사용 전 GFR 30 이상, 혈중 칼슘치를 확인한다. 부작용으로 고콜레스테롤혈증, 심한 등 통증, 근골격통, 방광염, 췌장염 등이 있다.

Romosozumab도 denosumab과 같은 표적치료제로 골대사에서 골 형성을 억제하는 조절 인자인 sclerostin에 결합하여 억제함으로써 골 형성 증가 및 골 재흡수 감소 효과를 동시에 발휘한다. 2020년 12월 급여기준에 의하면 투여대상은

기존 bisphosphonate 제제로 효과가 없거나 사용할 수 없는 환자로

① 65세 이상의 폐경여성,

② T-score –2.5 이하,

③ 골다공증성 골절이 2개 이상 발생(과거에 발생한 골절에 대해서는 골다공증성 골절에 대한 자료를 첨부하여야 함)

세 가지를 모두 만족해야 해서 denosumab 보다는 까다롭다.

투여기간은 1달 간격으로 총 12회까지만 인정되며 투여 종료 후 골밀도 검사를 실시하여 기저치 대비 동일 또는 개선이 확인되는 경우 골흡수억제제로 전환한다(alendronate 경구 또는 denosumab, 최대 12개월까지 인정). 부작용으로 관절통, 두통, 과민반응, 저칼슘혈증, 대퇴간부골절, 턱뼈괴사, 심근경색, 뇌혈관질환 등이 있다.

골형성을 촉진하는 recombinant PTH 제제는 조골세포에 작용하여 뼈의 생성을 자극하고 칼슘의 장내 및 세뇨관 재흡수를 증가시킨다. 포스테오®, 테리본®이 있으며 포스테오®는 매일 피하주사하고(2년) 테리본®은 매주 피하주사 한다(72주). PTH는 장기 사용 시 골암 등의 부작용이 있다.

보통의 약제 치료 전략은 다음과 같다.

(1) 골절이 없는 골다공증:

일차로 bisphosphonate 제제 사용(또는 raloxifene) → 경구 5년 또는 정주 3년 사용 후

→ 골절 저위험군이면 일단 중단(골밀도 유지 효과가 3-5년 더 간다)

→ 골절 고위험군이면 denosumab 5-10년 사용(또는 PTH 2년 사용)

denosumab은 과거에 이차 약제였으나 이제는 일차로 선택 가능하다. 단 사용 후 그냥 중단하면 골밀도가 바로 떨어지는 경향이 있으므로 bisphosphonate 투여를 고려해야 한다.

한편 denosumab에서 PTH로 넘어갈 경우 골밀도가 급격히 떨어지는 경향이 있으므로 denosumab → PTH 전략은 사용하지 않는다.

(2) 골절이 있는 골다공증

골절 치료와 동시에 골다공증 치료를 같이 해야 하므로 좀더 강력한 PTH(또는 denosumab)를 일차로 사용

→ PTH는 장기 사용 시 골암 등의 부작용 있으므로 최대 2년 정도만 사용 후 재평가

→ 골절 고위험군이면 bisphosphonate 또는 denosumab 사용을 고려 (denosumab은 골절이 있는 경우 골밀도검사 없이 3년 6회 사용 가능)

골흡수마커로서 CTX-1, NTX-1, 골형성마커로서 PINP, osteocalcin 측정은 골다공증의 진단 자체에는 이용되지 않으나

① 골다공증 진단 시 이차성 골다공증의 원인 감별에 이용하며,

② 골다공증 치료 시에 반응도, 순응도를 평가하고자 할 때 이용한다.

통상 골흡수마커로서 CTX-1, 골형성마커로서 PINP를 가장 많이 사용한다. 2019년 8월에 급여 기준은 치료시작 전 1회 및 치료 후 연2회 가능하다.

골흡수억제제인 bisphosphonate 투여 시 반응이 좋다면 골흡수마커인 CTX-1은 4-6주 안에 감소하고, 골형성마커인 PINP는 2-3달 안에 감소하며 이는 골교체율이 낮아짐을 뜻하고 많이 감소할수록 골절율은 감소한다고 한다.

골형성촉진제 사용 시에는 골형성마커가 바로 상승하고 이어서 골흡수마커가 상승한다.

PINP 측정은 일간 아무 때나 가능하지만 CTX-1은 공복으로 오전 중에 채혈하는데 보통 같이 채혈하므로 결국 공복 시 오전에 일괄 채혈하면 된다. 치료 시작 후 3-6개월에 측정하며 30% 이상 감소해야 의미가 있는 것으로 판단한다.

치료 후 골밀도 감소 시에는 비타민 D 평가가 필요하다. 비타민 D 측정

은 이차성 골다공증의 원인 감별 및 골다공증 치료 중 평가 시에는 연 2회까지 급여가 가능하다.

제 13 장

셀프평가 문항집

* 다음 중 맞는 진술은?

1) GnRH를 분비하는 중심 지역은 arcuate nucleus이다.
2) GnRH 분비 조절에 중심적 역할을 하는 opioids는 enkephain이다.
3) GnRH의 작용에 있어 second messenger는 cAMP이다.
4) 황체기에 비하여 난포기 때 GnRH 파동 분비 양상은 빈도는 더 적지만 진폭은 더 크다.

 1)

* 다음중 틀린 진술은?

1) GnRH를 분비하는 세포는 olfactory area에서 기원한다.
2) prolactin 유전자가 발현되는 곳은 뇌하수체 전엽의 lactotroph이 유일하다.
3) dopamine은 뇌하수체 전엽에 직접 작용하는 것이 아니라 시상하부 수준에서 GnRH 분비를 억제한다.
4) CRH는 gonadotropin 분비를 억제하며 이는 endorphin의 매개에 의한다.

 2)

* GnRH 작용에 대한 설명으로 맞는 것은?

가. G protein 수용체가 필요하다.

나. 이차전령자로서 cAMP가 필요하다.

다. protein kinase와 calmodulin이 필요하다.

라. 골지체에서 일어나는 gonadotropin 합성을 촉진시킨다.

1) 가, 나, 다　2) 가, 다　3) 나, 라　4) 라　5) 가, 나, 다, 라

2)

* 시상하부에서 성선자극호르몬 분비호르몬(GnRH)의 분비를 촉진하는 신경전달 물질은?

1) serotonin
2) dopamine
3) norepinephrine
4) beta-endorphin
5) endogenous opiates

3)

* 다음중 GnRH 분비를 억제하는 것은?

가. CRH

나. naltrexone

다. 내인성 opioid tone 증가

라. norepinepohrine

1) 가, 나, 다 2) 가, 다 3) 나, 라 4) 라 5) 가, 나, 다, 라

 2)

* 내인성 opiates에 대한 설명으로 맞는 것은?

가. gonadotropin 분비를 자극한다.

나. 세가지 precursor peptide에서 유래한다.

다. mu 수용체를 통해서만 작용한다.

라. 월경 주기를 조절하는 역할을 한다.

1) 가, 나, 다 2) 가, 다 3) 나, 라 4) 라 5) 가, 나, 다, 라

 3)

* proopiomelanocortin(POMC)에 대한 설명으로 맞는 것은?

가. endorphin의 전구체이다.

나. 뇌하수체에서 고농도로 발견된다.

다. ACTH와 beta-lipoprotein으로 분해된다.

라. 유전자 발현은 성호르몬에 의하여 조절된다.

1) 가, 나, 다 2) 가, 다 3) 나, 라 4) 라 5) 가, 나, 다, 라

 5)

* beta-endorphin에 대한 설명으로 맞는 것은?

가. prolactin 분비를 유발한다.

나. 배란 직전 최고농도가 된다.

다. GnRH 분비에 관여하는 가장 중요한 내인성 opiate이다.

라. beta-lipoprotein에서 유래된다.

1) 가, 나, 다 2) 가, 다 3) 나, 라 4) 라 5) 가, 나, 다, 라

 5)

* 뇌하수체에서의 prolactin의 분비를 억제하는 주요 신경전달 물질은?

1) norepinephrine
2) beta-endorphine
3) serotonin
4) dopamine

4)

* Tanycyte에 대한 설명으로 맞는 것은?

가. tuberoinfundibular tract의 일부이다.
나. third ventricle를 lining하는 특수한 ependymal cell이다.
다. 성호르몬에 의하여 형태학적으로 변하지 않는다.
라. portal vessel에서 끝나며 ventricular CSF에서 portal system으로 물질을 전달하는 역할을 한다.

1) 가, 나, 다 2) 가, 다 3) 나, 라 4) 라 5) 가, 나, 다, 라

3)

* Estrogen의 정상 월경주기에서의 작용으로 맞는 것은?

가. 저농도에서는 FSH/LH 합성과 저장을 자극하지만 LH 분비에는 영향이 거의 없고 FSH 분비는 억제한다.
나. 저농도에서는 뇌하수체에 작용하여 GnRH에 대한 LH 반응을 증진한다.
다. 고농도에서는 midcycle에 LH surge를 유발한다.
라. 고농도에서는 midcycle에 FSH surge를 유발한다.

1) 가, 나, 다 2) 가, 다 3) 나, 라 4) 라 5) 가, 나, 다, 라

 2)

☞ 나,라는 저농도 progesterone의 작용에 해당함

* 다음의 뇌하수체 호르몬 중 alpha subunit을 공유하지 않는 것은?

1) FSH
2) LH
3) TSH
4) GH
5) HCG

 4)

* Inhibin에 대한 설명으로 맞는 것은?

가. beta subunit을 공유한다.

나. TGFβ family에 속한다.

다. FSH와 LH를 모두 억제한다.

라. granulosa cell에서 분비된다.

1) 가, 나, 다　2) 가, 다　3) 나, 라　4) 라　5) 가, 나, 다, 라

 3)

* Inhibin에 대한 설명으로 맞는 것은?

가. α-, β-subunit이 합쳐진 dimeric 구조이다.

나. FSH에 반응하여 granulosa cell에서 분비된다.

다. theca cell에서는 LH가 androgen을 생성하는 것을 촉진시킨다.

라. 고환에도 존재한다.

1) 가, 나, 다　2) 가, 다　3) 나, 라　4) 라　5) 가, 나, 다, 라

 5)

* Inhibin에 대한 설명으로 맞는 것은?

가. granulosa cell에서 FSH의 자극으로 생성된다.

나. GnRH, EGF에 의하여 분비가 억제된다.

다. 두가지 isoform이 있다.

라. 난포기 동안 증가하고 midcycle peak를 이루며 이후에 더 큰 midluteal peak를 이룬다.

1) 가, 나, 다 2) 가, 다 3) 나, 라 4) 라 5) 가, 나, 다, 라

5)

* inhibin B에 관한 서술로 옳은 것은?

1) dimeric protein이다.
2) 두가지 subunits이 모두 biologically active하다.
3) 남성에서는 seminal vesicles에서 생성된다.
4) Leydig cells의 기능을 대변한다.
5) 뇌하수체에서 FSH 합성을 촉진한다.

1)

* 정상 여성에서 midcycle LH surge를 일으키는 steroid feedback의 주요 작용 부위는?

1) arcuate nucleus
2) preoptic area
3) medial basal hypothalamus
4) anterior pituitary
5) posterior pituitary

4)

* gonadotropin에 대한 설명으로 맞는 것은?

가. hCG, TSH는 β-subunit은 같지만 α-subunit은 서로 다르다.
나. 생후 1년부터 사춘기 시작 직전까지 분비가 억제된다.
다. 계속적인 GnRH의 분비에 반응하여 간헐적으로 분비된다.
라. FSH는 8세경, LH는 10-12세경에 증가하기 시작한다.

1) 가, 나, 다　2) 가, 다　3) 나, 라　4) 라　5) 가, 나, 다, 라

3)

* 태아기 gonadotropin에 대한 설명으로 맞는 것은?

가. 28주경에 peak를 보인다.

나. oogonia와 oocyte 수가 최고치를 보인 후에 peak를 보인다.

다. 남아에서 더 낮은 수치를 보인다.

라. 12주경에 생산되기 시작한다.

1) 가, 나, 다 2) 가, 다 3) 나, 라 4) 라 5) 가, 나, 다, 라

5)

* 세포 자신이 조절 물질을 스스로 생성하여 자신의 수용체와 교감하는 현상을 무엇이라 하는가?

1) endocrine
2) paracrine
3) intracrine
4) autocrine

4)

* 다음중 탄소수가 21개인 스테로이드는?

가. estrogen
나. corticoids
다. androgens
라. progestins

1) 가, 나, 다 2) 가, 다 3) 나, 라 4) 라 5) 가, 나, 다, 라

 3)

* 난소는 부신과 달리 두 가지 효소가 존재하지 않아 corticoids를 만들 수 없다. 그 두 가지는?

1) 21-hydroxylase, 11β-hydroxylase
2) 21-hydroxylase, 17-hydroxylase
3) 11β-hydroxylase, 17-hydroxylase
4) 21-hydroxylase, aromatase
5) 11β-hydroxylase, aromatase

 1)

* 다음 중 틀린 진술은?

1) 성호르몬 합성 경로에서 P450scc가 rate-limiting step이다.
2) 혈중 SHBG 농도는 인슐린 저항성의 marker이다.
3) 여성에서 혈중 androgen의 major source는 난소이다.
4) 난소에서 분비되는 주된 androgen은 DHEA와 ADD이다.
5) IGF-I은 theca cell에서 분비된다.

3)

☞ 인슐린은 SHBG을 감소시켜 결국 free T가 증가하는 효과가 있다
☞ 부신 생산량은 T 25%, DHEA 50%, ADD 50%, DHEA-S 100%
난소 생산량은 T 25%, DHEA 20%, ADD 50%, DHEA-S 0%이다

* 성호르몬의 작동 기전과 관련 있는 것은?

가. 세포내 수용체가 필요
나. c-AMP가 관여
다. 핵내 수용체와 결합
라. corticoids 작동 기전과 유사

1) 가, 나, 다 2) 가, 다 3) 나, 라 4) 라 5) 가, 나, 다, 라

2)

* cAMP에 대한 설명으로 맞는 것은?

가. FSH, LH, HCG, TSH에 대한 세포내 전령자이다.

나. adenylate cyclase가 ATP에 작용하여 생긴다.

다. protein kinase를 활성화시킨다.

라. phosphodiesterase에 의하여 분해된다.

1) 가, 나, 다 2) 가, 다 3) 나, 라 4) 라 5) 가, 나, 다, 라

5)

* 당단백 호르몬의 작용을 변동시키는 것으로 맞는 것은?

가. heterogeneity

나. 수용체의 up & down regulation

다. adenylate cyclase의 변조

라. SHBG의 혈중 농도

1) 가, 나, 다 2) 가, 다 3) 나, 라 4) 라 5) 가, 나, 다, 라

1)

* Aromatase inhibitor인 letrozole이 block 하는 스테로이드 생성 단계는?

1) estrone → estradiol
2) androstenedione → estrone
3) progesterone → estradiol
4) DHEA → androstenedione
5) DHEA → estrone

 2)

☞ aromatase는 ADD→E1, T→E2 로 전환시킨다. DHEA는 3ß-HSD에 의하여 ADD로 전환된다.

* Two-cell, two-gonadotropin 이론에 대하여 맞는 설명은?

가. 난포의 스테로이드 생성에 관한 작동 기전이다.
나. granulosa cell은 17α-hydroxylase가 없어서 androgen precursor를 theca cell에서 공급받는다.
다. granulosa cell에서의 aromatization 속도는 theca cell에서 만드는 androgen과 직접적으로 관련이 있다.
라. LH 수용체는 granulosa cell, theca cell에 모두 있지만 FSH 수용체는 granulosa cell에만 있다.

1) 가, 나, 다　2) 가, 다　3) 나, 라　4) 라　5) 가, 나, 다, 라

 5)

* 다음은 인간 난소에서 two-cell, two-gonadotropin theory를 설명한 것이다. [ ] 안에 들어갈 말로 적절하지 않은 것은?

LH는 [ ]에 작용하여 [ ](을)를 합성한다. [ ]는 [ ](으)로 이동하여 FSH-induced aromatization의 작용으로 각각 E1/E2로 전환된다.

1) granulosa cell
2) androstenedione
3) theca cell
4) testosterone
5) pregnenolone

5)

* Two-cell, two-gonadotropin theory 에 대한 설명이다. [ ] 안에 들어갈 효소는?

LH acts on the theca cells, which produce androgens. Through FSH stimulation, [ ] in granulosa cells converts androgens into estradiol.

aromatase

* 다음 중 틀린 진술은?

1) 난포의 성장과 퇴화는 임신 중에는 일어나지 않는다.
2) IGF-I은 LH와 더불어 theca cell에서 androgen 생산을 증가시킨다.
3) androgen은 저농도에서 aromatase activity를 증진시킨다.
4) 폐경기에 estrogen을 투여하여도 gonadotropin이 정상치로 안 돌아오는 이유는 inhibin이 없기 때문이다.

 1)

* Androgen에 대한 설명으로 맞는 것은?

가. 저농도에서는 자신의 aromatization을 촉진한다.
나. 난포에서 FSH 수용체를 증가시킨다.
다. 고농도에서는 난포 퇴화를 유발한다.
라. progesterone의 전구체로 작용한다.

1) 가, 나, 다 2) 가, 다 3) 나, 라 4) 라 5) 가, 나, 다, 라

 2)

* 다음 중 틀린 진술은?

1) 난소에서의 성호르몬 생성은 항상 LH-dependent하다.
2) Gonadotropin은 파동성으로 분비된다.
3) 난포기에 LH 분비는 황체기에 비하여 빈도는 더 적고 진폭은 더 크다.
4) LH surge를 유발하기 위한 estradiol 농도는 200 pg/mL 이상으로 50시간이다.

 3)

* P450c17(17α-hydroxylase, 17,20-lyase)에 대한 설명으로 맞는 것은?

가. granulosa, theca cell에서 모두 발현된다.
나. 21-carbon substrate를 androgen으로 전환하는 효소이다.
다. 정상적인 granulosa, theca cell 기능에 필수적이지 않다.
라. 미토콘드리아가 아닌 endoplasmic reticulum에서 발견된다.

1) 가, 나, 다 2) 가, 다 3) 나, 라 4) 라 5) 가, 나, 다, 라

 3)

* IGF에 대한 설명으로 맞는 것은?

가. 인슐린과 구조적, 기능적으로 유사하고 성장호르몬의 작용을 중재한다.
나. single chain의 polypeptide이다.
다. IGF-II는 성장호르몬에 대한 중재 작용이 IGF-I에 비하여 적다.
라. IGFBP에 의하여 그 작용이 조절된다.

1) 가, 나, 다 2) 가, 다 3) 나, 라 4) 라 5) 가, 나, 다, 라

5)

* IGF-I에 대한 설명으로 맞는 것은?

가. theca cell에서 유래한다.
나. theca cell에서 granulosa cell로 이동하여 paracrine fashion으로 작용한다.
다. androgen 생산에 대한 LH 자극을 증강시킨다.
라. estradiol과 progesterone 둘 모두의 생산에 관여한다.

1) 가, 나, 다 2) 가, 다 3) 나, 라 4) 라 5) 가, 나, 다, 라

5)

* IGF-II에 대한 설명으로 맞는 것은?

가. 난소주기에 따라 혈중 농도가 변한다.
나. 난포내에서 가장 농도가 높은 IGF이다.
다. 성장호르몬의 성장 촉진 작용을 중재한다.
라. luteinized granulosa cell에서 합성된다.

1) 가, 나, 다　2) 가, 다　3) 나, 라　4) 라　5) 가, 나, 다, 라

3)

* IGFBP에 대한 설명으로 맞는 것은?

가. 6가지가 있다
나. 혈중 IGF와 결합하여 IGF 작용을 조절한다.
다. 인슐린과는 결합하지 않는다.
라. 혈중 농도는 연령과 임신 여부에 따라 다르다.

1) 가, 나, 다　2) 가, 다　3) 나, 라　4) 라　5) 가, 나, 다, 라

5)

* Follistatin에 대한 설명으로 맞는 것은?

가. FSH에 반응하여 granulosa cell에서 분비된다.

나. 뇌하수체에서도 분비된다.

다. 구조는 inhibin, activin과 다르다.

라. activin과 결합하여 FSH 작용을 조절한다.

1) 가, 나, 다 2) 가, 다 3) 나, 라 4) 라 5) 가, 나, 다, 라

정답 5)

* 다음 설명 중 옳지 않은 것은?

1) Puberty 시 germ cell은 30-50만개 정도이다.
2) 폐경 전 10-15년 내에 난포의 소실은 급격히 일어난다.
3) Primary follicle에서 ovulation을 하기까지 85일이 걸린다.
4) 폐경 시 FSH 수치의 상승, Inhibin-B와 IGF-1의 감소를 보인다.
5) 출생 시에 난자는 metaphase의 diplotene 단계이다.

정답 5)

* 체외수정시술 시 얻은 human granulosa cell에 대한 설명으로 맞는 것은?

가. P450c17 mRNA가 다량 발견된다.
나. 황체화되어 있다.
다. progesterone 생산능은 극히 적다.
라. P450scc, 3β-HSD, aromatase를 발현한다.

1) 가, 나, 다 2) 가, 다 3) 나, 라 4) 라 5) 가, 나, 다, 라

 3)

☞ P450c17(17-hydroxylase, 17,20-lyase)는 거의 theca cell에서만 발현된다.

* 정상 배란기전에 대한 설명으로 틀린 것은?

1) LH에 의한 androgen 생산은 IGF-I에 의해 증강된다.
2) 체중이 증가할수록 SHBG이 증가하여 일종의 marker로 이용된다.
3) theca cell에서 IGF-I의 생성은 estradiol에 의해 증강된다.
4) 우성난포는 다른 난포에 비해 LH 수용체가 풍부한 것이 특징이다.
5) IGF-I 수용체는 insulin 수용체와 유사하다.

정답 2)

* 정상 preovulatory follicle 상태에 관한 언급으로 맞는 것은?

가. 비우성난포에서는 안드로겐이 증가한다.
나. 안드로겐 증가는 LH 작용 때문이다.
다. 난소내 안드로겐의 증가가 과립막세포의 퇴화를 유발한다.
라. 안드로겐이 증가하여 성욕이 증가한다.

1) 가, 나, 다 2) 가, 다 3) 나, 라 4) 라 5) 가, 나, 다, 라

정답 5)

* preovulatory follicle에 대한 설명으로 맞는 것은?

가. 성숙할수록 estrogen 생산은 감소한다.
나. granulosa cell은 더 커지고 lipid inclusion을 가지며 theca cell은 혈관이 풍부해진다.
다. 배란되기 전에는 progesterone을 생산하지 않는다.
라. 감수분열이 재개된 난자를 함유한다.

1) 가, 나, 다 2) 가, 다 3) 나, 라 4) 라 5) 가, 나, 다, 라

정답 3)

* 배란에 설명으로 맞는 것은?

가. onset of LH surge로부터 34-36시간 후에 일어난다.
나. LH peak로부터 10-12시간 후에 일어난다.
다. 난자가 완전히 성숙하기 위해서는 일정 농도 이상의 LH가 14-27시간 동안 지속되어야 한다.
라. 같은 여성에서도 주기마다 시기가 다양하다.

1) 가, 나, 다 2) 가, 다 3) 나, 라 4) 라 5) 가, 나, 다, 라

정답 5)

* 다음중 “bioavailable” testosterone(T) 이란?

1) free T
2) free T + albumin-bound T
3) free T + globulin-bound T
4) free T + sex hormone binding globulin-bound T
5) free T + corticosteroid binding globulin-bound T

정답 2)

* 다음 중 틀린 진술은?

1) 자궁내막에서 배란에 따른 첫 변화는 선세포의 세포질내 핵하공포(sub-nuclear vacuole)이다.
2) 남성에서 anti-müllerian hormone은 Sertoli cell에서 분비된다.
3) anti-müllerian hormone은 TGF-β family에 속한다.
4) müllerian duct의 fusion으로 자궁이 생성되는 것은 임신 10주경이다.
5) 산후출혈과 비슷하게 자궁근수축은 월경혈의 조절에 중요하다.

 5)

* 남성과 여성에서 anti-müllerian hormone의 생성장소는?

1) Leydig cell - theca cell
2) Leydig cell - granulosa cell
3) Sertoli cell - theca cell
4) Sertoli cell - granulosa cell

 4)

* reproductive system에서 leptin을 expression하는 세포는?

1) 뇌하수체 세포
2) 과립막세포
3) 난포막세포
4) 난자
5) 자궁내막세포

 1)

☞ 시상하부, 뇌하수체, syncytiotrophoblast, mammary epithelium에서 expression된다고 알려져 있다.

* leptin과 reproductive function 과의 관련성을 가장 잘 설명한 것은?

1) leptin은 H-P axis에 용량-반응 촉진 작용을 한다.
2) leptin은 H-P axis에 용량-반응 억제 작용을 한다.
3) leptin은 H-P axis는 촉진시키나 성선은 억제 작용을 한다.
4) leptin은 H-P axis는 억제시키나 성선은 촉진 작용을 한다.
5) leptin은 필요하기는 하지만 H-P axis 및 성선에 대해서는 insufficient regulator이다.

정답 3)

* 다음 중 높은 혈중 leptin 치와 연관되는 것은?

1) 체외수정시술 시 임신실패
2) anorexia nervosa
3) 운동-유발성 무월경
4) bulimia
5) 산후 수유

 1)

☞ leptin치가 높으면 reproductive function을 저해한다. 나머지는 낮은 혈중 level과 연관 있다.

* Reproductive physiology에서 leptin의 역할에 대한 설명으로 옳지 않은 것은?

1) Leptin 투여가 rodents에서 puberty onset을 acceleration 함이 밝혀졌다.
2) 사춘기 남성에서 증가한다.
3) Low level leptin이 athletes와 anorexia patients, 혹은 delayed puberty에서 발견된다.
4) 여성에서 leptin level은 남성에서 보다 낮고, Tanner stage가 증가함에 따라 비례하여 증가한다.
5) Idiopathic precocious puberty를 보이는 소녀는 정상보다 높은 level의 leptin을 가지고 있다.

 4)

* Down regulation의 세가지 기전을 쓰시오.

- loss of receptor by internalization
- desensitizaton of receptor by autophosphorylation
- uncoupling of adenylate cyclase

* 인간의 뇌에서 대표적인 opioids 세가지와 각각의 precursor peptides를 쓰시오.

- endorphins ← POMC
- enkephalins ← proenkephlin A, B
- dynorphins ← prodynorphin

* 인간에서 opioid가 월경 조절에 관여한다는 증거를 쓰시오.

정답

- 임신, luteal phase 때 gonadotropin이 suppression 된다.
- hypothalamic amenorrhea 때 naltrexone 처치 시 월경이 회복된다.
- CRH 투여 시 GnRH가 감소된다.
- exercise 하면 amenorrhea 유발

* 정상 여성에서 midcycle LH surge를 일으키는 부위가 anterior pituitary이며 GnRH는 단지 permissive role만 한다는 것을 설명하시오.

정답

실험에 의하면 난소적출을 한 원숭이는 LH가 상승하다가 MBH lesion을 주면 LH가 바닥으로 떨어진다. 이때 GnRH 일정량을 간헐적으로 정주하면 LH 분비가 되살아나고 에스트로겐을 주입하면 negative & positive feedback이 작동한다. 따라서 midcycle LH center는 시상하부라기보다는 뇌하수체이다. GnRH는 단지 permissive role을 한다. 정상 뇌하수체 기능을 위해서는 GnRH의 파동적 분비가 중요하지만 LH/FSH를 조절하는 feedback response는 성호르몬이 뇌하수체에 작용하기 때문이다.

* 난소내 IGF-I의 기능을 서술하시오.

정답

- 원래 일종의 growth factor로서 GH의 작용을 돕는다.
- 주로 간에서 생산되며 난소에서도 일부 생산되어 autocrine/paracrine factor로서 정상 생리기전에 관여한다.
- 난소에서의 역할은 주로 FSH의 작용을 돕는 것으로 FSH & LH receptor↑, steroidogenesis↑, aromatase activity↑, inhibin secretion↑ 시키고 G-cell proliferation 및 oocyte maturation에 관여한다.

* Two-cell, two-gonadotropin theory를 설명하라.

정답

- LH는 theca cell에 작용하여 ADD/T를 합성
- ADD/T는 granulosa cell로 이동하여 FSH-induced aromatization 작용으로 각각 E1/E2로 전환
- FSH는 자신의 수용체 합성을 촉진시키며 E2와 같이 작용하여 granulosa cell의 증식, FSH 수용체 증가, E2 생산을 촉진시킨다.
- FSH는 granulosa cell에 LH 수용체도 유도한다. 이를 통하여 LH는 granulosa cell에 황체화(luteinization)을 유도하며 이어 P가 생산된다.

* inhibin A, B가 최고로 분비되는 시기와 각각의 역할을 쓰시오.

정답

- inhibin A: midluteal phase - 주로 황체기에 분비되며 변화양상이 P와 같아 황체기 FSH 감소 및 황체기-난포기 전환에 주된 역할을 한다고 본다.
- inhibin B: 배란기(LH surge 직후) - 주로 난포기에 분비되며 변화양상이 FSH와 같아 난포기 FSH 감소 및 이에 따른 우성난포 출현에 주된 역할을 한다고 본다.

* LH의 난소에 대한 작용 중 LH window, LH threshold 및 LH ceiling theory에 대하여 기술하시오.

난포 발달에 필요한 최소한의 LH를 'LH threshold' 라 하며 정확한 수치는 알려져 있지 않으나 기저 혈중 LH 치만으로도 충분하다고 한다.
LH와 FSH가 전혀 없는 hypogonadotropic hypogonadism 환자가 좋은 모델이 되는데 FSH만 투여하면 난포 발달이 되지 않고 반드시 LH, FSH를 같이 투여하여야 난포가 성장한다. 이때 하루 75IU면 충분하다고 한다.
'LH ceiling' 이란 LH가 ceiling(상한치) 이상으로 투여되면 오히려 난포가 자라지 않고 퇴화한다는 것으로서 hypogonadotropic hypogonadism 환자에서 LH를 하루 225IU로 투여 시 75IU 투여군에 비하여 오히려 난포수가 적게 자라는 것으로 알려져 있다. 성숙 난포는 미성숙 난포에 비하여 이 상한치가 더 높은 것으로 보인다.
적절한 난포 성장을 위해서는 LH threshold 보다는 높게, 그리고 LH ceiling 보다는 낮은 용량을 투여하여야 하는데 이 두 임계치 사이를 'LH window' 라 한다.

* 여성에서 사춘기 시작에 관한 설명으로 타당한 것은?

가. 6-8세경에 상승하는 혈중 DHEA, DHEA-S와 관련 있다.

나. melatonin 분비 시작에 의존한다.

다. gonadotropin의 pulse frequency, amplitude의 증가가 선행한다.

라. biological LH와 immunoreactive LH 모두 상승한다.

1) 가, 나, 다 2) 가, 다 3) 나, 라 4) 라 5) 가, 나, 다, 라

 2)

* 여성에서 사춘기에 관한 설명으로 맞는 것은?

가. thelarche → pubarche → menarche → growth spurt 순서로 일어난다.
나. 8-14세 사이에 일어난다.
다. LH가 상승하나 FSH는 별 변화가 없다.
라. 시작부터 완성까지 2-4년이 소요된다.

1) 가, 나, 다 2) 가, 다 3) 나, 라 4) 라 5) 가, 나, 다, 라

3)

* 정상 여아에서 사춘기 변화로 나타나는 2차 성징 중 일반적으로 가장 먼저 나타나는 것은?

1) menarche
2) pubic hair
3) axillary hair
4) breast budding
5) maximum growth spurt

4)

* Puberty timing을 결정하는 인자는?

가. genetics

나. exposure to light

다. general health and nutrition

라. geographic location

1) 가, 나, 다 2) 가, 다 3) 나, 라 4) 라 5) 가, 나, 다, 라

 5)

* 다음은 사춘기 발달에 대한 설명이다. 맞는 것은?

1) 성장가속부터 초경까지는 평균 2.7년이 걸린다.
2) bioactive LH보다 immunologic LH가 상대적으로 더 증가한다.
3) 성장호르몬은 pulsatile하게 분비된다.
4) gonadal dysgenesis 환자는 adrenarche가 일어나지 않는다.
5) 사춘기의 시작에 melatonin이 중요한 역할을 한다.

 3)

* 정상 사춘기 발달의 순서로 맞는 것은?

1) peak growth velocity, pubic hair 출현, breast budding, 월경
2) breast budding, pubic hair 출현, peak growth velocity, 월경
3) pubic hair 출현, peak growth velocity, breast budding, 월경
4) breast budding, 월경, pubic hair 출현, peak growth velocity
5) pubic hair 출현, breast budding, 월경, peak growth velocity

2)

* 사춘기 여성에서 시상하부-뇌하수체-성선 축의 초기 변화는?

1) 낮은 농도의 성호르몬에 의한 억제 정도가 감소
2) estrogen에 의한 양성되먹이기 기전의 성숙
3) 난포 발달에 따른 estron/estradiol 비의 역전
4) GnRH 분비 빈도 변화에 의한 LH/FSH 비의 역전

1)

* Adrenarche에 대한 설명으로 맞는 것은?

가. 혈청 DHEA, DHEA-S, androstenedione의 상승이 일어난다.

나. ACTH의 조절을 받는다.

다. 다른 이차성징의 발현 없이 8세 이전에 음모 및 액와모가 나타나면 premature adrenarche이다.

라. 보통 linear growth spurt보다 4년 전에 나타난다.

1) 가, 나, 다 2) 가, 다 3) 나, 라 4) 라 5) 가, 나, 다, 라

2)

☞ (gonadarche) → telarche → adrenarche(=pubarche) →(2년)→ linear growth spurt → menarche(E, GH, IGF-I)

* 다음 중 틀린 진술은?

1) primordial germ cell은 primitive ectoderm에서 기원한다.
2) 현재로서 TDF는 Y 염색체의 SRY region에 존재한다고 보고 있다.
3) 폐경 시점에 난소내 난포는 존재하지 않는다.
4) 태아기의 gonadotropin 치는 여아에서 더 높다.
5) Turner 증후군에서 germ cell은 mitosis는 일어나지만 meiosis가 일어나지 않는다.

정답 3)

* 다음 중 틀린 진술은?

1) 난자가 제1감수분열 전기에 있고 단층의 granulosa cell에 둘러싸여 있으면 primordial follicle이라 부른다.
2) 제1극체(first polar body)의 염색체수는 23개이다.
3) müllerian duct의 발달은 난소와는 무관하다.
4) 고환은 임신 6-7주경 분화하기 시작한다.
5) 뇌하수체 문맥순환은 임신 6주경부터 작동한다.

 5)

* Testosterone의 영향 하에 발달하는 생식기관이 아닌 것은?
1) epididymis
2) vas deferens
3) seminal vesicle
4) prostate
5) ejaculatory duct

 4)

* 다음 중 TDF에 대한 설명으로 맞는 것은?

가. Y염색체 장완에 있다.

나. 소실되면 gonadal dysgenesis가 생긴다.

다. Swyer 증후군 환자에 존재한다.

라. X염색체로 translocation되면 XX male이 생긴다.

1) 가, 나, 다 2) 가, 다 3) 나, 라 4) 라 5) 가, 나, 다, 라

 3)

* 다음 중 AMH의 역할로 맞는 것은?

가. 난자의 감수분열을 억제한다.

나. 고환의 하강에 관여한다.

다. 태아 폐에 작용하여 surfactant의 축적을 저해한다.

라. 뇌의 성분화 기능을 담당한다.

1) 가, 나, 다 2) 가, 다 3) 나, 라 4) 라 5) 가, 나, 다, 라

 1)

* Müllerian agenesis에 대한 설명으로 맞는 것은?

가. 원발성 무월경의 두번째로 가장 많은 원인이다.

나. 염색체가 비정상이다.

다. 척추골 이상과 동반된다.

라. 진단복강경이 필요하다.

1) 가, 나, 다　2) 가, 다　3) 나, 라　4) 라　5) 가, 나, 다, 라

 2)

* MRK 증후군에 대한 설명으로 부적절한 것은?

1) 원발성 무월경을 일으킨다.
2) 흔적자궁을 갖는다.
3) 난소와 난관이 모두 결여되어 있다.
4) 정상적인 이차 여성 성징이 발현된다.
5) 46,XX의 염색체를 갖는다.

정답 3)

* MRK syndrome 환자의 복강경검사에서 가장 기대되는 골반 소견은?

1) absent uterus, normal testis
2) rudimentary uterus, normal ovary
3) rudimentary uterus, streak ovary
4) rudimentary uterus, normal testis
5) rudimentary uterus, one ovary, one testis

 2)

* MRK syndrome에서 문제가 있다고 생각되는 발생학적 구조는?

1) urogenital sinus
2) mesonephric duct
3) paramesonephric duct
4) primordial germ cell
5) mesonephros

 3)

* MRK syndrome에 대한 설명으로 옳은 것은?

가. 원발성 무월경의 원인 중 가장 빈도가 높다.

나. 신장에 대한 기형을 동반할 수 있다.

다. 성선의 악성변화가 발생할 수 있으므로 발견 즉시 제거해준다.

라. 태생기에 müllerian duct의 형성부전이 원인이다.

1) 가, 나, 다　2) 가, 다　3) 나, 라　4) 라　5) 가, 나, 다, 라

 3)

* 다음은 Müllerian agenesis와 complete testicular feminization을 비교한 것이다. 틀린 것은?

	Müllerian agenesis	Complete TF
1) Karyotype	46,XX	46,XY
2) Sexual hair	normal female	absent or sparse
3) Testosterone	lower	lower
4) 기타 기형	frequent	rare
5) 성선종양	normal incidence	25%

정답 3)

* TF syndrome 환자에서의 호르몬 검사결과로 맞는 것은?

가. high LH

나. normal to elevated FSH

다. normal to slightly elevated testosterone for male

라. high estradiol for men

1) 가, 나, 다 2) 가, 다 3) 나, 라 4) 라 5) 가, 나, 다, 라

 5)

* TF syndrome에 대하여 맞는 설명은?

가. AMH가 없다.

나. 원발성 무월경의 두번째로 가장 많은 원인이다.

다. AR 유전이다.

라. 음모 및 혈청 testosterone 치로 müllerian agenesis와 감별한다.

1) 가, 나, 다 2) 가, 다 3) 나, 라 4) 라 5) 가, 나, 다, 라

 4)

* 선천성 안드로겐 불감증의 설명으로 틀린 것은?

1) 맹관으로 된 질
2) 자궁 및 난관의 결여
3) 남성과 비슷한 혈중 남성호르몬치
4) 무후각증
5) 정상 유방 발달

 4)

* TF syndrome 환자의 inguinal mass에서 생기는 종양 중 가장 흔한 것은?

1) teratoma
2) gonadoblastoma
3) endodermal sinus tumor
4) embryonal carcinoma
5) dysgerminoma

 2)

* Androgen insensitivity syndrome에 대한 설명으로 맞는 것은?

가. X-linked recessive로 유전된다.
나. 1차성 무월경의 원인 질환 중 가장 빈도가 높다.
다. 성선은 사춘기 후에 제거하는 것이 좋다.
라. 이 환자의 성선에서 생기는 가장 흔한 종양은 dysgerminoma다.

1) 가, 나, 다 2) 가, 다 3) 나, 라 4) 라 5) 가, 나, 다, 라

 2)

* Gonadal dysgenesis를 갖는 여성에서의 사춘기에 대한 설명으로 맞는 것은?

가. 수면 중 gonadotropin 분비는 매우 증가한다.
나. 2-6세 사이에 FSH 치는 정상이다.
다. 10대에 FSH 치는 거의 폐경기 수준을 보인다.
라. 정상 여성과 마찬가지로 사춘기 이전에는 gonadotropin이 억제되나 사춘기 시기에는 증가하는 것으로 보아 사춘기 시작 전에는 CNS 수준에서 강력한 inhibitory force가 작용함을 알 수 있다.

1) 가, 나, 다 2) 가, 다 3) 나, 라 4) 라 5) 가, 나, 다, 라

 5)

* Turner syndrome의 90% 이상에서 보이는 특징들은?

가. Short stature

나. Congenital cardiovascular defect

다. Premature ovarian failure

라. Ptosis

1) 가, 나, 다 2) 가, 다 3) 나, 라 4) 라 5) 가, 나, 다, 라

 2)

* 터너증후군에 대한 설명으로 틀린 것은?

1) 45,X, 45,X/46,XY, 45X/46,XX 등의 다양한 핵형이 있다.
2) 45,X가 가장 흔한 핵형이다.
3) 동반 기형으로 출생 시 lymphedema, coarctation of aorta, 신장 기형 등이 있다.
4) 지적 능력은 보통 평균 이하이다.
5) 당뇨병과 갑상선 질환이 잘 동반된다.

 4)

* Tuner syndrome 환자에서 매년 해야 하는 검사로 맞는 것은?

가. lipid profile

나. TFT

다. serum glucose

라. audiometry

1) 가, 나, 다 2) 가, 다 3) 나, 라 4) 라 5) 가, 나, 다, 라

 1)

☞ 터너 검사에는 echocardio, IVP, renal USG, audiometry 등의 검사가 있으나 한번 해서 정상이면 안해도 무방. 매년 해야 하는 것은 위 세가지뿐

* Turner syndrome의 스크리닝 및 추적관찰 시 필요한 검사항목은?

가. Renal ultrasound

나. TFT

다. Fasting blood glucose

라. Tissue transglutaminase

1) 가, 나, 다 2) 가, 다 3) 나, 라 4) 라 5) 가, 나, 다, 라

 5)

* Turner syndrome의 심혈관계 질환에 대한 설명으로 맞는 것은?

1) Turner syndrome으로 진단 받은 아이가 5세가 되면 심혈관계 질환에 대한 스크리닝을 시행한다.
2) 영아 및 어린 아이들의 심혈관계 질환 평가에는 심장 자기공명영상이 필요하고 성인이 되면 심장 초음파로 추적관찰한다.
3) 심혈관계 검사에서 정상 소견을 보이면 2년 간격으로 재평가를 한다.
4) 어린 나이의 Turner syndrome의 25%와 성인 Turner syndrome의 다수에서 고혈압이 발견된다.
5) Turner syndrome의 대부분은 정상 심전도 소견을 보이므로 증상이 있을 때 심전도 검사를 추가로 할 수 있다.

정답 4)

☞ 1) 진단 받은 때에 검사한다.
2) 영아 및 어린 아이들: echocardiography, 성인: cardiac MR 추천
3) 정상 소견 보이면 필요할 때(transition to adult clinic, before pregnancy, appearance of hypertension) 검사하고, 그렇지 않으면 5-10년 간격으로 한다.
5) 심전도에서 conduction 장애나 repolarization 이상이 많으므로 심전도를 한다.

* 산전 초음파에서 볼 수 있는 Turner syndrome 소견은?

가. Increased nuchal translucency

나. Polyhydramnios

다. Growth retardation

라. Oligohydramnios

1) 가, 나, 다 2) 가, 다 3) 나, 라 4) 라 5) 가, 나, 다, 라

 5)

* 터너증후군에서 가장 초기에 시행하는 성호르몬제 처방은?

1) CEE 0.625 mg qd + MPA 5 mg qd
2) CEE 1.25 mg qd + MPA 10 mg qd for 14 days each month
3) CEE 0.625 mg qd
4) MPA 5 mg qd
5) MPA 10 mg qd

 3)

* Turner syndrome의 short stature와 성장 호르몬 치료에 대한 설명이다. 맞는 것은?

가. Turner syndrome의 성장 호르몬 수치는 대개 감소되어 있다.
나. 성장 호르몬을 사용할 경우 성장 속도 및 최종 신장을 증가시킨다.
다. 성장 호르몬은 5세에 시작해서 15세까지 사용한다.
라. 스테로이드를 같이 사용하는 것이 도움이 된다.

1) 가, 나, 다 2) 가, 다 3) 나, 라 4) 라 5) 가, 나, 다, 라

정답 3)

☞ 가. 성장 호르몬은 대개 부족하지 않다.
다. 현재 성장 호르몬을 언제 시작하고 얼마나 오래 써야 하는지에 대한 확실한 guideline은 없다.

* 터너 증후군의 치료에 대한 설명으로 맞는 것은?

가. 적절한 에스트로겐 치료가 bone mineralization 유지에 도움이 된다.
나. 15세까지는 성장호르몬을 사용하면서 성장에 중점을 두고 이후 에스트로겐 치료를 하여 pubertal development를 돕는다.
다. 에스트로겐 치료를 고려한다면 우선 serum gonadotropin을 확인한다.
라. 골연화증 및 골다공증 치료에 bisphosphonate 제제를 사용한다.

1) 가, 나, 다　2) 가, 다　3) 나, 라　4) 라　5) 가, 나, 다, 라

 2)

☞ 나. 성장을 위해 에스트로겐 치료를 미루는 것은 옳지 않다.
라. 골연화증으로 bisphosphonate 제제를 사용하지 않으나 골다공증, 골절의 위험이 있을 때 사용할 수 있다.

* 21세의 원발성 무월경 환자에서 유방발달은 Tanner stage II, 초음파 검사에서 자궁의 존재는 확인되었다. 혈중 FSH 치는 65 mIU/mL, 혈중 estradiol 치는 8 pg/mL 였다. 핵형은 46,XY 였고, 2회 EPT 투여 시 소퇴성출혈이 있었다. 가장 가능성이 높은 진단은?

1) Turner syndrome
2) Swyer syndrome
3) testicular feminization syndrome
4) adrenogenital syndrome
5) Müllerian agenesis

 2)

* 다음중 Swyer syndrome에 관하여 맞는 것은?

가. 외부생식기는 정상 여성과 같다.

나. 유방과 음모발달은 정상 여성과 같다.

다. 혈중 testosterone 농도는 정상 남성과 같다.

라. 진단 즉시 성선을 제거해야 한다.

1) 가, 나, 다 2) 가, 다 3) 나, 라 4) 라 5) 가, 나, 다, 라

4)

* 다음 중 male pseudohermaphroditism에 속하지 않는 것은?

1) TF syndrome
2) 5α-reductase deficiency
3) 17α-hydroxylase deficiency
4) Y chromosome defect
5) placental aromatase deficiency

5)

* Male pseudohermaphroditism의 기준에 해당하는 것은?

가. The presence of AMH

나. Incomplete androgenic representation

다. 46,XY

라. dysgenetic gonad

1) 가, 나, 다 2) 가, 다 3) 나, 라 4) 라 5) 가, 나, 다, 라

 5)

* 태생기 성 발달에서 고환의 이동은 transabdominal descent와 inguinal canal을 통과하는 두 단계로 나눌 수 있는데 각 단계를 매개하는 호르몬 두 가지를 적고 testicular feminization syndrome 환자에서 잠복고환이 되는 기전을 두 가지 호르몬의 작용과 관련지어 설명하시오.

정답

① transabdominal descent → AMH

② inguinal canal 통과 → testosterone

기전; TFS 환자에서는 AMH가 존재하므로 고환이 transabdominal descent가 가능하여 일단 inguinal canal 까지는 도달하지만 testosterone receptor 이상으로 testosterone 작용이 없으므로 더 이상 inguinal canal을 통과할 수 없어 잠복고환이 된다.

* Swyer syndrome과 Testicular feminization syndrome을 비교 설명하시오.

정답

	Swyer syndrome	TF syndrome
karyotype	46,XY	46,XY
기전	수정 6-8주, 내외생식기 발달 전에 testicular regression	deficient androgen receptor
gonad	bilateral dysgenetic gonad	inguinal testicular mass
Müllerian duct	(+)	(-)
Wolffian duct	(-)	(-)
Ext genitalia	infantile female	blind vagina
이차성징	없다	asynchronous developed
Breast	immature	normal developed
Pubic hair	(-)	sparse
[T]	normal female	sl elevated for male
Gonadal tumor	at any age	사춘기이후
Gonadectomy	발견 즉시	사춘기이후

* 다음은 ovarian failure의 원인이 되는 질환과 karyotype을 나열한 것이다. 잘못 연결된 것은?

1) Turner syndrome - 45,X/46,XX
2) Swyer syndrome - 46,XX
3) Testicular feminization syndrome - 46,XY
4) Insensitive ovary syndrome - 46,XX
5) Savage syndrome - 46,XX

 2)

* Testicular feminization syndrome 환자에서 gonadectomy를 사춘기 이후에 시행하는 이유는?

일단은 종양이 대부분 20세 이후에 생긴다는 것이며 남아 있는 gonad에서 T→E 생산을 용인하여 이차성징 발달을 최대한 이루려고 하는 것이다.

* Delayed puberty의 원인으로 보기 힘든 것은?

1) primary hypothyroidism
2) Müllerian agenesis
3) prolactinoma
4) hamartoma of hypothalamus
5) craniopharyngioma

 4)

* 사춘기 지연의 가장 흔한 원인은?

1) 체질적 지연
2) anorexia nervosa
3) craniopharyngioma
4) 원발성 갑상선기능저하증
5) 성선자극호르몬 단독 결핍

 1)

* 19세의 여성이 원발성 무월경과 무후각증을 주소로 내원하였다. 신장은 169 cm, 체중은 53 kg 이었고, 2차 성징은 발현되지 않았다. 혈중 FSH 치는 3 mIU/mL, estrogen 부하검사는 양성이었다. 진단은?

1) Turner syndrome
2) Swyer syndrome
3) Kallmann syndrome
4) Testicular feminization syndrome

 3)

* 25세 여성이 원발성 무월경과 무후각증을 주소로 내원하였다. 신장과 체중은 정상범위에 있었으나 sexual infantilism을 보였다. 혈중 FSH는 3.5 mIU/mL 였다. 진단은?

1) pseudocyesis
2) anorexia nervosa
3) Turner syndrome
4) Kallmann syndrome
5) pure gonadal dysgenesis

 4)

* 다음 중 Kallman 증후군의 가장 효과적인 치료법은?

1) CC
2) ERT
3) psychiatric therapy
4) pulsatile GnRH
5) bromocriptine

 4)

* precocious puberty와 premature menopause의 기준으로 맞게 연결된 것은?

1) 8세 이전 - 45세 이전
2) 8세 이전 - 40세 이전
3) 10세 이전 - 45세 이전
4) 10세 이전 - 40세 이전
5) 12세 이전 - 45세 이전

 2)

* 다음은 성적조숙에 관한 설명이다. 맞는 것은?

1) 10세 이전에 사춘기 변화가 일어나는 것이다.
2) 약 10%에서 난소종양이 발견된다.
3) 여아보다 남아에서 3배 많다
4) 약 3/4에서 원인을 알 수 있다.
5) 약 1/2에서 조기폐경이 온다.

 2)

* 성적조숙증의 원인으로 보기 힘든 것은?

1) McCune-Albright syndrome
2) 11β-hydroxylase deficiency
3) Prader-Willi syndrome
4) granulosa-theca cell tumor
5) hypothalamic hamartoma

 3)

* 6세 소녀가 Tanner stage III 정도의 유방 및 치모 발달로 내원하였다. 혈중 성선자극호르몬 치는 낮았으며 혈중 estrogen은 60 pg/mL로 증가되어 있었다. 다음 중 가장 가능한 진단명은?

1) 특발성 성적조숙
2) hydrocephalus
3) septo-optic dysplasia
4) hypothalamic hamartoma
5) McCune-Albright syndrome

 5)

* 성적조숙 환자의 검사에 해당하는 것은?

가. TFT
나. non-dominant hand-wrist film
다. brain MRI
라. serum gonadotropins and steroids

1) 가, 나, 다 2) 가, 다 3) 나, 라 4) 라 5) 가, 나, 다, 라

 5)

* 다음중 진성 성적조숙의 원인은?

가. 만성 갑상선기능저하증

나. 시상하부 hamartoma

다. 뇌염

라. chorioepithelioma

1) 가, 나, 다 2) 가, 다 3) 나, 라 4) 라 5) 가, 나, 다, 라

 1)

☞ true precocious puberty: due to H-P axis activation

* Craniopharyngioma에 대한 설명으로 맞는 것은?

가. 성적조숙과 연관된 비교적 흔한 종양이다.

나. 15-25세에 주로 발생한다.

다. MRI로 진단 못하는 경우가 더 많다.

라. 수술 및 방사선으로 치료한다.

1) 가, 나, 다 2) 가, 다 3) 나, 라 4) 라 5) 가, 나, 다, 라

 4)

* 성적조숙 환자의 치료목표는?

가. 뇌내 병변을 발견하고 치료

나. 정상 신장(height) 획득

다. 이미 발현된 이차성징의 감소

라. 향후 불임의 빈도를 감소

1) 가, 나, 다　2) 가, 다　3) 나, 라　4) 라　5) 가, 나, 다, 라

 1)

* true precocious puberty 치료에 효과적인 약제는?

가. medroxyprogesterone acetate

나. cyproterone acetate

다. danazol

라. GnRHa

1) 가, 나, 다　2) 가, 다　3) 나, 라　4) 라　5) 가, 나, 다, 라

 4)

* 남자가 사춘기 변화를 겪을 때 최종 호르몬 신호는 무엇인가?

1) leptin
2) DHEA
3) testosterone
4) LH
5) GH/IGF-I

 5)

☞ leptin이 먼저 상승하여 HPG axis를 activation하고 이에 따라 sex steroid가 나오며 마지막으로 GH/IGF-I system이 activation된다. leptin은 critical role을 하는 것이 아니고 단지 permissive role을 한다고 알려져 있다.

* 8세 여아가 최근 유방 몽우리가 나오고 질출혈이 있다고 병원에 왔다. 복부초음파검사에서 오른쪽 난소에서 6 cm 정도의 난포낭종이 관찰되었으며 혈중 호르몬 검사는 다음과 같다. 진단은?

기저호르몬	LH	1.1 U/L
	FSH	<1.0 U/L
	Estradiol	111 pg/mL
호르몬자극검사 (GnRH stimulation test)		
	30분 후 LH	1.2 U/L
	30분 후 FSH	<1.0 U/L
	60분 후 LH	1.4 U/L
	60분 후 FSH	<1.0 U/L

1) 진성 성조숙증
2) 가성 성조숙증
3) 선천성부신증식증
4) 유방 조기발육증
5) 저생식샘자극호르몬 생식샘저하증

정답 2)

* (증례) 2세된 여아가 성기부위가 이상하다고 부모와 함께 내원하였다. 분만 시 별 문제는 없었으나 출생 시 약간 큰 clitoris를 가지고 있었으며 그 후로 계속 커진다고 하였다. 검진 시 정상 2세의 여아로 보였으나 clitoris 길이가 5 cm 이었으며 post labial fusion이 있었다. 이 환아의 염색체 분석결과는 46,XX 였다. (문1-2)

1. 이런 질환의 가장 적절한 원인은?

1) adrenal tumor
2) ovarian tumor
3) maternal drug ingestion
4) sex chromosome의 nondisjunction
5) 21-hydroxylase deficiency

 5)

2. 이런 성기 기형의 가장 이상적인 수술 시기는?

1) 4세 이하
2) 5-9세
3) 10-13세
4) 14-17세
5) 18세 이상

 1)

* 다음중 21-hydroxylase deficiency에 대한 설명으로 맞는 것은?

가. CAH의 90%를 차지한다.

나. scxual ambiguity 중 두번째로 흔한 원인이다.

다. 신생아 사망 중 가장 흔한 내분비적 원인이다.

라. 두가지의 서로 다른 임상형이 있다.

1) 가, 나, 다　2) 가, 다　3) 나, 라　4) 라　5) 가, 나, 다, 라

2)

* Late-onset 21-hydroxylase deficiency에 대해 맞는 설명은?

가. 사춘기가 되기 전에 증상이 나타난다.

나. 다모증, 월경이상, 난임을 호소한다.

다. life-threatening condition이 될 수 있다.

라. attenuated 21-hydroxylase deficiency와 동의어이다.

1) 가, 나, 다　2) 가, 다　3) 나, 라　4) 라　5) 가, 나, 다, 라

3)

* CAH 환자의 내과적 치료로 맞는 설명은?

가. 쿠싱증후군이나 성장장애가 합병될 수 있다.
나. pharmacologic dose의 steroid가 필요하다.
다. 단신, 다모증, 난임이 동반될 수 있다.
라. mineralocorticoid 보충은 필요 없다.

1) 가, 나, 다 2) 가, 다 3) 나, 라 4) 라 5) 가, 나, 다, 라

2)

* CAH에 대하여 틀린 언급은?

1) 치료는 cortisol이며 이는 ACTH와 androgen 생성을 감소시킨다.
2) 고혈압은 흔히 저칼륨혈증과 동반되어 나타난다.
3) 진단에 필수적인 검사는 혈중 17-hydroxyprogesterone이다.
4) male pseudohermaphroditism에 속한다.
5) 21-hydroxylase gene은 염색체 6번에 위치한다.

4)

* Hypokalemia를 동반한 고혈압이 있던 19세 여성이 일차성 무월경을 주소로 내원하였다. Infantile female external genitalia 소견을 보이며 이차성징이 잘 발달되어 있지 않았고, 혈중 FSH, LH는 매우 증가된 소견을 보였다. 염색체검사는 46,XX 였다. 가장 적절한 진단은?

1) 21-hydroxylase deficiency
2) 11β-hydroxylase deficiency
3) 17α-hydroxylase deficiency
4) 3β-hydroxylase deficiency
5) △4-5 isomerase deficiency

정답 3)

* 무월경 환자에서 황체호르몬 부하검사 시 소퇴성 출혈이 없을 때 그 원인으로 생각할 수 있는 것은?

가. inadequate estronization
나. pregnancy
다. Asherman's syndrome
라. progesterone 투여량 부족

1) 가, 나, 다　2) 가, 다　3) 나, 라　4) 라　5) 가, 나, 다, 라

정답 5)

* 다음 중 무월경과 무배란 및 황체기 결함을 보이는 질환이 아닌 것은?

1) hypothyroidism
2) anorexia nervosa
3) hyperprolactinemia
4) müllerian agenesis
5) polycystic ovary syndrome

 4)

* 다음 중 무월경이지만 배란이 되는 질환으로 틀린 것은?

1) Asherman's syndrome
2) MRK syndrome
3) imperforate hymen
4) congenitally absent endometrium
5) androgen insensitivity syndrome

 5)

* 다음 중 무배란의 원인으로 맞는 것은?

가. pituitary tumor

나. anorcxia ncrvosa

다. gonadal dysgenesis

라. hyperprolactinemia

1) 가, 나, 다　2) 가, 다　3) 나, 라　4) 라　5) 가, 나, 다, 라

정답 5)

* 배란장애에 대한 WHO 분류에서 H-P axis에 특별한 lesion이 보이지 않으면서 hyperprolactinemia를 갖는 여성은 몇 군에 속하는가?

1) II

2) III

3) IV

4) V

5) VI

5)

☞ I: HP failure

II: HP dysfunction

III: Ovarian failure

IV: Congenital or acquired genital tract disorders

V: HPRL, with a space-occupying lesion

VI: HPRL, with no detectable space-occupying lesion

Group VII: Non-functioning HP tumors

* 배란장애의 분류 중에 WHO Group II: eugonadotropic euestrogenic anovulation에 해당하는 것은?

1) Anorexia nervosa
2) Kallmann syndrome
3) Excessive weight loss
4) Premature ovarian failure
5) Polycystic ovary syndrome

 5)

* prolactin에 대한 설명으로 틀린 것은?

1) 198개 아미노산으로 구성
2) 박동성이 아닌 지속성으로 분비
3) 수면 시 상승
4) 금식 후 채혈
5) 혈관-뇌 장막을 통과

 2)

* 다음은 HPRL를 만들 수 있는 상황들이다. 아닌 것은?

1) polycystic ovary disease
2) Addison's disease
3) hyperthyroidism
4) chronic renal failure
5) oral contraceptives

 3)

* 다음 중 PIF를 억제하여 prolactin의 상승을 일으킬 수 있는 약물은?

가. tricyclic antidepressant
나. amphetamines
다. opiates
라. spironolactone

1) 가, 나, 다　2) 가, 다　3) 나, 라　4) 라　5) 가, 나, 다, 라

 1)

* hyperprolactinemia를 일으킬 수 있는 원인으로 타당하지 않은 것은?

1) thoracic herpes zoster
2) hepatic cirrhosis
3) renal failure
4) polycystic ovary syndrome
5) adult-onset congenital adrenal hyperplasia

 5)

* Cone-down view of sella에 관한 설명으로 맞는 것은?

가. craniopharyngioma를 발견할 수 있는 좋은 선별검사법이다.
나. supra-sellar tumor를 발견하는데 이용된다.
다. serum PRL과 같이 사용 시 CT 촬영의 적응증을 정할 수 있다.
라. microadenoma를 발견하는데 유용하다.

1) 가, 나, 다 2) 가, 다 3) 나, 라 4) 라 5) 가, 나, 다, 라

 2)

* 다음 중 틀린 진술은?

1) 임신 중 혈중 prolactin 치는 지속적으로 상승한다.
2) 임신 중 혈중 prolactin 치는 비임신 시와 마찬가지로 diurnal variation이 있다.
3) 산모의 prolactin은 태아에게 전달된다.
4) 모체의 약물 섭취 시 일반적으로 약 1%가 모유로 나온다.
5) 수유 중단 목적으로 dopamine agonist를 루틴으로 투여하는 것은 권장되지 않는다.

3)

* 수유 중단 목적으로 bromocriptine을 처방하였을 때 설명해주어야 하는 부작용으로 맞는 것은?

가. hypertension
나. seizure
다. myocardial infarction
라. stroke

1) 가, 나, 다 2) 가, 다 3) 나, 라 4) 라 5) 가, 나, 다, 라

5)

* Mastalgia의 치료에 효과적이라고 되어 있는 약제는?

가. danazol

나. tamoxifen

다. bromocriptine

라. vitamin E

1) 가, 나, 다　2) 가, 다　3) 나, 라　4) 라　5) 가, 나, 다, 라

* Mechanism of hypogonadism in pathologic hyperprolactinemia에 대하여 기술하시오.

- inhibition of GnRH pulse by decreased dopamine
- direct inhibition of ovarian steroidogenesis
- inhibition of positive feedback action of estrogen

* 임신 중 prolactin-secreting pituitary microadenoma에 대한 언급으로 맞는 것은?

가. 수유는 금기이다.
나. 98%에서 자라지 않는다.
다. 자연유산율이 증가한다.
라. 수술이 필요한 경우는 극히 드물다.

1) 가, 나, 다 2) 가, 다 3) 나, 라 4) 라 5) 가, 나, 다, 라

3)

* Brain CT에서 발견된 뇌하수체의 기능성 미세선종에 대한 설명으로 틀린 것은?

1) 자연적으로 없어지기도 한다.
2) lactotroph의 과기능이나 증식으로 생긴다.
3) 자라는 속도가 빨라 곧 거대선종이 된다.
4) 조직소견에서 보면 lactotroph의 증식을 보이는 경우가 대부분이다.
5) 수술적 치료는 안전하지만 재발이 많다.

3)

* 임신이 prolactinoma에 미치는 영향을 기술하시오.

원래 임신 중에는 estrogen 영향으로 stimulate PRL synthesis, secretion, promote lactotroph cell hyperplasia → pituitary volume gradually increase → beginning in the 2nd month, peaking the first week postpartum, 분만 후에는 rapidly involutes, returns to normal size by 6 months postpartum

임신 중 prolactinoma의 성장

- microprolactinoma: 2.6%
- macroprolactinoma:

① 임신 전 surgically resected or irradiated: 2.8-5%

② 임신 전 약물치료한 경우: 31%

* prolactinoma를 가진 여성이 임신할 경우 관리에 대하여 서술하시오.

1) Microadenoma
   임신 확인 즉시 약물 중단
   symptom 관찰, visual field testing, MRI
   만일 tumor enlargement 확인되면 약물치료 재개
   if persistent visual defect → TSA
2) Macroadenoma
   tumor enlargement의 위험이 크므로 임신이 되어도 약물 치료를 계속 고려한다
   symptom 관찰, visual field testing, MRI
   필요 시 TSA
   약물치료는 bromocriptine, cabergoline 둘 중 하나로
   태아에 대한 영향
   - bromocriptine: largest safety database, proven safety record for pregnancy
   - cabergoline: database much smaller, resonable for women with intolerant to bromocriptine

   (cf. pergolide, quinagolide: safety databases limited, should not be used)

* 갑상선기능저하증과 관련 있는 것은?

가. 불규칙한 월경

나. 손목터널증후군

다. 서맥

라. LDL-콜레스테롤의 감소

1) 가, 나, 다 2) 가, 다 3) 나, 라 4) 라 5) 가, 나, 다, 라

 1)

* 조기 난소 부전의 원인으로 보기 힘든 것은?

1) 터너증후군
2) 자가면역성 난소염
3) 안드로겐과다증
4) galactosemia
5) 방사선 노출

 3)

* POF 환자에서 흔히 동반되는 자가면역 질환을 나열하시오.

hypothyroidism, Addison disease, type 1 DM, pernicious anemia, SLE

* 다음 중 hypergonadotropic amenorrhea가 아닌 것은?

1) MRK syndrome
2) Turner syndrome
3) premature menopause
4) pure gonadal dysgenesis
5) insensitive ovary syndrome

1)

* 무월경 환자에게 withdrawal bleeding을 유도하기 위하여 progesterone을 투여하였다. 이 환자가 withdrawal bleeding을 보이지 않았다면 감별진단을 열거하라.

- pregnancy
- outflow obstruction, IUA
- inadequate estronization
- too low dose
- ovulation-induced
- P receptor defect

* Asherman's syndrome(traumatic amenorrhea)의 원인을 3가지 이상 나열하시오.

- overzealous curettage
- endometrial tuberculosis
- IUD-infection
- schistomiasis

* 다음 중 틀린 진술은?

1) 모발은 지속적으로 성장하는 것이 아니라 주기적으로 성장한다.
2) DHEA-S는 거의 대부분 부신 기원인 반면 DHEA는 50% 정도가 부신 기원이다.
3) dermal papillae의 electrocoagulation 만이 모발을 완전히 없애는 방법이다.
4) 일반적으로 progestins은 모발 성상 속도를 증가시킨다.
5) SHBG은 estrogen에 의하여 그 생산이 증가한다.

정답 4)

☞ 일반적으로 progestins은 모발 성장에 별 영향이 없다.

* 다음 중 모발 성장 속도를 증가시키는 것은?

가. androgen

나. estrogen

다. hyperinsulinemia

라. hypopituitarism

1) 가, 나, 다　2) 가, 다　3) 나, 라　4) 라　5) 가, 나, 다, 라

2)

* 무배란과 동반된 다모증 환자의 혈중 검사로 가장 중요도가 낮은 것은?

1) Testosterone
2) 17-OHP
3) DHEA-S
4) TSH
5) Prolactin

3)

* 다모증 치료에 대한 설명으로 옳지 않은 것은?

1) 다모증이 있는 무배란 여성에서는 저용량 경구피임제를 우선 사용한다.
2) 반응은 비교적 빠르며 1-2개월 만에 대부분에서 효과가 나타난다.
3) 경구피임제에 잘 반응하지 않으면 anti-androgen을 추가한다.
4) GnRH agonist는 초기 치료에 반응하지 않는 경우에 사용할 수 있다.
5) finasteride는 특발성 다모증과 androgenic alopecia에 더 효과적이다.

2)

* 다음 중 androgen receptor 와의 결합을 방해하여 anti-androgen 효과를 보이는 제재는?

가. cyproterone acetate
나. spironolactone
다. flutamide
라. finasteride

1) 가, 나, 다　2) 가, 다　3) 나, 라　4) 라　5) 가, 나, 다, 라

1)

☞ finasteride는 테스토스테론을 디하이드로테스토스테론(DHT)으로 전환하는 5α-환원효소를 억제함으로써 작용한다.

* PCOS의 hormone profile로 맞는 것을 고르면?

가. SHBG 감소

나. hyperinsulinemia

다. DHEA-S 증가

라. testosterone 증가

1) 가, 나, 다 2) 가, 다 3) 나, 라 4) 라 5) 가, 나, 다, 라

 5)

* PCOS에 대한 설명으로 옳은 것은?

1) IGFBP-1의 증가로 bioavailable IGF-1이 증가한다.
2) SHBG의 증가로 free estrogen이 증가한다.
3) Estrogen의 negative feedback과 inhibin effect로 FSH는 감소한다.
4) Estrogen의 positive feedback 효과로 basal LH level은 감소한다.
5) Hirsutism 치료에 복합경구피임제는 ADD와 testosterone을 증가시키므로 사용해서는 안된다.

정답 3)

* PCOS에 대한 설명으로 맞는 것은?

1) 20-40% 환자에서 LH의 상승이 없다.
2) thick capsule이 배란의 mechanical barrier로 작용한다.
3) hyperandrogenism이 hyperinsulinemia를 유도한다.
4) 증가된 insulin은 간에서 SHBG의 합성을 증가시킨다.
5) 남성화된 환자의 경우 lipoprotein profile은 male pattern을 보인다.

1)

* PCOS에서 insulin의 작용으로 보기 힘든 것은?

1) 난소 androgen 생산 증가
2) 부신 androgen 생산 증가
3) 뇌하수체 프로락틴 생산 증가
4) P45017α enzyme system 증가
5) 간에서 SHBG 합성 감소

3)

* 2003년 Rotterdam PCOS consensus에서 제시된 PCOS의 진단 항목 중 하나로 보기 힘든 것은?

1) oligo- or anovulation
2) clinical or biochemical sign of hyperandrogenism
3) exclusion of other etiologies
4) high LH level
5) polycystic ovaries

정답 4)

* PCO를 진단하기 위한 난소의 용적 기준은?

1) >5mL
2) >8mL
3) >10mL
4) >12mL
5) >15mL

정답 3)

* metformin에 관한 서술로 옳은 것은?

1) PCOS 치료제로 미국 FDA 승인을 받았다.
2) type 2 DM 치료제로 미국 FDA 승인을 받았다.
3) teratogenecity는 동물에서 있었으나 사람에서는 아니다.
4) biologically active insulin 합성을 촉진한다.
5) 간에서 glucose uptake를 촉진한다.

 2)

☞ 동물에서도 teratogenicity 없었음, insulin 합성과는 무관, 간에서 glucose 생산을 감소시킴

* 인슐린 저항성이 있는 다낭성난소증후군 환자에서 metformin 투여 시의 변화로 보기 힘든 것은?

1) 인슐린 수용체 수의 증가
2) 혈중 인슐린 농도의 감소
3) 혈당치의 감소
4) 혈중 SHBG 농도의 증가
5) 혈중 androgen 농도의 감소

 3)

* 다낭성난소증후군 환자에서 metformin 투여 시 월경 장애가 개선되리라고 보기 힘든 경우는?

1) 체질량지수 22 미만
2) 비만, 즉 체질량지수 27-39
3) 과도비만, 즉 체질량지수 40 초과
4) 무월경
5) 빈발월경

 3)

* 다음 중 PCOS에서 혈중 testosterone 치를 떨어뜨리는 작용을 하지 않는 치료법은?

1) diet counseling
2) metformin
3) dexamethasone
4) bromocriptine
5) laparoscopic ovarian drilling

 4)

* Obese PCOS 환자에게 long-acting opioid antagonist인 naltrexone을 6개월간 투여 시 기대되는 소견이 아닌 것은?

1) decreased body mass index
2) improved menstrual irregularity
3) increased LH response to GnRH
4) decreased free testosterone
5) decreased cortisol

 3)

* 32세의 기혼 여성이 소량의 불규칙한 무배란성 출혈로 왔다. 질식 초음파 검사에서 골반내 이상 소견은 발견되지 않았다. 이 환자가 임신을 원하지 않을 때 다음중 적절한 치료제는?

가. MPA 10 mg/d for 10-14 days each month
나. GnRH agonist
다. combined oral contraceptive pills
라. spironolactone

1) 가, 나, 다　2) 가, 다　3) 나, 라　4) 라　5) 가, 나, 다, 라

 2)

* Acanthosis nigricans에 관한 설명으로 맞는 것은?

가. absolute marker of hyperandrogenism

나. gray-brown velvety discoloration of the skin

다. frequently progress to melanoma

라. associated with insulin resistance

1) 가, 나, 다 2) 가, 다 3) 나, 라 4) 라 5) 가, 나, 다, 라

 3)

* 다음 중 PCOS 환자에서 혈중 농도가 감소해 있는 것은?

가. estrone

나. IGFBP-1

다. testosterone

라. glycodelin

1) 가, 나, 다 2) 가, 다 3) 나, 라 4) 라 5) 가, 나, 다, 라

 3)

* 다음 중 PCOS 환자에서 비정상적이라고 알려져 있는 응고 인자는?

1) protein S 감소
2) protein C 감소
3) plasminogen activator inhibitor 증가
4) cardiolipin IgA 증가
5) lupus coagulant 증가

3)

* 다낭성난소증후군에서 정상 체중의 여성에 비하여 비만인 여성에서 더 낮은 혈중 수치를 보이는 항목은?

가. LH
나. SHBG
다. IGFBP-1
라. insulin

1) 가, 나, 다 2) 가, 다 3) 나, 라 4) 라 5) 가, 나, 다, 라

1)

* Metabolic syndrome을 진단하기 위한 기준 항목이 아닌 것은?

1) Waist circumference
2) Triglycerides
3) LDL cholesterol
4) BP
5) 75 g OGTT

3)

* 비만인 여자가 체중감소를 하면 정상배란이 돌아온다. 그 기전으로 맞는 것은?

가. peripheral aromatization of androgen 감소
나. SHBG 증가
다. insulin 감소
라. IGFBP 감소

1) 가, 나, 다　2) 가, 다　3) 나, 라　4) 라　5) 가, 나, 다, 라

1)

* [ ] 안에 들어갈 말을 각각 쓰시오.

Hyperinsulinemia contributes to hyperandrogenism by inhibiting hepatic synthesis of [1] and [2], actions which increase free T and augment [3] stimulation of thecal androgen synthesis, respectively.

[1] SHBG, [2] IGFBP-1, [3] IGF-I

* 다모증 환자에서 경구피임제를 사용할 경우 LH, SHBG, free T의 변화를 표시하시오.

LH: 감소, SHBG: 증가, free T: 감소

* Androgen disorder는 여성의 5-10%에서 일어나며 여성에서 가장 흔한 endocrinopathy이다. 종류를 아는 대로 써라.

polycystic ovary syndrome, functional ovarian hyperandrogenism, partial, late-onset CAH, idiopathic hirsutism

* PCOS 환자에서 인슐린 저항성의 진단법에 관하여 약술하라.

정답

1) fasting glucose(mg/dL) / insulin(μU/mL) 비 <4.5
   ※ 정상치
   glucose 70-110 mg/dL or 4-6 mmol/L (conversion factor to SI unit; 0.0556)
   insulin 5-20 μU/mL or mU/L or 35-145 mmol/L (conversion factor to SI unit; 7.175)
2) Homeostasis model assessment(HOMA); R = fasting insulin(mU/L) / 22.5 e-ln fasting glucose(mmol/L), or R = (insulin × glucose) / 22.5 in simplified form
3) 75 g OGGT, 2 hrs glucose levels을 측정 : <140 normal, 140-199 impaired, ≥200 NIDDM

* 비만 혹은 과도한 체중이 정상적인 배란을 방해하는 3가지 기전을 쓰시오.

정답

1) 남성호르몬을 estrogen으로 전환시키는 말초 aromatization의 증가
2) SHBG의 감소로 유리 estradiol과 testosterone의 증가
3) Insulin이 증가하여(insulin resistance) 난소 stroma에서 남성호르몬 생산 증가

* Obesity가 insulin resistance를 유발하는데 관여한다고 생각되는 3 가지 candidate molecule을 쓰시오.

FFA, leptin, TNFα
(모두 정상인에 비하여 비만인에서 증가해 있다)

* PCOS 환자에서 과배란유도 후 체외수정시술 시 metformin을 병합하는 것은 OHSS 위험도를 30% 정도까지 낮춘다고 한다. 그 기전으로 제시되는 가설을 설명하시오.

PCOS 여성에서 증가된 인슐린은 과립막세포에 작용하여 VEGF를 증가시키고 또한 증가된 안드로겐은 과립막세포의 FSH 수용체를 증진시켜 과도한 난소반응을 일으키는데 metformin이 인슐린과 안드로겐을 감소시키므로 이들의 작용을 차단하여 OHSS를 예방한다.

* PCOS 환자의 다낭성난소에서 조직병리학적 소견에 해당되지 않는 것은?

1) thickened ovarian capsule
2) stromal hyperthecosis
3) copora lutea의 결여
4) primordial follicle의 결여
5) growing & atretic follicles의 수 증가

4)

* 폐경기에 다모증이 일어나는 경우가 있는데 이의 기전을 호르몬 변동과 관련지어 논하라.

폐경기에는 estrogen이 감소하여 상대적으로 androgen 과다가 될 수 있다. 그러므로 estrogen의 inhibitory effect 보다는 androgen의 stimulatory effect가 우세하여 다모증이 될 수 있다.

* Excessive exercise에 대한 설명으로 맞는 것은?

가. 남아에서 2년 늦게 사춘기가 온다.
나. 혈중 GH은 증가한다.
다. melatonin은 감소한다.
라. 파동성 GnRH 분비를 억제한다.

1) 가, 나, 다 2) 가, 다 3) 나, 라 4) 라 5) 가, 나, 다, 라

정답 3)

* 무월경이 있는 육상선수에 대하여 맞는 말은?

가. stress fracture의 위험성이 높다.
나. 폐경과 비슷한 골소실을 보인다.
다. 호르몬치료가 필요하다.
라. 운동을 줄이면 생리가 돌아올 수 있다.

1) 가, 나, 다 2) 가, 다 3) 나, 라 4) 라 5) 가, 나, 다, 라

정답 5)

* Bicornuate uterus를 가진 여성에 대한 설명으로 타당하지 않은 것은?

1) 2000년에 보고된 바로는 유산율은 30%, 전체적인 태아손실율은 40%이다.
2) 서로 통해있는 자궁하절의 길이가 길수록 조기분만율은 감소한다.
3) unification 수술은 보통 불필요하나 반복유산의 다른 원인이 없으면 고려할 수 있다.
4) unification 수술 중 choice는 Strassman metroplasty이다.
5) 선천성 자궁 기형 중 자궁경부 무력증의 빈도가 가장 낮다.

정답 5)

☞ 가장 높음.

* Bicornuate uterus의 수술적 교정법은?

1) Jones metroplasty
2) McIndoe metroplasty
3) Strassman metroplasty
4) Tompkins metroplasty
5) Vecchietti metroplasty

정답 3)

* Practice Committee of the American Society for Reproductive Medicine의 가이드라인(Fertil Steril 2016;106:530)에 의하면 septate uterus의 정의는 depth from the interstitial line to the apex of the indentation 〉1.5 cm, 그리고 angle of the indentation 〈(   ) degrees 이다.

90

* Herlyn-Werner-Wunderlich syndrome에 대하여 기술하시오.

uterus didelphys에 blind(obstructed) hemivagina + ipsilateral renal agenesis가 동반된 경우

* 다음 중 자궁경부점액을 나쁘게 하여 골반염을 감소시키는 피임법은?

가. 복합경구피임제

나. 구리 IUD

다. progesterone

라. estrogen

1) 가, 나, 다 2) 가, 다 3) 나, 라 4) 라 5) 가, 나, 다, 라

 2)

* 난포기에 복합경구피임제 시작 시 기왕에 형성된 난포 크기에 따라 배란율은 다르게 나타난다. 난포 크기가 10 mm면 배란은 일어나지 않으며 18 mm면 93%에서 배란이 일어난다. 14 mm 에서 복합경구피임제를 시작하면 배란율은?

1) 20%

2) 28%

3) 36%

4) 50%

5) 100%

 3)

* 복합경구피임제 사용 중에 복합경구피임제를 ( )일 동안 중단하면 다시 시작하더라도 우성난포의 출현을 막을 수 없다.

1) 5
2) 6
3) 7
4) 8
5) 9

 3)

* 다음 중 복합경구피임제와 같이 사용 시 복합경구피임제의 혈중농도를 낮추는 약물은?

가. ascorbic acid
나. phenytoin
다. acetaminophen
라. phenobarbital

1) 가, 나, 다 2) 가, 다 3) 나, 라 4) 라 5) 가, 나, 다, 라

 3)

* 복합경구피임제를 1년간 정기적으로 복용해 오던 여성이 초음파검사로 정상 임신 5주임이 확인되었다. 다음중 환자에게 가장 적절한 설명은?

1) 임신 1기에 약 80%에서 자연유산을 초래한다.
2) 기형정도는 일반인구에 비하여 크게 증가하지 않는다.
3) 임신 중에는 경구피임제가 금기이므로 치료적 유산을 권한다.
4) VACTERL complex의 가능성이 일반 인구에 비하여 2배 증가한다.
5) 태아가 여아일 경우 남성화현상, 남아일 경우 hypospadia가 문제가 되지만 그 빈도가 낮고 출산 후 교정이 가능하므로 임신유지를 권한다.

 2)

☞ Speroff 교과서 9판 pp876

* 모유수유 중 복합경구피임제로 피임을 하면?

1) 모유생산이 중단된다.
2) 모유생산량이 감소한다.
3) 모유분비가 줄어든다.
4) 옥시토신 분비를 막는다.

 2)

* 복합경구피임제 사용에 관한 WHO MEC 가이드라인에 의거한 category 4가 아닌 것은?

1) 현재 유방암
2) 전조증상 있는 편두통
3) 고혈압 SBP≥160 or DBP≥100
4) 흡연자로서 ≥35세 & ≥15개피/일
5) 산욕기 <3주 & 혈전색전증 위험인자 없는 경우

 5)

* 응급피임제로 이용되는 노레보정의 성분은?

1) norethindrone
2) levonorgestrel
3) norgestimate
4) desogestrel
5) gestodene

 2)

*** 응급피임약인 노레보에 대한 설명으로 틀린 것은?**

1) levonorgestrel 단독 용법이다.
2) 배란을 지연시켜 피임 효과를 발휘한다.
3) 성교후 빨리 복용할수록 효과가 높다.
4) 12시간 간격으로 1정씩 복용하는 것이 2정을 한 번에 복용하는 것보다 높은 피임효과를 보인다.
5) 피임실패, 즉 임신 시 태아에 미치는 영향은 아직까지 없는 것으로 나타났다.

 4)

☞ 동등한 효과를 가진다.

*** 구리 IUD 삽입 후 설명해 주어야 할 부작용과 거리가 먼 것은?**

1) 자궁천공
2) 자궁경련
3) 골반감염
4) 자연만출
5) 월경혈 감소

정답 5)

* 다음 중 구리 IUD가 추천되지 않는 경우는?

가. 자궁기형이 있는 사람
나. copper에 알레르기가 있는 사람
다. 면역억제 상태에 있는 사람
라. 당뇨병 환자

1) 가, 나, 다 2) 가, 다 3) 나, 라 4) 라 5) 가, 나, 다, 라

 1)

* 구리 IUD에 대한 설명으로 옳지 않은 것은?

1) 배아의 착상을 방해한다.
2) 가장 흔한 부작용은 dysmenorrhea와 menorrhagia이다.
3) cramping pain에는 NSAIDs를 쓰면 효과가 있다.
4) 삽입 수개월 후에 발생하는 PID는 삽입과 연관된 감염보다는 STD로 간주하는 것이 옳다.
5) ectopic pregnancy risk를 증가시키므로 previous ectopic pregnancy history가 있는 경우 금기이다.

정답 5)

* 호르몬 함유 자궁내장치인 Mirena의 성분은?

1) norethindrone
2) levonorgestrel
3) norgestimate
4) desogestrel
5) gestodene

2)

* DUB의 치료에 있어 에스트로겐 단독 투여가 타당한 경우는?

가. PCOS와 연관된 DUB
나. 복합경구피임제 사용과 연관된 breakthrough bleeding
다. endometrial polyp과 연관된 bleeding
라. Depo-MPA 사용과 연관된 breakthrough bleeding

1) 가, 나, 다 2) 가, 다 3) 나, 라 4) 라 5) 가, 나, 다, 라

3)

* PMS 진단에 관한 ACOG 진단 기준이다. ( ) 안에 들어갈 말은?

(1) 최소 1가지의 affective Sx, 최소 1가지의 somatic Sx이 있어야 한다.

(2) 사회생활에 지장을 초래할 정도이어야 한다.

(3) (   ).

(4) 배란기 이후 증상이 발생하며 월경이 시작하면 소실되어야 한다.

정답 주기적(cyclical) 이어야 한다.

* 응고장애 환자나 화학요법(chemotherapy)이 필요한 악성종양 환자에서 치료적으로 무월경을 만드는 long-term hormonal suppression 방법을 열거하라.

- continuous progestin
- continuous noncyclic oral pill
- Depot progestins(DMPA)
- GnRH agonist

* 부인과 영역에서 ovarian cyst formation을 흔치 않게 유발하는 약제를 3가지 나열하시오.

1) GnRH agonist
2) 미레나(levonorgestrel-IUS)
3) Tamoxifen

* 원발성 월경통의 설명으로 보기 힘든 것은?

1) 초경 시작한지 1-2년에 나타난다.
2) 자궁내막에서의 프로스타글란딘의 증가가 원인이다.
3) 자궁내막증과 관련된다.
4) 월경 시작 시에 통증이 발생한다.

정답 3)

* Dysmenorrhea를 일으키는 2차적 원인들로 타당한 것은?

가. adenomyosis

나. müllerian duct anomaly

다. endometriosis

라. PID

1) 가, 나, 다 2) 가, 다 3) 나, 라 4) 라 5) 가, 나, 다, 라

 5)

* 자궁내막증에 대한 기술로 맞는 것은?

가. 자궁내막증 진단에 있어서 혈중 CA-125의 민감도가 낮다.

나. 자궁내막증의 extent와 증상은 연관성이 있다.

다. 시간이 경과함에 따라 red implant가 powder burn lesion으로 remodeling 한다.

라. 가장 빈번한 발생부위는 uterosacral ligament이다.

1) 가, 나, 다 2) 가, 다 3) 나, 라 4) 라 5) 가, 나, 다, 라

 2)

* 자궁내막증에 대한 기술로 맞는 것은?

가. 자궁내막증 환자에서 fertility를 증진시킬 목적으로 약물치료를 한다.

나. 자궁내막증의 extent와 증상은 연관성이 없다.

다. 가장 빈번한 발생부위는 uterosacral ligament이다.

라. 시간이 경과함에 따라 red implant가 powder burn lesion으로 remodeling 한다.

1) 가, 나, 다　2) 가, 다　3) 나, 라　4) 라　5) 가, 나, 다, 라

정답 3)

* endometriosis에 관한 서술로 옳지 않은 것은?

1) endometriosis is diagnosed by endometrial glands proliferating outside of the uterus
2) most patients with endometriosis are fertile
3) reflux menstruation is found only in women with endometriosis
4) endometriosis may be an immunologic disease
5) endometriosis is often misdiagnosed via laparoscopy

정답 3)

* 자궁내막증에서 혈중 CA-125에 관하여 틀린 것은?

1) 병기와 일치한다.
2) coelomic epithelium에서 유래되었다.
3) 월경기간 중에 증가하는 경향이 있다.
4) 진단보다는 치료 후 재발을 예측하는데 유용하다.

 1)

* Endometriosis에 대한 다음 설명으로 맞는 것은?

가. 통증의 정도는 자궁내막증의 병기와 관련이 있다.
나. 통증의 정도는 혈중 CA-125 치와 관련이 있다.
다. 혈중 CA-125 수치는 자궁내막증의 병기와 관련이 있다.
라. 통증의 정도는 병변의 침윤 깊이와 관련이 있다.

1) 가, 나, 다　2) 가, 다　3) 나, 라　4) 라　5) 가, 나, 다, 라

 4)

* 다음 중 pain을 가장 잘 유발하는 자궁내막증 병변은?

1) red
2) clear
3) white
4) black

 1)

* endometriotic stromal cell에서 aromatase의 가장 강력한 inducer는 무엇인가?

1) estradiol
2) prostaglandin E2
3) cyclooxygenase 2
4) steroidogenic factor 1
5) steroid acute response protein

 2)

* 성인기에 비하여 청소년기 자궁내막증의 특징을 표현한 것으로 타당한 것은?

가. 주기적 생리통 보다는 비주기적 통증과 주기적 통증이 혼합된 형태로 나타난다.
나. 방광과 장관계의 증상이 더 심하다.
다. powder-burn lesion 같은 전형적 병변보다는 red flame like lesion 같은 비전형적 병변이 더 많다.
라. 자궁내막종의 발현은 더 적다.

1) 가, 나, 다 2) 가, 다 3) 나, 라 4) 라 5) 가, 나, 다, 라

정답 5)

* stage I-II endometriosis 환자에서 난임을 설명하는 가설로서 가장 선호되는 것은?

1) 골반내 유착이 난소에서 난관으로의 난자 이동을 방해한다.
2) 복강내액에 ovum capture inhibitor가 있어 cumulus-fimbria 작용을 방해한다.
3) 복막 macrophage가 정자나 난자를 포획한다.
4) 다발성 LH surge가 LUF syndrome을 유발한다.
5) 자궁내막의 integrin 또는 효소들이 감소하여 착상을 방해한다.

정답 5)

* 골반내 자궁내막증의 치료에 관한 언급으로 틀린 것은?

1) 일반적인 치료목표는 병변 자체와 통증을 줄이고 임신율을 향상시키는 데 있다.
2) 개복술은 advanced stage이거나 fertility를 원하지 않는 경우로 한정해야 한다.
3) 일반적으로 surgery의 목적은 가능한 한 병변과 유착을 많이 제거하고 normal anatomy를 회복하는데 있다.
4) severe form인 경우 병변의 vascularization과 size 감소를 위하여 수술 전에 약물 치료를 할 수 있다.
5) severe form인 경우 수술 후에 약물치료를 하는 것이 임신율을 향상시킨다.

정답 5)

* 월경혈의 난관역류(tubal reflux)로 인해 자궁내막증이 생긴다는 증거를 쓰시오.

정답

- 거의 모든 여성에서 월경혈의 난관역류가 발견된다.
- dependent portion에 잘 생긴다: ovary, PCDS, USL, post uterus, broad ligament
- endometrial fragment를 tissue culture나 abdominal skin에 이식 시 잘 자란다.
- 월경혈이 복강내로 가도록 한 cervix-transposed monkey에서 자궁내막증이 생긴다.
- menstrual outflow obstruction 환자에서 잘 생긴다.
- shorter cycle, longer flow 일수록 잘 생긴다.

* NSAIDs를 제외한 자궁내막증의 치료제를 pseudomenopause와 pseudopregnancy로 구분하여 나열하라.

- pseudomenopause: GnRHa, danazol, gestrinone
- pseudopregnancy: oral pills, progestins

* 수정란의 이동에 대한 설명으로 맞는 것은?

가. 난관 내에서 최소 2일간 머문다.
나. 난관내 액 및 잔여 cumulus cell에서 에너지원을 얻는다.
다. morula 단계로 자궁강 내로 들어가 2-3일간 부착하지 않은 상태로 머문다.
라. 배란 후 9일째가 포배기로서 착상 전 단계이다.

1) 가, 나, 다 2) 가, 다 3) 나, 라 4) 라 5) 가, 나, 다, 라

정답 1)

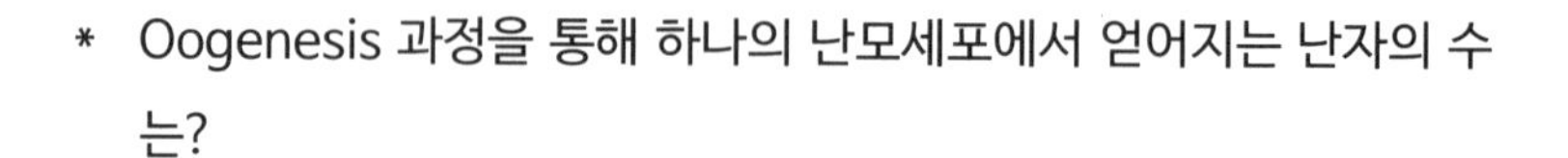

* Oogenesis 과정을 통해 하나의 난모세포에서 얻어지는 난자의 수는?

1) 1개
2) 2개
3) 3개
4) 4개
5) 5개

 정답 1)

* 여성에서 LH surge는 언제 일어나는가?

1) 배란 전 12시간
2) 배란 후 12시간
3) 배란일
4) 배란 전 6시간
5) 배란 후 6시간

 정답 1)

* 인간의 난자는 배란된 후 몇 시간에 가장 좋은 수정능력을 갖게 되는가?

1) 6시간 이내
2) 12-24시간
3) 24-48시간
4) 48-96시간
5) 96시간 이상

 2)

* 인간의 정자는 질내 사정된 후 얼마동안 수정능력을 보유하게 되는가?

1) 6시간 이내
2) 24시간 이내
3) 1-2일
4) 3-5일
5) 6일-7일

 4)

☞ 스페로프 9판 pp986

* Spermiogenesis란 무엇인가?

1) 정자가 정소에서 만들어지는 과정
2) 정자의 미부가 형성되는 과정
3) 정자의 acrosome이 소실되는 과정
4) 정자가 난막에 부착되는 과정
5) 정자가 전핵을 형성하는 과정

 2)

* 체외수정술 시 얻어지는 난자 중 최적상태는?

1) Germinal vesicle stage
2) Metaphase I stage
3) Metaphase II stage
4) Telophase II stage
5) Pronuclear stage

 3)

* 인간 난자에서 제2극체가 돌출하는 시기는?

1) 난자 획득 직후
2) 수정(insemination) 직후
3) 정자 침입 직후
4) 세포분열 직후
5) 전핵생성 직후

 3)

* 다음 중 틀린 진술은?

1) 정자는 정자생성(spermatogenesis)이 시작된 지 72일 후에 부고환 미부에 도달한다.
2) 정액을 액화시키는 효소는 전립선에서 유래한다.
3) capacitation이란 정자가 난자를 통과할 능력을 갖추는 과정이다.
4) 부고환은 정자의 저장 및 성숙에 필수적이다.
5) 정액은 alkaline pH를 보인다.

 4)

☞ 부고환을 거치지 않은 정자도 수정능이 있으며, 이것으로 보아 부고환은 단지 정자를 저장하는 역할만 한다.

* 수정(fertilization)이 일어나기 직전 정자에서 일어나는 변화가 아닌 것은?

1) Hyperactivation
2) Decondensation
3) Ca2+ uptake 증가
4) Acrosome reaction
5) Sperm plasma membrane의 유동성 증가

 2)

☞ Decondensation; 정자가 난자 안에 들어간 이후 정자의 두부에서 응축된 DNA가 풀리는 과정임

* 수정(fertilization)시 난자에서 다정자 침입을 막기 위해 일어나는 반응은?

1) 피질반응(cortical reaction)
2) 첨체반응(acrosome reaction)
3) 난핵붕괴
4) 제1극체 돌출
5) 제2극체 돌출

 1)

* ICSI를 시행할 때 정자의 운동성을 저하시키기 위해 첨가하는 것은?

1) BSA
2) PVP
3) HEPES
4) HSA
5) NaHCO3

2)

* Implantation window에 자궁내막에서 일어나는 변화로 보기 힘든 것은?

1) ER, PR 증가
2) Leukemia inhibitory factor(LIF)의 증가
3) MUC-1 증가
4) β3 integrin의 증가
5) αv integrin의 감소

1)

* 난임 검사를 시행하는 때와 검사종목이 맞게 짝지어진 것은?

1) 자궁난관조영술 – 월경 중 또는 초기 난포기
2) 자궁내막조직검사 - 배란기
3) 성교후검사 - 다음 월경 시작 예정일
4) 혈중 FSH, LH, estradiol 측정 - 월경시작 3일째
5) 자궁경부점액검사 - 월경 끝난 직후

4)

* 난임 환자 중 즉각적인 평가를 하여야 하는 경우는?

가. 36세 이상의 여성
나. 불규칙한 월경 또는 희소월경
다. history of PID or endometriosis
라. men with known or suspected poor semen quality

1) 가, 나, 다　2) 가, 다　3) 나, 라　4) 라　5) 가, 나, 다, 라

5)

* Computer assisted sperm analysis(CASA)에 관한 설명으로 틀린 것은?

1) 정자수를 정확하게 판단할 수 있다.
2) 정자의 운동속도에 관한 정보를 준다.
3) 정자의 진행방향에 대한 정보를 준다.
4) 정자의 형태를 정확하게 판단할 수 있다.
5) 여러 변수를 잘못 설정했을 경우 큰 오차가 발생할 수 있다.

정답 4)

* 사정된 정액으로 정액검사를 할 때 처음에는 정자가 없다가 정액을 원심분리한 후에 정자가 보일 경우를 가리키는 용어는?

1) aspermia
2) azoospermia
3) oligozoospermia
4) necrozoospermia
5) cryptozoospermia

정답 5)

* luteal phase defect의 유발 기전으로 가능하지 않은 것은?

1) 미숙한 난포발달
2) 부적절한 FSH
3) 부적절한 LH
4) 자궁내막에 androgen 작용
5) 황체형성부전

 4)

* luteal phase defect에 대한 설명으로 틀린 것은?

1) 황체기가 12일 이하인 경우 진단할 수 있다.
2) midluteal serum progesterone이 매우 낮은 경우 진단할 수 있다.
3) 진단을 위하여 반드시 endometrial biopsy를 하여야 한다.
4) 일종의 배란장애로 간주하며 치료도 배란장애에 준하여 한다.

 3)

* 다음 중 배란장애에 대한 진단법으로 가장 유용성이 떨어지는 것은?

1) menstrual history
2) BBT
3) midluteal serum progesterone
4) urinary LH test
5) endometrial biopsy

 5)

* luteinized unruptured follicle에 대한 설명으로 틀린 것은?

1) LH surge 이후에 난포가 터지지 않고 몇 일간 그대로 있는 현상이다.
2) serum progesterone이 상승하지 않는다.
3) 일종의 배란장애로 간주된다.
4) NSAID가 원인일 수 있다.
5) 반복적으로 생길 경우 배란유도제가 적절한 치료이다.

 2)

* 초음파검사에서 보이는 자궁내막에 대한 설명으로 맞는 것은?

가. 두 자궁내막 사이의 경계면은 후기 증식기에 잘 보인다.

나. 증식기에 자궁내막은 hypoechoic 하다

다. triple line 또는 trilaminar pattern은 증식기 소견이다

라. 분비기 자궁내막은 hyperechogenic 하다.

1) 가, 나, 다 2) 가, 다 3) 나, 라 4) 라 5) 가, 나, 다, 라

5)

* 자궁난관조영술의 시행시기로 가장 바람직한 것은?

1) 월경 3-6일째
2) 월경 7-10일째
3) 배란일 직전
4) 배란 후 6-10일
5) 월경예정일 직전

2)

* 여성에서 tubal infertility를 일으키는 일차적 원인균은 클라미디아로 알려져 있다. 이에 대한 증거는?

1) 난관수종액에서 클라미디아가 배양된다.
2) 난관내막 조직에서 클라미디아가 발견된다.
3) 자궁경부점액에서 클라미디아가 배양된다.
4) 난관조직에서 클라미디아 DNA가 발견된다.
5) 자궁경부점액에서 클라미디아 항체가 발견된다.

4)

* 난임환자에서 진단복강경이 유용한 이유로 적절한 것은?

가. 난관체부 상태 및 난소와의 관계를 확인할 수 있다.
나. 자궁내막증 유무를 확인할 수 있다.
다. 장막하 자궁근종이나 골반내유착 등의 병변을 확인할 수 있다.
라. 난관소통여부에 대한 자궁난관조영술의 위양성 여부를 확인할 수 있다.

1) 가, 나, 다 2) 가, 다 3) 나, 라 4) 라 5) 가, 나, 다, 라

5)

* tubal factor infertility에 있어 IVF보다 tubal surgery가 더 권장되는 경우는?

가. previous tubal sterilization

나. younger women with mild distal tubal occlusive disease

다. severe distal tubal disease with hydrosalpinges

라. apparent proximal tubal occlusion

1) 가, 나, 다　2) 가, 다　3) 나, 라　4) 라　5) 가, 나, 다, 라

 5)

* 난임 환자에서 난관신개구술(neosalpingostomy) 후 poor prognostic factor에 해당하지 않는 것은?

1) hydrosalpinx >3 cm
2) absence of visible fimbriae
3) dense pelvic adhesion
4) proximal and distal tubal disease
5) single fallopian tube

 5)

* 클로미펜의 작용 기전이다. [ ] 안에 공통으로 들어가는 단어는?

시상하부에 [ ] antagonist로 작용하므로 [ ] 수용체가 소모되어 혈중 [ ] 치가 낮은 것처럼 감지되기 때문에 negative feedback이 작동하여 GnRH 상승, 그리고 이어서 내인성 gonadotropin의 분비가 촉진된다.

 estrogen

* 클로미펜 사용에 대한 설명으로 맞지 않는 것은?

1) 월경 5일째부터 투여하는 것이 3일 또는 4일째 시작하는 것보다 배란율이 높다.
2) 배란에 필요한 용량은 체중과 관련 있다.
3) 용량에 따른 배란율은 50 mg/d가 가장 높다.
4) 하루 150 mg 이상의 투여는 FDA 승인을 받지 않았다.
5) 12.5-25 mg의 저용량은 클로미펜에 매우 민감하거나 지속적으로 난소낭종이 생기는 환자에게 시도한다.

 1)

☞ 스페로프 9판 pp1072

* 클로미펜 + IUI를 위하여 다음과 같은 두 가지 방법을 이용하였다. 즉 클로미펜 100 mg을 MCD#5-9 까지 투여하고 #12부터 모니터링을 시작하면서

  [방법 A] #12부터 매일 오후에 환자로 하여금 urinary LH kit로 home test 를 실시케 하고 양성인 경우 다음날 아침에 IUI를 시행

  [방법 B] #12부터 매일 초음파검사를 하여 난포 직경이 20 mm 이상이면 hCG 10,000IU를 투여하고 33-42시간 후에 IUI 시행, 만일 hCG 투여 기준에 미달하면 urinary LH kit로 home test를 실시하여 양성인 경우 다음날 아침에 IUI를 시행

  다음 중 방법 A]의 장점은?

1) 위음성 테스트가 없다
2) 위양성 테스트가 없다
3) 비용이 저렴하다
4) IUI timing이 용이하다
5) 환자 탈락율이 적다

정답 3)

* 클로미펜 투여 시 poor ovarian response와 관련 있는 요인을 열거하라.

- 연령 증가
- high BMI
- high free androgen index
- high AMH

* letrozole의 반감기는 48시간이다. clomiphene citrate의 반감기는?

1) 24시간
2) 48시간
3) 96시간
4) 1주
5) 2주

정답 5)

* 난임 여성에서 월경6일째부터 단일 난포를 추적 관찰하여 16 mm에 도달하는 날 GnRH antagonist와 FSH를 투여하고 다음날 hCG로 triggering을 하였다. 이 여성에게 사용한 (과)배란유도법은?

1) natural cycle IVF
2) modified natural cycle IVF
3) mild IVF
4) conventional IVF
5) in vitro maturation cycle IVF

 2)

* para 0-0-0-0인 36세 여성이 항암치료 전 가임력보존 상담을 위해 내원하였다. 4년 전 결혼하였으나 자녀는 없으며, 난임관련 검사는 받은 적 없다고 한다. 초음파에서 polycystic ovary 소견이 관찰되었다. 항암 치료가 급한 상황으로 과배란유도를 위한 기간이 충분치 않아 당일 바로 hCG trigger 후 38시간 뒤 난자를 채취하였다. 이 여성에게 사용한 (과)배란유도법은?

1) natural cycle IVF
2) modified natural cycle IVF
3) mild IVF
4) conventional IVF
5) in vitro maturation cycle IVF

 5)

* 30세 여자가 첫 분만 시 과다출혈 후 6개월간의 무월경을 주소로 병원에 왔다. 환자는 progesterone challenge test에서 소퇴성출혈이 없었으며, FSH 1.0 mIU/mL, LH 1.1 mIU/mL 였고 GnRH stimulation 검사에도 FSH, LH에는 변화가 없었다. 상기 환자가 임신을 원할 때 처치는?

1) Pulsatile GnRH
2) Clomiphen citrate
3) Recombinant FSH
4) Aromatase inhibitor
5) HMG(human menopausal gonadotropin)

 5)

* HMG로 배란유도 시 hCG 투여여부 및 시기결정에 유용한 검사는?

가. serum estradiol 치
나. serum progesterone 치
다. 난포 크기
라. 기초체온표

1) 가, 나, 다 2) 가, 다 3) 나, 라 4) 라 5) 가, 나, 다, 라

 2)

* 다음 중 GnRH agonist로 ovulation triggering을 할 수 없는 배란유도 주기는?

1) Clomiphene
2) Clomiphene + gonadotropin
3) Gonadotropin
4) Gonadotropin with GnRH agonist luteal long protocol
5) Gonadotropin with GnRH antagonist protocol

4)

* ovarian stimulation 시 뇌하수체 억제 목적으로 사용되는 GnRH agonist와 비교하여 GnRH antagonist에 대한 설명으로 옳은 것은?

1) 투여 즉시 suppression이 일어나고 투여 중단 시 회복이 빠르다.
2) 사용되는 gonadotropin 양이 더 많다.
3) triggering day 때 peak estradiol이 더 높다.
4) 채취난자수가 더 많다.
5) OHSS가 더 많이 발생한다.

1)

* Monitoring ovarian response during ovarian stimulation in ART cycles can be performed in two ways: USG and (   ) measurement, alone or in combination. However, USG seems to be sufficient in most cases. Nevertheless, when dealing with poor responders or women at risk for OHSS, the combination is recommended.

정답 estradiol

* Dutch Society of OBGY에서 제시한 IVF 적응증 중 endometriosis에 관한 설명이다. ( ) 안에 들어갈 용어는?

- In case of mild or moderate endometriosis, treat as unexplained infertility
- In case of severe endometriosis, policy is to treat as (   )

1) cervical factor
2) uterine factor
3) tubal factor
4) male factor
5) ovulatory factor

정답 3)

* 체외수정술 시 정자 투입 15-18시간 후 난자 수정 여부 확인 지표는?

1) polar body
2) two pronuclei
3) germinal vesicle
4) zona pellucida에서 sperm tail
5) perivitelline space에서 sperm tail

 2)

* 체외수정술 시 three pronuclear(3PN) zygotes가 생기는 가장 흔한 기전은?

1) pronuclear fragmentation
2) retention of second polar body
3) digyny
4) dispermy
5) diplospermy

 4)

* ultrasonographic-guided embryo transfer에 비하여 clinical touch technique에서 착상율이 감소하는 기전은?

1) stiffer catheter is required for touch technique
2) fundal touch provokes uterine contractions
3) fundal touch provokes endometrial bleeding
4) transfer with touch technique is too deep
5) transfer with touch technique is too shallow

2)

* 다음 중 ultrasound-guided embryo transfer의 장점으로 볼 수 없는 것은?

1) ultrasound is helpful when catheter placement is difficult
2) ultrasound gives patients greater confidence
3) ultrasound gives physicians greater confidence
4) air bubbles visually confirm embryo transfer
5) pain is less when fundus is not touched

5)

* 배아이식을 할 때 자궁수축을 방지하기 위한 전략에 해당하지 않는 것은?

1) soft 카테타를 사용한다.
2) cervical mucus를 제거한다.
3) tenaculum을 사용하지 않는다.
4) 카테타가 uterine fundus를 닿지 않도록 한다.
5) uterine relaxing substance를 사용한다.

 2)

* 35세 여성이 양측 난관폐쇄로 진단되어 과배란유도 후 체외수정술을 받았다. 배아이식 5일 후 오심, 구토, 복부팽만 및 호흡곤란을 주소로 응급실에 내원하였다. 본 질환의 치료 경과 판정 및 합병증 예측에 가장 좋은 검사는?

1) β-hCG
2) hematocrit
3) prothrombin time
4) CRP
5) 복부초음파검사

 2)

* OHSS 환자에서 fluid & electrolyte 변화를 직접적으로 유발하는 물질은?

1) FSH
2) insulin
3) endothelial cell permeability factor
4) VEGF
5) hCG

4)

* OHSS의 적절한 예방 및 치료법으로 보기 힘든 것은?

1) 과배란유도 시 FSH tapering
2) 과배란유도 말에 coasting
3) metformin 병용
4) hCG 투여 즈음에 carbohydrate 식이 다량 섭취

4)

* OHSS를 예방하고자 할 때 ovulation triggering agent로서 hCG 보다는 GnRHa가 선호되는 이유는?

1) GnRHa는 estrogen 분비를 유도하지 않는다.
2) GnRHa는 cytokine 분비를 유도하지 않는다.
3) GnRHa로 trigger를 하면 난포수가 적다.
4) 내인성 LH 반감기가 hCG 보다 짧다.

 4)

* 다음 중 OHSS high risk 환자에서 coasting을 중단하여야 하는 경우는?

1) estradiol level >4500 pg/mL
2) estradiol level >150 pg/follicle
3) >20 follicles larger than 17 mm
4) >10 follicles larger than 20 mm
5) duration >4 days

 5)

* 체외수정술을 위한 과배란유도 시 recombinant FSH 투여 7일째에 14 mm 이상의 난포가 20개 관찰되어 난소과자극증후군의 발생이 우려된다. 이때 고려할 수 있는 난소과자극증후군 예방법이 아닌 것은?

1) Coasting
2) Cycle cancellation
3) Dopamine agonist 투여
4) Triggering 시 hCG 감량
5) GnRH antagonist로 triggering

 5)

* 남성 난임 환자 중 저성선자극호르몬성 저성선증(hypogonadotropic hypogonadism)으로 진단을 받고 성선자극호르몬으로 치료를 받고 있는 환자가 있다. 만약 이 환자에게 투약을 하고 있다면 치료 종료 후 언제부터 치료 효과를 평가할 수 있는가?

1) 1주일 후
2) 1개월 후
3) 2개월 후
4) 3개월 후
5) 6개월 후

 4)

☞ 인간에 있어서 spermatogenesis의 전 과정에 필요한 기간은 75일이다.

* A 32-year-old healthy male presents with a low volume(0.6 mL), low pH(6.5), azoospermic semen analysis. Physical examination reveals normal sized testes, a full and firm caput epididymis, and absent vasa deferentia bilaterally. Which test will best identify the genetic etiology of this condition?

1) Serum FSH
2) Cystic fibrosis transmembrane conductance regulator(CFTR) mutation analysis
3) Y-chromosomal microdeletion assay
4) Karyotype
5) Androgen receptor mutation analysis

정답 2)

* 배아동결 시 사용되는 식빙(seeding)에 대한 설명으로 틀린 것은?

1) 완만동결일 때 사용된다.
2) 영하 6-7℃에서 이루어진다.
3) 영하 30℃의 액체질소 탱크에 넣는 것을 말한다.
4) autoseeding과 manual seeding이 있으며 주로 manual seeding을 쓴다.
5) 과냉각방지를 위해 시행한다.

정답 3)

* 완만동결 과정에서 식빙(seeding)을 하는 이유는?

1) 과냉각 방지
2) pH의 변화 방지
3) 세포내 기포형성 방지
4) 유리화(vitrification)의 방지
5) 배아의 투명대 경화현상 방지

 1)

* 배아의 time lapse culture system에서 poor embryo development와 연관이 깊은 인자가 아닌 것은?

1) uneven cell at 2-cell stage
2) multinucleation
3) mononucleation
4) direct cleavage
5) reverse cleavage

 3)

* Casson et al. (2000) postulated that DHEA administration to poor ovarian responders might augment the effect of gonadotropin stimulation via a paracrine effect mediated by [ ].

IGF-I

* 다음 중 서로 다른 것 하나는?

1) glycodelin
2) placental protein 14
3) mannan-binding lectin
4) chorionic 2-microglobulin
5) progesterone-associated endometrial protein

3)

* 다음 중 angiogenesis 관련 인자가 아닌 것은?

1) integrin
2) mucin-1
3) fibronectin
4) fibroblast growth factor
5) matrix metalloproteinase

2)

* 다음 중 ectopic pregnancy의 가장 큰 risk factor는?

1) past use of IUD
2) past treatment for PID
3) past history of pelvic surgery
4) past history of ectopic pregnancy
5) past history of two or more spontaneous abortions

4)

* 난관임신의 치료로서 methotrexate 투여 중인 환자에게 삼가야 한다고 설명해주어야 하는 것은?

가. 음주
나. 엽산을 포함하는 multivitamin
다. 부부관계
라. douche

1) 가, 나, 다 2) 가, 다 3) 나, 라 4) 라 5) 가, 나, 다, 라

1)

* 자궁외임신의 치료를 위하여 methotrexate를 single-dose로 투여하였다. 치료 성공의 기준은?

1) day 4에 β-hCG가 15% 감소
2) day 4에 β-hCG가 25% 감소
3) day 7에 β-hCG가 15% 감소
4) day 7에 tubal mass의 소실
5) day 7에 heartbeat 소실

1)

* 유방암 발생에 관하여 Korenman의 'open window theory'에 대한 설명으로 맞는 것은?

가. unopposed estrogen 상태가 tumor induction에 호시기이다.
나. 일생에 두 번의 open window가 있는데 puberty와 perimenopausal period이다.
다. 이른 나이에 초경과 늦은 나이에 폐경은 이 시기를 연장시키는 조건이다.
라. 몇몇 관찰연구 또는 역학조사에 근거를 둔 것으로 다른 임상연구의 결과와는 꼭 맞지 않는다.

1) 가, 나, 다　2) 가, 다　3) 나, 라　4) 라　5) 가, 나, 다, 라

 5)

* Tamoxifen에 대한 설명으로 맞는 것은?

가. estrogen agonist와 antagonist의 작용을 동시에 갖는다.
나. 폐경 후 여성에서 하루 20 mg의 투여로 FSH를 낮추는 효과는 estradiol 2 mg의 효과와 유사하다.
다. 골, 질점막, 자궁내막에 대한 효과는 estrogenic하다.
라. total cholesterol, LDL cholesterol을 낮춘다.

1) 가, 나, 다　2) 가, 다　3) 나, 라　4) 라　5) 가, 나, 다, 라

정답 5)

* 다음 중 tamoxifen 사용과 연관이 있다고 보고된 것은?

가. endometrial polyps
나. endometrial hyperplasia
다. growth of endometriosis
라. growth of leiomyomas

1) 가, 나, 다 2) 가, 다 3) 나, 라 4) 라 5) 가, 나, 다, 라

5)

* 다음 중 난소부전을 가장 잘 일으키는 항암제는?

1) 5-fluorouracil
2) methotrexate
3) etoposide
4) doxorubicin
5) cyclophosphamide

5)

* 다음 중 항암치료 시 난소부전과 가장 관련이 깊은 인자는?

1) low continuous dose regimen
2) high pulsed dose regimen
3) total cumulative dose
4) route of administration
5) duration of treatment

3)

* GnRH agonist가 항암요법과 관련된 난포파괴를 최소화하는 기전은?

- 분화기로 진입하는 원시난포의 수를 줄이는 생식샘저하 환경(hypogonadotropic milieu)의 유발
- 저에스트로겐 상태(hypoestrogenic state)를 만들어 난소로 가는 난소관류(ovarian perfusion)와 항암치료의 전달을 줄이는 효과
- 난소에 대한 GnRH agonist의 직접적인 효과로 GnRH 수용체를 활성화하여 세포자멸사를 감소
- sphingosine-1-phosphate 같은 항세포자멸(antiapoptotic) 분자의 조절
- 난소의 germline stem cell을 보호

* Sterilization을 일으키는 radiation dose는?

radiation에 대한 영향은 age, dose와 연관된다. 즉 젊을수록 영향을 덜 받는다. 150 rad 정도에서 40세 이상인 경우만 약간의 영향 준다. radiation 받은지 보통 2주만에 Gn 증가 시작. 그러나 이 영향은 나중에 POF 등으로 나타날 수 있으며 꼭 비가역적인 것만은 아니어서 나중에 기능회복(임신) 가능. 이때 기형 증가 없다. 난소에 대해서 60 rad 이하에서는 전혀 영향 없고 800 rad 이상에서는 100% sterilization된다.

* 자궁근종 조직에서 정상 자궁근층 조직에 비하여 과발현되어 있고 in vivo 및 in vitro에서 hormonal regulation과의 연관성이 인정되고 있어 자궁근종의 발생에 결정적 역할을 하고 있다고 생각되는 성장 인자(growth factor)는?

1) EGF
2) IGF-I
3) IGF-II
4) FGF
5) TGF-β

 5)

* 자궁근종의 GnRH agonist 치료에 대한 설명으로 맞는 것은?

가. 3-6개월 투여로 크기를 30-64% 감소시킬 수 있다.
나. 투여 3개월째 크기 감소에 대한 최대 효과를 보인다.
다. 투여를 중지하면 4-10주 후에 월경이 재개된다.
라. 투여를 중지하면 4개월 후에 치료 전 크기로 돌아온다.

1) 가, 나, 다　2) 가, 다　3) 나, 라　4) 라　5) 가, 나, 다, 라

 5)

* International Morphological Uterus Sonographic Assessment (MUSA) group에 의하면 adenomyosis는 diffuse type과 localized type 으로 나누는데 diffuse type이란 total involvement of myometrium이 corpus uteri의 ( )%를 넘는 경우이며 이 수치 미만이면 localized type 이다.

 50

* Th-1 cytokine의 예를 들고 임신에 미치는 영향에 대하여 논하라.

1) TNF-α, interferon-gamma, IL-6, IL-12 등
2) Decidua에 trophoblast가 침투하면 면역 반응이 일어나 cytokine이 분비되는데 Th-1 family가 우세하게 되면 differentiation & growth of trophoblast에 영향을 주고 embryo development에 toxic하게 작용하여 fetal anomalies, pregnancy loss 등을 유발한다는 주장, 특히 이들은 모두 tissue factor를 분비하여 thrombosis를 유발하는 능력이 있어 반복유산의 원인적 인자로 생각되어지고 있다.

* 부부 중 부인의 염색체 핵형이 다음과 같을 때 다운증후군 아이를 출산할 확률이 가장 높은 것은?

1) 46,XX,t(7:9)
2) 46,XX,t(13:14)
3) 46,XX,t(14:21)
4) 46,XX,t(21:22)
5) 45,XX,t(21:21)

 5)

* 다음의 balanced translocation 중에서 unbalanced offspring의 risk가 가장 높은 것은?

1) Robertsonian 13;14
2) Robertsonian 21;21
3) Robertsonian 14;21
4) Robertsonian 21;22
5) Reciprocal translocation

 2)

* 여성이 45,XX,t(14q,21q) 일 때 애기가 unbalanced translocation 일 확률은?

1) 1%
2) 10%
3) 33%
4) 50%
5) 100%

 2)

* 45,XX,der(13;21)(q10;q10)의 핵형에서는 해당 염색체에 어떤 현상이 일어났는가?

1) reciprocal translocation
2) Robertsonian translocation
3) inversion
4) deletion
5) duplication

2)

* 외관상 정상인 남자가 염색체 21번에 대하여 Robertsonian translocation carrier이다. 핵형이 정상인 여자와 결혼하여 아이를 낳았을 때 다운증후군이 출생할 확률은?

1) 1%
2) 2%
3) 5%
4) 10%
5) 100%

5)

* 외관상 정상인 부부에서 다운증후군 소견을 보이는 신생아가 태어났다. 이 신생아의 말초혈액에서 시행한 염색체 핵형은 47,XX,+21이었다. 다음 중 틀린 진술은?

1) 다운증후군에서 가장 많이 발견되는 핵형이다.
2) 발생률은 부인 나이에 비례한다.
3) 다음 아이가 또 다운증후군일 확률은 1-2%이다.
4) 부부의 염색체 검사를 시행하여야 한다.
5) 이 신생아가 성인이 되어 임신할 경우 다운증후군 아이를 낳을 확률은 30% 정도이다.

정답 4)

* 낭성섬유증(cystic fibrosis)의 유병율은 1/2,500로 알려져 있으며 상염색체 열성 유전을 한다고 한다. 일반 인구에서 이 질환에 대한 보인자(carrier)의 빈도는?

1) 1/25
2) 1/50
3) 1/100
4) 1/1,000
5) 1/2,500

정답 1)

☞ Hardy-Weinberg 가설에 의하여 질환의 빈도 q2 = 1/2,500 이므로 q=1/50, 따라서 보인자의 빈도인 2pq=1/25

* 27세 부인의 유일한 남동생이 아주 드문 상염색체 열성 유전 질환에 걸려 있는데 이 질환의 빈도는 1/10,000 이라고 한다. heterozygote carrier 검사는 불가능하다고 할 때 이 부인이 결혼하여 난 아기가 이 병에 걸릴 확률은?

1) 1/100
2) 1/200
3) 1/300
4) 1/500
5) 1/1,000

정답 3)

☞ 부인이 carrier일 확률=2/3, 미래의 남편, 즉 일반인이 carrier일 확률은 Hardy-Weinberg 가설에 의하여 1/50, 부부 모두 carrier이고 미래의 자녀가 질환에 걸릴 확률=(2/3)(1/50)(1/4)=1/300

* 25세 부인의 오빠가 Duchenne muscular dystrophy로 15세에 사망하였다. 이 부인이 결혼하여 난 자녀가 이 병에 걸릴 확률은?

1) 1/2
2) 1/4
3) 1/8
4) 1/16
5) 1/32

 3)

☞ 부인이 carrier일 확률=1/2, 정상인 남편과의 사이에 난 자녀가 병에 걸릴 확률 =(1/2)(1/4)=1/8

* 비정상 유전자의 기원이 부계냐 모계냐에 따라 질병이 다르게 발현되는 것을 무엇이라 부르는가?

1) penetrance
2) imprinting
3) expressivity
4) uniparental disomy
5) polymorphism

 2)

* 다음중 multifactorial inheritance의 예로 맞지 않는 것은?

1) ocular albinism
2) pyloric stenosis
3) clubfoot
4) neural tube defect
5) congenital heart disease

 1)

* 아래 빈칸에 들어갈 용어를 기술하시오.

The mechanism, known as (   ), results in random inactivation of one of the two X chromosomes in any given female cell, and the inactivated X remains inactive in all descendant cells.

 Lyonization

* Apoptosis의 특징은 DNA가 ladder pattern으로 fragmentation 되는 것이다. 이러한 변화를 유발하는 효소는?

1) endonuclease
2) ribonuclease
3) deoxynucleotidase
4) nucleotide transferase
5) adenosine peptidase

 1)

* 폐경되기 직전의 월경 시 내분비학적인 변화로서 타당한 것은?

가. FSH 증가
나. inhibin 감소
다. 정상 estradiol
라. 정상 LH

1) 가, 나, 다 2) 가, 다 3) 나, 라 4) 라 5) 가, 나, 다, 라

 5)

* 다음 중 폐경 즈음에 내분비학적인 변화로서 제일 먼저 나타나는 것은?

1) 혈중 FSH의 증가
2) 혈중 LH의 증가
3) 혈중 estradiol의 감소
4) 혈중 progesterone의 감소
5) 혈중 testosterone의 감소

 1)

* Perimenopausal transition에서 호르몬의 변화 양상으로 옳은 것은?

	FSH	LH	Inhibin
1)	↑	normal	↑
2)	↑	normal	↓
3)	↓	↑	↓
4)	↓	↑	↑
5)	normal	↓	↑

정답 2)

* 폐경여성에게 여성호르몬을 투여하여도 성선자극호르몬이 억제되지 않는 이유는?

 inhibin이 없기 때문

* 폐경 후 여성의 호르몬 대체요법에 대한 기술 중 틀린 것은?

1) 자궁이 있는 여성의 경우 에스트로겐과 병합하여 황체호르몬을 투여한다.
2) 폐경 후 vasomotor 증상 치료에 효과적이다.
3) 폐경 후 골밀도 감소를 억제한다.
4) 혈중 HDL-cholesterol을 증가시키고, LDL-cholesterol을 감소시킨다.
5) raloxifene의 경우 유방암 발생을 증가시킨다.

 5)

* 다음 중 경구 HRT 제재의 금기증에 해당하는 것은?

가. thromboembolic disorders

나. impaired liver function

다. undiagnosed uterine bleeding

라. hypersensitivity to the drug

1) 가, 나, 다 2) 가, 다 3) 나, 라 4) 라 5) 가, 나, 다, 라

5)

* progestogen의 부작용으로 타당한 것은?

가. edema

나. mastalgia

다. headache

라. depression

1) 가, 나, 다 2) 가, 다 3) 나, 라 4) 라 5) 가, 나, 다, 라

5)

* 폐경 여성의 호르몬치료 시 경구보다 경피(transdermal) 투여가 더욱 권장되는 상황은?

가. 정맥혈전증 고위험군

나. 고중성지방혈증

다. 대사증후군이 있는 비만 여성

라. 흡연 여성

1) 가, 나, 다 2) 가, 다 3) 나, 라 4) 라 5) 가, 나, 다, 라

 5)

* WHI Study의 EPT arm과 E arm에서 모두 그 위험도가 증가한다고 나온 항목은?

1) coronary heart disease
2) stroke
3) venous thromboembolism
4) breast cancer
5) colon cancer

 2)

* 폐경 여성을 대상으로 한 WHI Study의 EPT arm과 E arm에 대한 설명으로 틀린 것은?

1) 여러 대규모 연구의 결과로 보아 심혈관질환 예방 목적으로 상기 요법을 사용하는 것은 바람직하지 않다.
2) 정맥 혈전색전증의 유병률은 호르몬 대체요법 시행 후 첫 1-2년간 증가하나 그 후 감소하는 경향을 보인다.
3) EPT arm과 E arm 모두 유방암의 발생이 증가한다.
4) 호르몬 대체요법을 시행할 경우 알츠하이머병의 예방효과는 증명되었으나 인지기능향상의 증거는 불충분하다.
5) 호르몬 대체요법을 시행할 경우 대장암의 유병률이 감소되고, 대장암 환자의 생존율은 향상될 것으로 기대된다.

정답 3)

* 폐경여성의 호르몬치료에서 'Napa Valley rule'에 대하여 기술하시오.

정답
상당량의 알코올을 섭취하는 여성에서는 estrogen 투여량을 절반으로 줄이는 것을 말한다.

* Estrogen의 골보호 효과의 기전으로 타당한 것은?

가. 칼슘 흡수 증가

나. calcitonin 합성 촉진

다. osteoblast에 직접 작용

라. remodeling 과정에서 cytokine과 growth factors를 조절

1) 가, 나, 다　2) 가, 다　3) 나, 라　4) 라　5) 가, 나, 다, 라

5)

* 흡수 시 위산이 불필요하여 위산 분비가 저하된 고령 환자에게 추천되는 칼슘제는?

1) Calcium carbonate
2) Calcium lactate
3) Calcium phosphate
4) Calcium citrate
5) Calcium gluconate

4)

* osteoporosis를 유발하는 질환들로 맞는 것은?

가. hyperthyroidism

나. chronic renal failure

다. multiple myeloma

라. hyperparathyroidism

1) 가, 나, 다　2) 가, 다　3) 나, 라　4) 라　5) 가, 나, 다, 라

 5)

* In order to remain in zero calcium balance, postmenopausal women require a total of [ ] mg elemental calcium per day. Because the average women receives about 500-700 mg of calcium in her diet, the minimal daily supplement for women on estrogen equals an additional [ ] mg.

 1200, 500

☞ Speroff 교과서 9판 pp698

* WHI Study(2002) 에서 위약에 비하여 호르몬 투여군에서 유의하게 감소한다고 보고된 골절은?

가. osteoporotic fracture

나. spinal fracture

다. hip fracture

라. lower arm or wrist fracture

1) 가, 나, 다　2) 가, 다　3) 나, 라　4) 라　5) 가, 나, 다, 라

 5)

* 폐경 여성에서 raloxifene의 작용으로 틀린 것은?

1) bone mineral density 호전
2) vertebral fracture 감소
3) hip fracture 감소
4) 유방암 감소
5) venous thromboembolism 증가

 3)

* Raloxifene에 대한 설명으로 옳지 않은 것은?

1) LDL, total cholesterol을 낮춘다.
2) Bone에 대하여 protective action을 한다.
3) HDL을 높여 cardiovascular system에 보호 작용을 한다.
4) Uterus와 breast에 antagonist로 작용한다.
5) Hot flash에는 효과가 없다.

 3)

* Raloxifene에 대하여 2006년 발표된 STAR Trial의 연구 목적과 결론을 약술하시오.

- 연구목적

Raloxifene 사용 시 invasive breast cancer, endometrial cancer, non-invasive breast cancer, bone fracture, thromboembolic event의 발생 위험도에 대하여 tamoxifen과 비교하기 위함

- 결론

① invasive breast cancer의 발생 위험도를 낮추는 것은 두 군 간에 차이가 없음
② endometrial cancer, non-invasive breast cancer, bone fracture 위험도는 비슷함
③ thromboembolic event는 raloxifene 군에서 유의하게 낮았음

* Selective estrogen receptor modulator (SERM) 제재를 두가지 구조식으로 분류하고 각각에 해당하는 종류를 아는 대로 써라.

triphenylethylenes 계열: clomiphene, tamoxifen, toremifene
benzothiophenes 계열: raloxifene

* 갑상선 기능저하증으로 thyroxine을 투여받고 있는 여성에서 경구 여성호르몬 제제를 투여할 경우 간에서 생성되는 hormone binding protein 농도와 thyroxine 요구량은?

1) 증가 - 증가
2) 증가 - 감소
3) 감소 - 증가
4) 감소 - 감소

 1)

* 유방암으로 수술 후 타목시펜 복용 중인 환자가 vasomotor symptom을 호소할 때 사용가능한 약물은?

1) Paroxetine
2) Gabapentin
3) Raloxifene
4) Estrogen
5) Progestin

정답 2)